남성섹슈얼리티의 위계

누구도 페니스에는 관심을 보이지 않았다

남성섹슈얼리티의 위계
누구도 페니스에는 관심을 보이지 않았다

초판 발행일 2019년 9월 20일

지은이 계정민
펴낸이 유현조
책임편집 강주한
디자인 박정미
인쇄·제본 영신사
종이 한서지업사

펴낸곳 소나무
등록 1987년 12월 12일 제2013-000063호
주소 경기도 고양시 덕양구 대덕로 86번길 85(현천동 121-6)
전화 02-375-5784
팩스 02-375-5789
전자우편 sonamoopub@empas.com
전자집 blog.naver.com/sonamoopub1

ISBN 978-89-7139-703-9 03840

이 도서의 국립중앙도서관 출판예정도서목록(CIP)은 서지정보유통지원시스템 홈페이지
(http://seoji.nl.go.kr)와 국가자료공동목록시스템(http://www.nl.go.kr/kolisnet)에서 이용
하실 수 있습니다. (CIP제어번호: CIP2019033252)

남성섹슈얼리티의 위계

누구도 페니스에는 관심을 보이지 않았다

계정민 지음

소나무

글 싣는 순서

3부 장애남성

작가에 대한 짧은 이야기

작품에 대한 짧은 이야기

머리말

남성섹슈얼리티 지형을 탐사하다

언제부터 어떤 계기로 남성섹슈얼리티에 대해 주목하게 되었는지 되돌아보려고 한다. 매우 개인적인 이야기지만, 책에 담긴 내용이기도 하다. 남성섹슈얼리티를 향한 관심과 의문들, 답을 찾기 위해 보낸 시간들이 이 책을 채우고 있기 때문이다.

남성섹슈얼리티에 관심을 가지게 된 시기는 내가 범죄소설에 진지하게 접근하던 때와 같이한다(『범죄소설의 계보학』 머리말에서 이 시절에 관해서 자세하게 이야기한 적이 있다). 미국의 대학원에서 영문학을 공부하던 시절 나는 초기 빅토리아시대 영국의 범죄소설이던 뉴게이트Newgate 소설과 만났다. 교수형을 남발한 영국형법을 "피에 젖은 법전(Bloody Code)"으로 맹렬하게 공격했던 뉴게이트 소설을 공부하면서, 이 시기 사형이 구형되던 범죄에 관해 찾아보았다. 남성동성애가 사형에 해당하는 범죄로 나와 있었다(여성동성애는 처벌의 대상에서 제외됐다. 빅토리아 여왕이 여성이 동성애를 한다는 것 자체가 상상할 수 없는 일이라고 강력하게 주장했기 때문이다).

남성동성애에 대한 법의 집행은 다른 범죄와 비교해도 유독 엄격했다. 남성동성애자는 예외 없이 사형구형을 받았고 광장에서 공개처형을 당했다. 은밀하고 사적인 행위에 도덕적·종교적 비난이나 징계가 아닌 최고 수준의 법률형이 내려졌고, 그대로 실행된 것이다. 동성애와 비슷한 수준의 처벌을 받은 범죄로는 반역행위와 남편살해가 있을 뿐이었다. 이 시절 영국은 식민지 확보를 위한 제국주의 전쟁을 치루고 있었고, 엄격한 가부장제 사회였다는 사실을 기억할 필요가 있다. 동성애는 적국과 내통하여 제국의 존립을 위태롭게 하거나 아내가 가부장인 남편을 살해하는 행위와 동일한 처벌을 받았다. 이 사실을 납득하거나 수긍할 수 있을까?

내 공부는 남성동성애에 관한한 가장 참혹한 시기였던 19세기에서부터 시작됐다. 문학의 시대적·사회적 역할이 강조되고, 변혁을 외치는 시와 소설이 봇물을 이루던 영문학의 황금기였다. 오직 동성애만 예외였다. 동성애 탄압에 대한 저항의 몸짓은 얼어붙었고, 동성애 반대와 처벌의 목소리만 크게 울려 퍼졌다. 동성애 반대담론은 학자, 정치가, 종교인들의 입을 통해 반복적으로 제기되고 유포되었다. 그러나 여기에 저항하는 문학적 외침은 들리지 않았다.

작가와 평론가들은 모두 침묵했고, 저항의 목소리가 담긴 문학 텍스트는 출판되지 않았다. 익명으로 출판된 장편서사시 『돈 리언Don Leon』만이 문학의 대지에 외롭게 피어났을 뿐이다. 당대의 가장 진보적인 사상가였던 벤담Jeremy Bentham마저 오랜 기간 심혈을 기울여 쓴 동성애 원고를 살아 있는 동안에는 출판하지 않았다. 동성애는 침묵의 주제였고, 회피와 외면은 문학적 생존의 필수조건이었다.

여기서 한 세기만 더 뒤로 가보면 전혀 다른 세상이 펼쳐진다. 동성애에 관해서라면 18세기 영국은 100년 후와는 완전히 다른 나라였다. 이 때까지만 해도 동성애에 대한 법률적인 대응은 많이 느슨한 편이었고, 영문학의 대가들이, 조금의 주저함도 없이, 남성동성애를 다룬 소설과 에세이를 써냈다. 동성애는 공포의 주제가 아니었고, 오히려 유쾌한 해학과 풍자의 대상으로 존재했다.

동성애를 대하는 태도에서 영국의 18세기와 19세기는 전혀 달랐다. 내가 받은 인상으로는, 우리의 고려시대와 조선시대만큼이나 다른 모습을 드러냈다. 우리의 차이가 유교이데올로기의 지배력 강화 때문이라면, 영국은 자본주의 발전에 따른 것이었다. 산업혁명을 거치며 더욱 막강해진 자본주의 경제체제는 비생산적인 섹슈얼리티를 더 이상 용인하지 않게 되었다.

미국문학에서 가장 마초적인 작가를 거론한다면, 헤밍웨이Ernest Hemingway와 하드보일드 추리소설(Hard-Boiled Detective Fiction) 작가들이 빠지는 일은 없을 것이다. 이들의 소설은 거칠고 강한 남성성에 대한 예찬으로 가득하다. 이들 텍스트에서 동성애적 징후가 드러난다는 사실은 매우 놀라운 아이러니다. 헤밍웨이의 소설과 하드보일드 추리소설에는 사내들 사이의 애틋한 연모가 엿보이기도 하고, 동성애에 대한 매혹과 거부가 나타나기도 한다. 텍스트 표면을 뒤덮은 남성성의 과시가 동성애적 경향을 감추려는 시도일 수 있겠다는 생각이 드는 이유다.

헤밍웨이를 동성애와 관련해서 생각하게 된 것은 한 장의 사진에서 비롯된다. 미국 중서부의 한 시립도서관에서 열린 헤밍웨이 자료 전시회에 들린 적이 있다. 전시된 사진 중에서 강 또는 호수의 모래밭에서 중

넌기 초반의 헤밍웨이가 청년들과 어깨동무를 하고 찍은 사진이 눈에 들어왔다. 사진 속에는 남자들 간의 우정이나 끈끈한 연대와는 전혀 다른 에로틱한 기운이 감돌고 있었다. 마치 게이 리조트타운에서 찍은 남성동성애자들의 여름 피크닉 기념사진 같았다.

헤밍웨이의 텍스트를 다시 읽기 시작했다. 작가생활을 하던 초반기에 쓴 소설과 에세이에는 사진에서 엿보이던 동성애적 징후가 발견됐다. 다른 남성과의 신체접촉을 통해 슬픔과 고독을 위로받는 남성과, 동성에 대한 어쩔 수 없는 끌림에 당혹하는 남성의 모습이 드러났다. 헤밍웨이가 전시했던 마초적인 행태와 남성성의 강조가, 자신에게 잠재된 동성애적 성향을 위장하거나 거부하려는 혹은 은폐하기 위한 시도일 수 있겠다는 생각이 들었다. 그가 동성애적 성향으로 해석될 수 있는 원고는 수정해서 그럴 가능성을 없애버리거나 아예 발표하지 않았다는 사실은, 이런 생각을 더욱 굳게 했다.

하드보일드 추리소설은 여러 가지로 헤밍웨이의 소설과 비슷하다. 무엇보다도 감정을 드러내지 않는 건조하고 간결한, 무뚝뚝한 문체가 그렇다. 과도한 음주와 완력의 행사, 여성성에 대한 경멸로 요약되는 거친 남성성의 과시 또한 두드러지는 공통점이다. 하지만 동성애에 대해서는 이 둘 사이에 분명한 차이점이 존재한다. 헤밍웨이가 동성애를 암시적으로 재현하거나 아예 소거하려 한다면, 하드보일드 추리소설은 동성애를 분명하게 보여준다. 거기에서 한발 더 나아가 하드보일드 추리소설은 동성애를 범죄화하고 동성애자를 응징한다. 남성동성애자는 하드보일드 추리소설이 계급적 협상의 제단에 바치는 제물이 된다.

소년과 독신남성의 섹슈얼리티는 남성동성애자의 경우와는 매우 다른 차원의 문제를 제기한다. 동성애자의 섹슈얼리티는 선택한 파트너로 식별할 수 있지만, 소년과 독신남성의 섹슈얼리티 발현에는 파트너 자체가 부재하기 때문이다(소년과 독신남성의 섹슈얼리티를 대표하는 자위행위는 "홀로 저지르는 죄악"으로 불렸다). 남성동성애와는 전혀 다른, 더욱 은밀하고 자기 유폐적인 소년과 독신남성의 섹슈얼리티마저 통제하려는 권력의 강고한 의지가 유독 섬뜩하게 다가오는 까닭이다.

내 어머니는 엘리엇George Eliot의 『사일러스 마너Silas Marner』를 아름다운 동화로 기억하고 계신다. 금발의 여자아기를 자신이 도둑맞은 금화로 착각한 수전노 이야기로, 돈밖에 모르던 남자가 아기를 키우면서 마음이 따뜻한 사람으로 변한다는 이야기로(『사일러스 마너』는 엘리엇 소설 중에서 대중적으로 가장 많이 알려지고 편하게 읽히는 소설이기는 하다).

『사일러스 마너』가, 내게는, 독신남성의 섹슈얼리티에 관한 소설로 읽혔다. 한밤중에 감추어둔 금화를 꺼내어 쓰다듬는 사일러스의 행위가 전혀 다른 맥락으로 다가왔다. 모두가 잠든 밤에 홀로 깨어 깊은 곳에 숨겨놓았던 금화를 어루만지는 사일러스의 행동이, 독신남성의 섹슈얼리티를 상징하는 자위행위의 재현으로 읽힌 것이다. 『사일러스 마너』에는 독신남성의 섹슈얼리티가 순치되고 교화되는 과정도 포함된다. 땅 밑에 파묻은 금화처럼 유통되지 않고 생산을 위해 사용되지도 않던 사일러스의 섹슈얼리티는, 가족제도에 편입된 후 육아와 양육의 경험을 통해 '바람직한' 섹슈얼리티로 재구성된다.

로렌스D. H. Lawrence의 단편 「흔들목마를 탄 우승자(The Rocking-Horse

Winner)」는 "옛날 옛적에"로 시작해서 주인공 소년 폴Paul의 죽음으로 끝난다. 예전에는 「흔들목마를 탄 우승자」가 배금주의를 비판하는 기괴한 분위기의 동화라고 생각했고 그렇게 가르쳤다. 폴의 집에서는 경제적 어려움을 호소하는 "무서운" 목소리가 집 안 곳곳에서 들리기 시작하고 그 목소리는 점점 커져만 간다. 폴은 돈을 벌기 위해 그래서 가계곤란을 해결하기 위해 목마를 탄다. 목마를 타면 경마의 우승마를 미리 알게 되고, 우승할 말에 베팅해서 거액의 배당금을 손에 쥘 수 있기 때문이다.

다시 펼친 「흔들목마를 탄 우승자」는 소년의 섹슈얼리티에 대한 우화로 읽혔다. 폴이 목마를 타는 행위는 성행위에 대한 묘사처럼 그려지고 있었고, 우승마에 대한 계시를 받는 순간의 재현도 성행위의 절정을 연상하게 만들었다. 자위행위가 결국 소년을 죽음에 이르게 하는 것으로 소설은 종결된다.

자위행위에 관한 자료를 찾아보는 일은 그리 어렵지 않았다. 자위행위에 대한 경고와 예방책을 담은 수많은 도서와 팸플릿이 출판되고 유포되었기 때문이다. 빅토리아시대의 자위행위담론은, 특히 소년의 자위행위에 대한 대응은 '코믹하게' 느껴질 정도로 과도했다. 자위행위는 국가의 미래를 치명적인 위기로 몰아가는 행위로 규정되었고, 소년들에 대한 교육은 비극적인 파국을 막는 데 집중되었기 때문이다.

19세기에 구성된 자위행위담론은 20세기에 들어와서도 막강한 영향력을 행사했다. 소년의 자위행위에 대한 금지와 경계의 원칙이 엄격하게 준수되었고, 과도한 자위행위가 행위자를 죽음에 이르게 한다는 의학적 견해 역시 계속 존중되었다. 「흔들목마를 탄 우승자」의 결말이 주인공 소년의 사망인 것은 너무나 자연스러운 문학적 귀결이었다.

찾아보면 장애남성의 섹슈얼리티를 다룬 영미소설은 적지 않다. 샬롯 브론테Charlotte Brontë가 쓴 『제인 에어Jane Eyre』도 그중 하나다. 몇 년 전에 영화로 새로 만들어진 『제인 에어』를 보러갔었다. 극장을 찾은 관객 대부분은 50대 전후의 여성이었다. 이들이 중고등학교를 다닐 때는 학교마다 '시화전'과 '문학의 밤' 같은 행사가 성황리에 열리던 시절이었다. 그때 여학생들은 『제인 에어』를 공감하며 읽었을 것이다. 제인이 비슷한 나이의 소녀이고, 그 시절 영국의 교육환경과 수업방식이 1970년대 한국의 중고등학교와 그곳에서의 경험과 크게 다르지 않았을 것이기 때문이다.

『제인 에어』에는 제인과 로체스터Edward Rochester의 사랑 이야기와, 열정의 깊이가 많이 다르긴 하지만, 제인과 신 존St. John 사이의 로맨스가 등장한다. 『제인 에어』를 하이틴 로맨스처럼 읽을 수도 있는 이유다. 혹은 고아 소녀의 사랑과 이별, 성공과 결혼을 담은 순정소설로도 읽을 수 있을 것이다.

이 책이 『제인 에어』라는 '명작소설'에 관한 아름다운 추억을 훼손시킬지도 모르겠다. 특히 제인과 로체스터의 사랑에 관한 가슴 떨리는 기억을. 로체스터는 기억 속의 남자와는 전혀 다른 모습으로 다가오기 때문이다. 장애 이전의 로체스터는, 다양한 국적의 여성들에게 성적 능력을 과시하며 지배적인 남성섹슈얼리티를 구현하는 인물로 그려진다. 장애는 그로 하여금 남성섹슈얼리티를 상실케 한다. 장애 이전과 이후로 확연하게 갈리는 그의 섹슈얼리티는, 『제인 에어』를 장애와 남성섹슈얼리티에 관한 텍스트로 읽도록 만든다. 제인의 로체스터를 향한 사랑과 헌신 역시, 안타깝지만, 전혀 다르게/새롭게 다가올 것이다.

전쟁과 장애는 밀접하게 연결된다. 전투에 참가한 많은 군인들이 부상으로 장애를 입기 때문이다. 특히 제1차 세계대전은 장애 참전군인을 양산했다. 신형무기의 도입으로 대량살상이 발생했고, 참호전의 끔찍한 트라우마를 남겼던 전쟁이기 때문이다. 제1차 세계대전에서 장애를 입은 남성이 주요인물로 등장하는 소설이 드물지 않게 눈에 띄는 것도 이런 역사적 사실의 반영이다.

장애 참전군인이 등장하는 대표적인 영미소설을 한 편씩 뽑는다면, 로렌스의『채털리 부인의 연인(Lady Chatterley's Lover)』과 헤밍웨이의『해는 다시 떠오른다(The Sun Also Rises)』가 될 것이다. 두 소설은 모두 참전 중 입은 장애로 남성섹슈얼리티를 상실한 인물들을 다룬다.『채털리 부인의 연인』에는 영국군 장교로 제1차 세계대전에 참가했다가 포격에 의한 부상으로 하반신 마비가 된 클리퍼드Clifford Chatterley가 주요인물로 등장하고,『해는 다시 떠오른다』에는 제1차 세계대전에서 입은 부상으로 성불구가 된 제이크Jake Barnes가 주인공으로 나온다.

『채털리 부인의 연인』은 기혼의 장애남성이 섹슈얼리티의 상실로 겪는 절망과 고통을 극명하게 보여준다. 장애 앞에서 귀족가문의 후손이라는 그의 계급적 자부심은 휘발된다. 장애 이후 지적이고 아름다운 아내 콘스탄스Constance는 클리퍼드에게 부담으로 다가오고, 콘스탄스에게 클리퍼드는 남성성을 상실한 유약하고 기괴한 존재로 남을 뿐이다. 그에게는 자신이 아내에게 성적인 만족을 줄 능력을 잃어버렸고, 모든 면에서 돌봄을 받아야 하는 유아와 같은 존재가 되었다는 사실을 수용하고 협상하는 과제가 부여된다.

『해는 다시 떠오른다』의 제이크는 전투 중 성기가 훼손되는 부상을 입는다. 그에게 장애는 상징적 거세가 아닌 물리적 거세인 것이다. 제이크는 여전히 사랑하는 여인에게 집착하지만, 그녀는 섹슈얼리티를 상실한 그를 못 견뎌 한다. 그는 성적 좌절감과 수치심을 남성동성애자들에게 투사하고, 그들에 대한 분노와 적개심으로 자신의 열패감을 해소하려 한다. 섹슈얼리티를 가지지 못한 자로서 제이크는, 가진 자들이 그것을 제대로 올바르게 사용하지 않는다는 사실을 이해할 수도 용납할 수도 없기 때문이다. 소설의 결말부에서 그는 자신이 남성동성애자들에게도 패배한 존재임을 인정한다. 장애남성은 성적 하위주체 중에서도 가장 낮은 존재인 것이다.

「"입 밖에 낼 수 없는 죄악": 19세기 영국 동성애담론」을 발표한 것이 2005년 봄이다. 10년 넘게 남성섹슈얼리티에 관한 논문을 써온 셈이다. 남성동성애에서 출발한 내 공부는, 소년과 독신남성, 헤밍웨이, 하드보일드 추리소설을 거쳐 장애남성까지 가닿았다. 이 책은 그동안 쓴 논문에 근거한다. 다만 가독성을 위해 구성을 새롭게 하고 문장을 고치고, 새로운 내용을 덧붙였다. 논문을 쓸 때 품었던 문제의식과 도달한 결론은 이 책에서도 여전히 유효하다. 남성섹슈얼리티가 자본주의, 가부장제, 제국주의, 이성애주의, 연령주의, 국가주의, 비장애인중심주의가 관철되고 작동한 장이라는 생각이 그것이다.

첫 책을 세상에 내놓고 나서 내게는 독자들이 생겼다. 이제 두 번째 책을 세상으로 보낸다. 그들이 전해준 호의와 환대가 있었기에 가능한 일이다. 반응해주신 모든 분들께 감사의 마음을 전한다.

　이 책을 가족에게 바친다. 청년의 마음으로 살고 계신 아버님과 어머님, 삶의 태도를 알려준 아우, 선의와 배려를 실천한 아내, 우리에게 와 준 고마운 아이. 내 삶이 얼마나 이들에 기대고 있는지, 나는 너무도 잘 알고 있다.

남성섹슈얼리티는 평등한가?

얼리티 위계의 상위그룹을 이룬다.

그렇다면 어떤 남성의 섹슈얼리티가 비난을 받거나 모욕을 당하며 처벌받을까? 상위모델에 포함되지 않은 남성섹슈얼리티가 그 대상이 된다. 이들의 이름은 쉽게 떠올릴 수 있을 것이다. 동성애자, 독신남성, 소년, 장애남성. 이들이 바로 주변적/종속적/비규범적 섹슈얼리티를 소유한, 순치되거나 배제되는 남성들이다.

규범적/중심적/지배적/패권적/특권적 남성섹슈얼리티를 소유했다면, 그는 섹슈얼리티를 숨기거나 부인하거나 교정할 필요가 없다. 자신의 섹슈얼리티를 '당당하게' 드러내고 환대와 축복을 받으면 된다. 비규범적/주변적/종속적 남성섹슈얼리티를 지녔다면, 전혀 다른 이야기가 시작된다. 그는 자신의 섹슈얼리티를 순치시키거나, 위장하거나 부인해야 한다. 교정에 실패하거나 은폐가 폭로된다면, 그에게는 혐오나 조롱, 폭력적인 대응이나 처벌이 기다릴 것이다.

남성섹슈얼리티는 왜 불평등한가? 단순화의 위험을 감수하고, 가장 압도적인 영향력을 행사하는 요인을 말해보자. 남성섹슈얼리티에 대한 위계화와 불평등한 대우는 자본주의체제에서 비롯된다. 자본주의의 지배력은 단지 경제적 차원에 머물지 않기 때문이다. 근대 이후 거의 모든 사회적 영역에서 그 영향력을 확대해간 자본주의는, 개별 남성의 사적인 지점에도 손을 대기 시작한 것이다.

이미 신물이 날 만큼 잘 알고 있는 것처럼, 자본주의 경제규범은 이익의 창출을 절대적 가치로 신봉한다. 자본주의적 가치는 남성섹슈얼리티의 영역에도 스며들었고, 정언명령으로 자리 잡았다. 이제 남자가 사용하는 성적 에너지는 오직 생산의 영역 안에서만 정당화된다. 수익을 내는 남성섹슈얼리티는 수용되지만, 생산과는 무관한 혹은 생산을 거부하는 남성섹슈얼리티는 승인이 거부된다. 자본주의적 가치에 적합하지 않다고 판정된 남성의 섹슈얼리티는 배제되거나 부인되는 것이다.

자본주의처럼 절대적이지는 아니지만, 남성섹슈얼리티의 위계화를 결정하는 다른 이데올로기들이 존재한다. 가부장제와 이성애주의, 비장애인중심주의 역시 남성섹슈얼리티의 등급을 나누는 작업에 적극적으로 참여한다. 생산자와 부양자, 보호자의 역할을 수행할 수 있는 남성섹슈얼리티를 결정하는 데 커다란 영향력을 행사하는 것이다.

결과는 쉽게 짐작할 수 있다. 이성애자, 비장애인, 기혼남성은 심사를 통과하고 남성섹슈얼리티 위계의 윗부분에 배치된다. 반면에 소년과 독신남성, 동성애자, 장애남성의 섹슈얼리티는 심사에 탈락하여 성적 위계의 아래쪽으로 밀려난다. 바람직한 성적 역할을 수행할 수 없는, 혹은 수행하지 않으려는 남성은 섹슈얼리티의 승인을 받지 못하고 성적 하위주체로 살아가야만 한다.

성적 하위주체들의 기구한 사연을 들어보자. 소년의 섹슈얼리티부터 시작하자. 연령은 남성섹슈얼리티 판정에 중요한 잣대가 되기 때문이다. 이렇게 된 데는 중간계급의 역할이 컸다. 산업혁명 이후 급격하게 변화한 경제체제 안에서 새로운 지배세력으로 등장한 중간계급은, 결혼과 가정을 성적 교환이 '합법적으로' 이루어지는 '유일한' 장으로 규정했다. 이것이 바로 그 유명한/악명 높은 '빅토리아시대 중간계급의 도덕(Victorian Middle-Class Morality)'의 핵심에 있었다.

결혼연령에 이르지 못한 소년은 합법적인 성적 교환의 장에 입장을 허가받지 못한다. 성인이 될 때까지 그는 섹슈얼리티를 드러내지도 또 거기에 관심을 보이지도 않을 것을 요구받는다. 짧지 않은 기간을 그는 무성적인(asexual) 존재로 대기해야만 하는 것이다. 소년이 섹슈얼리티를 발현하는 주된 방식인 자위행위는, 커다란 문제로 떠오를 수밖에 없다. 소년의 자위행위는 무성성을 거부하는, 성적 존재임을 증명하는 저항이 되기 때문이다.

연령에 관련된 또 다른 이야기를 해보자. 소년의 경우처럼 나이가 차기를 기다려야 하는 시기에 섹슈얼리티를 사용하는 일은 금지된다. 그러나 결혼할 나이에 이르러서도 합법적인 성적 교환의 장에 들어가지 않고 그 바깥에 머무는 행위 역시 경계와 규제의 대상이 된다. 성인남성이 혼인의 장에서 이탈해 독신을 고집하는 일은, 출산을 통해 새로운 노동 인력을 생산하는 것을 봉쇄하는 행위이기 때문이다. 동시에 독신은 가부장제와 그것에 기반을 둔 가족제도를 거부하는 행위가 된다. 독신남성의 섹슈얼리티는 규범적 남성섹슈얼리티에서 배제되고, 그가 고집을 피우는 한 승인은 계속 보류된다.

권력을 지닌 자들 — 부모, 교육자, 종교 지도자, 의사, 정부관리 등 — 은 소년과 독신남성을 결코 자유롭게 내버려두지 않는다. 이들은 소년과 독신남성의 섹슈얼리티에 적극적으로 개입하여 섹슈얼리티 교정 작업에 전념한다. 권력의 개입은 비정상적인 남성섹슈얼리티를 정상적으로 순치시키기 위한 선의로 포장된다.

소년과 독신남성의 섹슈얼리티를 치유하는 일은 각각 다른 방식으로 진행된다. 소년의 경우에는 성적 에너지를 보존하여 국가와 민족에 유익한 방향으로 사용하도록 유도한다. 소년은 성욕을 승화시키는 방법을 교육받고 학습하게 되는 것이다. 독신남성에게는 전혀 다른 과제가 부여된다. 독신남성에게는 인생의 반려자를 만나 가족제도 속으로 걸어 들어가, 합법적이고 즉각적인 섹슈얼리티의 사용을 통해 정상적인 남성섹슈얼리티로 승인받을 것이 요구된다.

비규범성이 가장 두드러지는 남성섹슈얼리티를 꼽는다면, 당연히 남성동성애가 선택될 것이다. 여기에 누구도 다른 의견을 제시하지 않을 것이다. 동성을 향한 섹슈얼리티는 감각적 쾌락이나 정서적 충만감으로 연결될 뿐, 생산/생식/출산과는 분리되기 때문이다.

소년과 독신남성의 섹슈얼리티는 시간의 문제이다. 너무 이른 혹은 너무 늦은 섹슈얼리티이기 때문이다. 이들의 섹슈얼리티는 인내심을 가지고 훈육을 하면서 기다리거나, 지금 당장 실행에 옮기도록 강요함으로써 정상적인 남성섹슈얼리티로 재구성될 수 있다. 그러나 남성동성애자는 소년이나 독신남성과는 전혀 다르다. 동성애는 시간의 문제가 아니기 때문이다. 동성애는 기간이나 빈도와는 무관한, 존재 그 자체의 영역인 것이다.

종교와 의학, 법률은 남성동성애자를 성적 생산의 장으로 유인하려는 다양하고 집요한 시도를 주도했다. 그러나 동성애자의 남성섹슈얼리티에 대한 종교적·법률적·의학적 처방은 모두 실패로 끝난다. 남성동성애는 협상의 가능성이 '근원적으로' 봉쇄된, 따라서 교정의 가능성 역시 기대할 수 없는 '존재'의 문제이기 때문이다.

남성동성애자는 자본주의체제를 거스르는 바람직하지 못한 구성원의 수준을 넘어선다. 남성동성애는 자본의 지배력에 대한 장애물로 규정되고, 남성동성애자의 성적 비생산성은 자본주의에 대한 위협으로 간주된다. 그는 기존체제를 수호하기 위해 반드시 제거되어야만 하는 대상으로 설정된다. 혐오와 공포가 남성동성애자를 향하고, 증오범죄(hate crime)가 그에게 집중되는 이유다. 남성동성애자는 영원한 성적 타자로 남는다.

장애남성과 비교하면, 소년과 독신남성, 심지어 남성동성애자의 사연도 동화에 가깝게 들릴 것이다. 소년과 독신남성은 너무 이르게 사용하려는, 사용해야 하는 때가 넘었는데도 사용하지 않는 섹슈얼리티가 문제를 일으킨다. 남성동성애자는 생산적인 방식으로 사용하지 않는 섹슈얼리티가 죄악으로 규정된다. 하지만 장애남성은 섹슈얼리티 그 자체를 박탈당한 존재다. 장애남성의 섹슈얼리티는 시간이나 사용방식의 차원이 아닌, 가진 자와 가지지 못한 자 사이의 아득한 괴리와 결부된다.

섹슈얼리티가 소거된 장애남성은 유아와 같은 무성적인 존재로 취급된다. 그리고 그런 존재로 남아 있기를 강요당한다. 선천적인 장애가 아니라 성년 이후 특히 결혼 이후 장애를 지니게 된 경우, 남성섹슈얼리티의 문제는 더욱 심각해진다. 기혼 장애남성에게는 섹슈얼리티를 바람직하게 사용한 경험이 있으며, 규범적 섹슈얼리티는 그의 정체성을 구성하던 커다란 부분이었기 때문이다. 장애라는 상징적인 거세를 당한 후 그는, 돌봄이 절대적으로 필요한 동정의 대상이 된다. 그러나 장애남성이 무성성과의 협상을 통해 정체성을 재설정하라는 요구를 거부하고 남성섹슈얼리티에 집착하는 순간, 그는 추하고 역겨운 괴물로 인식된다.

지금부터 성적 시민권을 받지 못한 남성들에 대한 이야기를 본격적으로 시작하자. 샬롯 브론테, 엘리엇, 로렌스, 헤밍웨이, 챈들러Raymond Chandler 같은 문학의 대가들이 성적 위계의 하단부로 밀려난 남성섹슈얼리티를 어떻게 재현하는지도 함께 살펴보려고 한다. 긴 이야기가 되겠지만, 몰입의 시간이기를 바란다.

1부

소년과 독신남성

1장

죽거나 혹은 나쁘거나

소년의 "홀로 저지르는 죄악"

⚥

난감하거나 꺼려지는

아주 오래전 일은 아니다. 지난 세기말이니까 20년 조금 더 됐을 뿐이
다. 1994년 12월에 열린 국제연합 세계에이즈대회 기념행사에서 엘더즈
Jocelyn Elders 미국 보건부장관은 아동의 자위행위가 정상적이라고 주장
하는 연설을 한다. 엘더즈 장관은 그 다음 주에 클린턴Bill Clinton 대통령
에 의해 전격적으로 장관직에서 해임된다. 너무 리버럴하다고 보수주의
자들로부터 거센 비판을 받던 민주당 집권기에 벌어진 사건이다.

섹슈얼리티에 대한 금기가 상당 부분 완화된 지금도 자위행위는 다루
기가 꺼려지는 혹은 난감한 주제다. 엘더즈 장관의 해임이 보여주는 것
처럼, 자위행위에 대해 가치판단을 내리는 일이 때로는 고위공직자의 커
리어를 소멸시킬 수도 있기 때문이다. 사상과 학문의 자유가 보장된 학
술 분야에서도 자위행위와 '거리를 두려는' 경향은 동일하다.

우리가 관심을 가지고 살펴볼 근대 영국의 자위행위에 관한 연구 역
시 마찬가지다. 이 시기 영국의 섹슈얼리티를 대상으로 하는 연구는 활

발하게 진행되어 왔지만, 유독 자위행위에 관한 연구는 전혀 다른 모습을 보인다. 자위행위에 관한 축적된 연구물은 매우 빈약하며, 연구물의 대부분도 자위행위의 병리학적·정신의학적 혹은 의학사적 측면에 집중하거나 자위행위환자와 의료행위자 사이의 관계에 주목하는 전문 의학 연구의 성격을 띤다.[1]

인문학적 시각에서 자위행위에 접근한 연구는 극히 드물다. 메이슨 Jeffrey M. Masson의 『암흑의 과학: 19세기의 여성, 섹슈얼리티, 정신의학(A Dark Science: Women, Sexuality, and Psychiatry in the Nineteenth Century)』과 라 쿼(Thomas Laqueur)의 『성행위: 그리스인들로부터 프로이트까지의 몸과 젠더(Making Sex: Body and Gender from the Greeks to Freud)』 정도를 주요 성과로 들 수 있을 것이다. 하지만 이들의 연구에서도 자위행위는 여러 연구항목 중 하나에 불과하며, 자위행위가 간헐적으로 다루어질 때도 폭력적이고 극단적인 사례에만 선택적으로 집중된다.

자위행위에 관해 침묵하거나 우회하는 한, 남성섹슈얼리티 지형을 조망하는 작업은 불완전하거나 불충분해질 수밖에 없다. 자위행위는 소년과 독신남성이 섹슈얼리티를 발현하는 주된 방식이기 때문이다. 이성애자/기혼/비장애 남성의 섹슈얼리티가 정점에 배치된 남성섹슈얼리티 위계 속에서, 자위행위로 상징화되는 소년과 독신남성의 섹슈얼리티는 성적 위계의 하단부로 밀려난다. 이들은 가부장제가 요구하는 보호자와 부양자로서의 역할을 수행하지 못하는/않는 남성이기 때문이다.

결혼제도 안으로 들어가기에 '너무 이른' 소년과 결혼제도로 진입하기를 '거부하는' 독신남성은, 동성애자나 장애남성 같은 성적 하위주체들과는 많이 다르다. 이들에게는 성적 지향이나 기능이 아닌, 개인의 의지와 결단이 문제가 되기 때문이다. 소년은 참고 기다리기만 하면, 독신남성은 당장이라도 결혼만 한다면 가부장 지위획득이 가능하기 때문이다.

자위행위로 발현되는 바람직하지 못한 남성섹슈얼리티는 교화의 과정을 거친다. 소년은 무성적인 존재가 되기를 강요당하고, 그의 성적인 에너지는 제국과 민족에 유익한 방향으로 유도된다. 반면에 독신남성은 가족제도 내부로 편입되어 가부장제와 자본주의 경제체제에 적합한 인간으로 완성되기를 요구받는다. 교정의 과정 속에서 자위행위담론은 민족, 제국, 가족, 경제와 같은 당대의 지배이데올로기를 지탱하는 주요 기제로 작동한다.

체액의 배출에서 죽음의 행위로

자위행위를 바라보는 시각은 근대를 전후로 극명하게 갈린다. 근대 이전 자위행위를 향한 태도는 상대적인 관용과 무관심으로 요약된다. 그러나 근대에 들어와 자위행위는 개인의 생명을 위험에 빠뜨리고 민족과 제국의 존립을 위협하는 반사회적·반제국적 행위로 새롭게 규정된다.

근대 이전인 중세와 르네상스시대를 먼저 살펴보자. 이 시기의 기독교 신학에서 자위행위는 육체적 욕망을 억제하는 데 실패했음을 드러내는 표지로 간주됐다. 하지만 여성의 육체에 대한 정욕에 굴복하는 것보다는 해악이 덜한 것으로 평가되었다. 의학자들은 정액의 유출과 체액의 균형이라는 생리학적 측면에서 자위행위에 접근했고, 자위행위가 육체적으로나 심리적으로 병적인 결과를 야기한다고 보지 않았다. 중세와 르네상스시대의 신학담론과 의학담론 모두 아동의 자위행위에 대해서는 언급하지 않았다.[2]

근대로 접어들면서 자위행위를 바라보는 시각은 크게 달라진다. 여기에는 『오나니아 혹은 자기-오염의 가증스런 죄악(Onania: or, the Heinous Sin of Self-Pollution)』의 출판이 커다란 전환점으로 작용했다. 1710년에 런던에서 익명으로 출판된 후 1750년까지 38만 권이 판매되고 1760년에 이르러서는 20개의 판본으로 출판될 정도로 커다란 대중적인 반향을 일으켰던 『오나니아』는 근대 자위행위담론을 새롭게 구성했다. 자위행위는 정액의 배설과 관련된 처리방식 중 하나가 아니라 행위자에게 해를 끼치는 질병으로 새롭게 정의된 것이다.[3]

18세기 후반에 진행된 산업혁명 역시 자위행위에 대한 시각을 새롭게 구성하는 데 커다란 영향을 미쳤다. 산업혁명 이후 중간계급의 부상과 함께 영국사회에서는 "존경받을 수 있는 자질(respectability)"이 개인을 평가하는 가장 중요한 기준이 되었다. "존경받을 수 있는 자질"은 태생적인 것이 아닌 훈련의 결과로 인식되었고, 이것을 획득하기 위해서는 헌신과 노력, 절제, 근면, 그리고 가장 중요하게는 자기통제력이 필수적인 요소로 간주되었다.[4]

"존경받을 수 있는 자질"에 대한 존중은 자위행위에 대한 비판적인 태도를 강화하는 쪽으로 움직였다. 성적인 자기통제 능력은 자기통제력의 평가에 있어서 가장 중요한 고려사항이었기 때문이다. "홀로 행하

ONANIA;
OR, THE
HEINOUS SIN
OF
Self=Pollution,
AND
All its Frightful Consequences, in both
SEXES, Consider'd,
WITH
Spiritual and Physical ADVICE to Those who
have already Injur'd themselves by this Abomina-
ble Practice.

To which are Added,
Divers remarkable Letters from such Offenders, to the Author,
lamenting their Impotencies and Diseases thereby.

AS ALSO
LETTERS from Eminent Divines, in Answer to a CASE of
CONSCIENCE, relating thereto.

AS LIKEWISE
A Letter from a LADY, to the Author, [very curious] and another from
a Married-Man, concerning the Use and Abuse of the Marriage Bed,
with the Author's Answer. And two more from two several young
Gentlemen, who would urge the necessity of SELF-POLLUTION ; and
another Surprizing one, from a young married Lady, who by this detestable
Practice became Barren and Diseas'd.

There shall in no wise enter into the Heavenly Jerusalem, any Thing that de-
fileth, or worketh Abomination. Rev. xxi v. 27.

The Sixth EDITION, Corrected and Enlarged.

LONDON: Printed for, and Sold by T. Crouch, Bookseller, at the Bell,
over against the Queen's-Head-Tavern, in Pater-Noster-Row, near Cheap-
side. 1722. [Price 1 s. 6 d. Stitch'd.]

『오나니아 혹은 자기-오염의 가증스런 죄악』 표지. 반
세기 후에 등장한 스위스의 의사 티소S. A Tissot는 이
책을 "엉터리, 지리멸렬, 신학과 도덕의 교의가 지극히
유치한 조잡스러운 책"으로 비난했지만, 『오나니아』는
자위행위에 대한 근대적 시각을 결정지었다.

는 죄악(solitary vice)", "자기 학대(self-abuse)", "홀로 저지르는 탐닉(solitary indulgence)", "비밀스러운 죄(secret sin)" 등으로 불린, 의지력을 병들게 하는 성적 악습에 빠진 자위행위자는 자기통제력을 상실한 자로 간주되어 사회적 존경의 대상에서 제외되었다.

19세기로 들어서면서 자위행위는 윤리적 절제 차원을 넘어서는 삶과 죽음의 문제로 부상한다. "정액의 경제학(spermatic economy)"이라고 알려진 의학담론에서 "자위행위는 죽음"[5]이라는 등식을 도입했기 때문이다. "정액의 경제학"에서는 생명을 생산하는 액체인 정액의 과도한 유출이 남성 본인에게 치명적일 뿐 아니라 종족 전체를 쇠멸시킬 수 있다고 경고했다.[6] 이제 자위행위는 성적인 자기통제력을 약화시키는 개인적인 악습의 수준을 넘어 반민족적·반사회적 행위로 새롭게 규정되었고, 자위행위에 대한 공세와 비난은 더욱 강화되었다.

"정액의 경제학"이 확산된 후 자위행위에 대한 시각이 얼마나 달라졌는지는 자위행위에 대한 카릴Richard Carlile의 입장을 통해 극명하게 입증된다. 카릴은 보통선거권(universal suffrage) 투쟁과 언론자유운동을 선도하면서 여러 차례 투옥을 경험한 진보적인 지식인이자 활동가였다. 특히 그는 섹슈얼리티에 관해 당대 영국인 중 가장 급진적인 입장을 견지한 것으로 유명했던/악명 높던 인물이었다. 그가 자유롭고 해방된 성행위와 피임의 필요성을 강하게 주장했기 때문이었다. 그런 카릴이지만 자위행위를 앞에 두고는 전혀 다른 인물로 돌변했다. 그는 자위행위를 "자연스럽고 건강한 이성 간의 성적 교섭에 반하는", 개인의 육체와 영혼을 병들게 하고 집단을 파멸시키는 행위로 비난했다.

19세기 후반에 들어서면서 영국은 식민지 쟁탈전에서 주도권을 상실해갔다. 영국의 제국주의적 자부심을 크게 훼손시켰던 사건들을 짧게 언급하고 가자. 1853년에 시작된 크림전쟁(Crimean War)에서 영국군은 예상과는 달리 러시아군을 쉽게 제압하지 못했다. 영국군의 수많은 시체 위에 놓인 초라한 승리는, 영국으로 하여금 더 이상 군사력의 절대적 우위를 자신하지 못하도록 만들었다. 더욱 치명적인 타격은 인도반란(Indian Rebellion)에서 왔다. 1857년에서 1859년에 걸쳐 영국군으로 복무하던 인도인인 세포이Sepoy에 의해 주도된 인도반란은 영국의 식민지 지배체제를 아래로부터 뒤흔들었다. 인도반란을 경험한 영국인들은 제국의 몰락에 대해 심각하게 우려하기 시작했다. 영국사회에서는 제국의 미래에 대한 위기감이 커져 갔고, 위기감에 편승해 반자위행위담론은 더욱 힘을 얻게 되었다.

영국인들은 고대 로마제국 이래로 제국의 붕괴에는 도덕적 타락, 특히 성도덕의 타락이 결정적인 요인으로 작용했다는 사실을 기억해냈다. 이들은 제국의 운명이 성적 윤리의 회복에 달려 있다는 역사적인 교훈을 되새기기 시작했다. 사회정화운동(Social Purity Movement)을 주도한 인물 중 하나였던 홉킨스Ellice Hopkins의 "남성과 여성의 관계가 정결한가라는 거대한 질문의 근저에 국가의 번영과 진보가 놓여 있다"는 주장이나, 『스펙테이터The Spectator』의 런던 편집장이었던 스트래치St. Leo Strachey의 다음과 같은 발언은 모두 제국의 존립을 위해 성윤리를 바로잡아야 한다는 절박한 위기감을 반영한다.

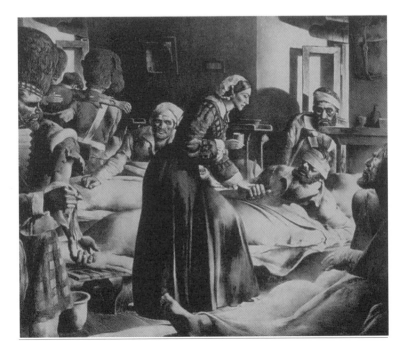

크림전쟁에서 부상당한 병사들을 돌보는 나이팅게일Florence Nightingale. 영국이 크림전쟁에서 거둔 '상처뿐인 승리'는 제국의 미래에 대한 우려와 불안을 낳았다. '광명의 천사'로서의 나이팅게일의 이미지는 훼손된 영국인들의 자부심을 치유하기 위한 상징기제로 동원되었고, 매우 효과적으로 작동했다.

국가의 시민이 국가방위, 국가보존, 그리고 국가번영과 같은 문제에서뿐만 아니라 성적인 관계에 있어서도 자기 자신보다 의무, 자기희생, 자기통제, 금욕과 같은 원칙을 우선시하지 않는다면 국가의 생명은 짧아지고… 국가는 존속될 수 없을 것이다.

대영제국이 몰락하게 되리라는 우려가 커져가던 시대적 상황 속에서 자위행위는, 특히 제국의 미래를 책임질 소년의 자위행위는 반민족적·반제국적 행위로 새롭게 인식되었다. 이제 소년의 섹슈얼리티는 개인적인 영역을 넘어선 사회적인 공간으로 재설정되고, 자위행위 근절을 위해 의사, 교사, 성직자, 부모의 상시적인 규제와 감시 그리고 공격적인 개입이 요청되었다.

이 사내아이들을 어찌할 것인가

이제부터는 소년의 섹슈얼리티에 집중하자. 독신남성의 섹슈얼리티에 관해서는 다음 장에서 따로 이야기할 기회가 있을 것이다. 모든 계급의 소년이 자위행위담론의 대상이 된 것은 아니었다는 사실을 기억하자. 자위행위담론이 주목한 소년들은, 오직 상류계급의 가정에서 성장하고 퍼블릭 스쿨public school이라는 기숙학교에 진학한 소년들이었다.

교장 출신인 앨몬드Hely Almond가 역설한 대로 퍼블릭 스쿨의 교육목표는 "영국을 위해 봉사할 위대한 혈통의 생산"[7]에 있었다. 그렇기 때문에 퍼블릭 스쿨 학생의 자위행위는 미래의 지도자를 훼손시킴으로써 영국의 세계지배를 위협하는 일로 다가왔다. 이제 상류계급 소년들의 자위행위는 개인적인 악습이 아니라 제국의 미래와 관련된 의제가 되었고, 자위행위로 인한 육체적·정신적 폐해는 국가적인 차원에서 치유해야 할 문제로 인식되었다.

다시 분명히 하자. 자위행위담론은 근원적으로 계급담론이었고, 소년의 섹슈얼리티는 퍼블릭 스쿨이라는 계급적으로 분리된 교육환경 속에 위치한 소년들의 성만을 의미했다. 이것은 부모의 관심이나 통제가 부재한, 방치에 가까운 상태에 놓인 노동계급 소년의 자위행위에 대해서는 누구도 발언하지 않았다는 사실로 확인된다. 노동계급 소년의 섹슈얼리티에 대한 언급은, 성별로 나뉘는 잠자리를 갖지 못하고 한 공간에서 잠자는 주거조건 때문에 발생할 수 있는 근친상간을 향했을 뿐이다.[8]

자위행위담론의 계급성은 상류계급 내부와 외부를 나누고, 자위행위에 대한 경계와 감시의 시선을 외부를 향하게 한 데서 분명하게 드러난다. 상류계급 소년들의 성적 오염과 타락은 계급외부에서 오는 나쁜 영향으로 시작된다고 본 것이다. 이런 인식은 런던경찰서 수사과장 앤더슨경Sir Robert Anderson의 사례발표에서 분명하게 나타난다.

육군대령의 아들이자 이튼스쿨에 재학하며 자기 반에서 가장 우수했던 총명한 소년이 열차에서 만난 불량배가 보여준 음란한 사진을 보고 비밀스러운 죄악에 빠져서 그 결과로 침을 질질 흘리는 바보가 되었다.

성적 오염의 공간으로는 모든 계급의 구성원이 함께 이용하는 열차가 제시된다. 그곳에서는 상류계급 소년과 하류계급 성원과의 접촉이 가능해지고, 계급외부의 영향을 받은 소년은 자위행위에 탐닉하게 된다는 것이다.

상류계급 소년의 성적 타락을 방지하기 위해서는 가정 내부에 존재하는 '외부'계급의 성적 악영향을 차단하는 일 역시 긴요해졌다. 자위행위 담론이 하인들을 주목하게 된 이유다. 엄격한 성이데올로기를 공유하지 않는 하인들은 아동들에게 자위행위를 가르쳐서 "동물적"으로 변하게 만드는 "영혼의 적"[9]이 될 수 있기 때문이다. 하인들의 "무지와 사악함"[10]에 대한 우려의 목소리는 높아갔고, 이제 감시와 경계의 눈길은 가정 바깥의 하류계급뿐 아니라 가정 안의 하인들에게까지 향해야 했다.

무엇보다도 가장 심각한 문제는 퍼블릭 스쿨이었다. 부모의 주의와 노력으로 성적 악행에 물들지 않은 남자아이들도 가정을 떠나 기숙학교에 입학하면 자위행위에 직접적으로 노출되기 때문이었다. 퍼블릭 스쿨에서 성적 악덕은 "나쁜 친구들"을 통해 "들불처럼 번져나간다"[11]고 인식되었다.

퍼블릭 스쿨 재학생들 사이에서 자위행위가 만연한다는 사실은, 1850년에 열린 영국 퍼블릭 스쿨 교장단 회의에서 확인된다. 회의에 참가한 교장들 대부분은 퍼블릭 스쿨에 재학 중인 80퍼센트에서 90퍼센트에 이르는 학생들이 "정결하지 못한 습관에 오염되었다"[12]는 견해에 동의했다. 이런 결과에 영국인들은 경악하거나 분개했다. 성직자인 스미스 Sydney Smith는 퍼블릭 스쿨이 "학생들이 사회로 진출하기 전에 미리 타락시킴으로써 세상에 의해 타락하는 것을 방지하는 미숙한 방탕의 제도"라고 개탄했다. 윤리의식 함양을 위한 사회운동을 주도했던 스필러 Gustav Spiller는 "가장 치명적인 성질의 전염병"을 막기 위해 국가가 모든 퍼블릭 스쿨을 폐쇄해야 한다고까지 주장했다.

퍼블릭 스쿨에서 자위행위는 개별적이기보다는 집단적이었다. 19세기 영국을 대표하는 작가인 새커리William Makepeace Thackeray의 회고담을 들어보자. 그는 1817년에 퍼블릭 스쿨인 차터하우스Charterhouse에 입학했을 때 처음 들은 얘기가 "와서 나에게 자위행위 해줘(come and frig me)"[13]라는 다른 소년의 요구였다고 술회한다. 시인이자 비평가였던 시먼즈John Addington Symonds도 1854년 자신이 재학 중이던 퍼블릭 스쿨인 해로Harrow의 기숙사와 공부방 "이곳저곳에서 상호 자위행위를 해주는 소년들"의 모습이 목격되었다고 말한다. 퍼블릭 스쿨에서 자위행위가 집단적으로 행해진다는 사실은, 자위행위를 체험한 소년들이 동성애자로 변모할 가능성이 매우 높다는 심각한 우려를 낳았다.[14] 기숙학교에 재학 중인 아들에게 자위행위를 하면 "앞으로 여성과의 행위에서 페니스를 사용하지 못하게 될 것"[15]이라고 경고한 아버지의 사례는 이런 우려를 잘 보여준다.

1870년대부터 퍼블릭 스쿨에서는 자위행위가 발각되는 경우 퇴학처분이 내려졌고, 자위행위에 대한 우려로 인해 혹한기에도 학생들이 손을 바지주머니에 넣는 행위가 금지되었다.[16] 기숙사의 학생들은 취침시간에 교사나 선배 학생들의 감시를 받아야 했고, 반드시 손을 침대보 바깥으로 내어놓거나 머리 위에 놓고 잠을 자야 했다. 믿기 힘들 정도로 혹은 어처구니없을 만큼 극단적인 경우로는 웰링턴Wellington이 있었다. 이 학교는 기숙사 침실 칸막이에 철조망을 설치했다.[17]

동성애와의 연관성이 강조되면서 의학적으로 자위행위를 치료하는 방식도 극적으로 달라졌다. 자위행위 치료는 물치료, 식사개선과 같은 비가학적인 방식에서 허벅지를 불로 지지거나 강제로 포경수술을 시키는 것과 같은 "세련된 잔인함의 셀 수 없이 다양하고 음흉한"[18] 방식으로 전환되었다. "사디즘"이 자위행위를 교정하려는 시도의 "가장 뚜렷한 특징"[19]으로 자리 잡은 것이다.

소년의 섹슈얼리티에 대한 개입을 시도한 이들은 교장이나 의사들만은 아니었다. 물론 이들이 자위행위의 근절을 위한 캠페인에 가장 적극적으로 때로는 폭력적으로 참여했지만, 여성주의자들 역시 여기에 뛰어들었다. 소년의 섹슈얼리티에 대한 통제는 한편에서는 제국주의적 기획을 완성시키기 위한 필수요건으로 자리 잡은 반면, 다른 편에서는 여성주의적 기획의 주요 전략으로 채택된 것이다.

19세기 후반 부도덕한 성적 관습을 바로잡기 위해 시작된 사회정화운동은 대표적인 영국의 시민사회운동으로 자리 잡았다. 1885년에 열린 하이드 파크 집회에 25만에서 50만으로 추정되는 활동가들이 모여 시위를 벌일 정도로 사회정화운동은 활발하게 진행되었다. 자위행위 반대운동(Antimasturbation Movement)은 사회정화운동의 가장 핵심적인 부분이었다.[20]

자위행위 반대운동에 가장 적극적으로 참여한 이들은 퍼블릭 스쿨 교장들이었다. 그러나 이 운동을 주도한 집단은 사회정화 여성운동

(Social Purity Feminism) 세력이었다. 여성운동가들의 목표는 이중적인 성이데올로기 ─ 남성의 성적 일탈은 정당화하고 여성에게만 순결과 정결 등을 강요하는 ─ 를 분쇄하고, 남녀 모두에게 단일한 성도덕을 부과하도록 만드는 데 있었다. 이들 세력은 목표를 이루기 위해서는 성적 기득권을 소지한 성인남성보다는 아직 성적 권력을 소유하지 못한 소년을 훈육하는 편이 더 현실적인 방안이라고 판단했다. 소년의 섹슈얼리티는 사회정화 여성운동의 주요 대상으로 선정되었고, 운동역량은 자위행위 반대운동에 집중되었다.[21] 성적 위계의 약한 고리인 소년의 섹슈얼리티는 다양한 성정치적 이해관계가 충돌한 장이었다.

살아남지 못한 소년 : 「흔들목마를 탄 우승자」

로렌스가 삶의 막바지에 쓴 단편소설인 「흔들목마를 탄 우승자」는 그가 이전에 썼던 사실주의적 소설들과는 많이 다르다. 「흔들목마를 탄 우승자」는 동화적 요소로 가득하기 때문이다. 동화(fairy tale)는 말 그대로 요정(fairy)과 같은 초자연적 존재가 나오는 이야기다. 「흔들목마를 탄 우승자」에는 초자연적 현상들이 등장한다. 집 안에서는 신비한 소리가 들리고, 목마를 타면서 경마 대회에서 우승할 말에 대한 계시를 받는 소년이 그곳에 산다. 「흔들목마를 탄 우승자」는 "아름다운 여인이 있었습니다"로 시작하는 전형적인 동화의 서사구조도 지니고 있다.

동화는 대개 "영원히 행복하게 살았습니다"로 종결된다. 주된 독자인

로렌스의 문학은 계급, 가족, 섹슈얼리티에 대한 탐구로 요약된다. 그는 상류계급의 탐욕과 남편과 아내, 부모와 자식의 관계마저 왜곡시키는 물질주의에 대한 비판적 시각을 강하게 드러냈다.

어린이들이 해피엔딩을 간절하게 바라기 때문이다. 〈슈렉〉이라는 애니메이션 얘기를 잠시 하고 가자. 우리 아이가 서너 살 무렵에 함께 보러갔던 〈슈렉〉의 내용은 익숙하고 상투적이어서 진부하기까지 하다. 저주를 받아 밤에는 추한 외모로 변하는 피오나 공주는 용의 성에 갇혀 살아간다. 슈렉은 피오나 공주를 구해내고 그녀에게 사랑의 키스를 한다.

영화의 엔딩은 예상과는 전혀 다르다. 피오나 공주는 아름다운 여인으로 변모하지 않는다. 영화가 끝나고 불이 들어오자 슬퍼하는 아이의 표정이 보였고, 주변에는 울음을 터뜨리는 아이들도 있었다. 외모가 예쁘게 바뀌지 않아도 행복하고 당당하게 살아가는 여주인공은, 정치적으로는 올바른 재현이지만 아이들이 기대한 해피엔딩은 아니었기 때문이다.

「흔들목마를 탄 우승자」의 엔딩은 〈슈렉〉의 결말보다 훨씬 더 예상을 벗어난다. 「흔들목마를 탄 우승자」는 동화적인 시작에서 기대했던 해피엔딩과는 정반대의 결말로 끝나기 때문이다. 소설은 할리우드 영화가 가장 금기로 여긴다는 어린아이의 죽음으로 종결된다.

로렌스는 「흔들목마를 탄 우승자」에서 소년의 섹슈얼리티에 관해 탐구한다. 소설에서 주인공 폴의 죽음은 잘못된 섹슈얼리티의 추구 때문에 발생한 비극으로 처리된다. 자위행위는 소년에게 육체적·정신적으로 지울 수 없는 상처를 남기고 결국은 죽음에 이르게 하는 것이다. 「흔들목마를 탄 우승자」의 세계는 동화적 상상력에 의해 창조된 공간과는 가장 멀리 떨어진 곳에 위치한다.

「흔들목마를 탄 우승자」는 당대 자위행위담론을 충실하게 반영한다. 자위행위담론은 퍼블릭 스쿨에 진학하는 상류계급 소년만을 대상으로

하는 계급성을 드러내는데, 폴은 자위행위담론이 주목한 대상과 계급적으로 정확하게 일치한다. 폴의 가족은 상류계급의 전형적인 삶의 방식을 전시한다. 그들은 정원사가 관리하는 "정원이 딸린 쾌적한 집"에서 "신중한 하인들"을 거느리고 산다. 하인들은 그를 "폴 도련님Master Paul"으로 부르고, "고급스러운 취향"을 지닌 그의 부모는 놀이방을 "값비싸고 훌륭한" 장난감들로 채운다. 폴의 가족은 "품격 있게" 살아가고, 자신들의 가문이 "이웃의 어떤 누구보다도 우월하다"고 확신한다.

폴의 양육과 교육 역시 상류계급의 방식대로 진행된다. 아기 때는 "유모"가 그를 돌보고, 더 자라서는 "어린아이를 가르치는 여성 가정교사"로부터 교육을 받는다. 소년이 되어서는 퍼블릭 스쿨에 진학하기 위해 "개인교사와 함께 라틴어와 그리스어"를 공부한다. 폴에 대한 훈육은 성공적이어서 가을이 오면 이제 그는 "아버지의 모교인 이튼Eaton으로 진학할 예정"이다.

계급적으로, 사회경제적으로 매우 축복받은 삶이지만, 폴의 어머니는 감사하지 않는다. 오히려 그녀는 "자신들의 사회적 위치를 유지"하는 데 충분한 재원을 공급하지 못하는 남편에 대해 강한 불만을 표출한다. 그리고 경제적으로 무능한 남성과 결혼한 자신을 "불운하다"고 느낀다. 그녀의 가족이 "가문에서 가장 가난한 가족"이어서 차도 소유하지 못할 정도로 궁핍한 삶을 산다는 이유에서다.

소설의 시대적 배경인 1920년대에 자동차를 가진다는 것은, 지금으로 치면 조금 과장해서 자가용 헬리콥터나 비행기를 소유하는 것과 비슷한 수준일 것이다. 폴의 어머니가 토로하는 불만과 한탄은 오래된 농담을 떠올리게 한다. 한 어린이가 학교 작문수업에서 다음과 같이 썼다. "우리 집은 너무 가난합니다. 아빠도 가난하고 엄마도 가난합니다. 요리사 아저씨도 가난하고, 운전기사 아저씨도 가난합니다. 가정부 아줌마도 가난하고 수영장 관리인 아저씨도 가난합니다."

그녀는 남편에 대한 불만으로 인해 자식들에 대해서도 냉담해진다. 그녀의 불행이 경제적 궁핍 때문임을 알게 된 폴은, 경주에서 우승마를 알아맞혀 받은 배당금으로 어머니를 행복하게 만들기 위해 흔들목마를 타기 시작한다.

흔들목마를 타는 것은 성적인 측면을 강하게 환기시키는 행위다. 정신분석 창시자 프로이트Sigmund Freud의 막내딸로서 아동정신분석학의 선구자였던 안나 프로이트Anna Freud의 의견을 들어보자. 그녀는 「유아기 신경증의 문제들(Problems of Infantile Neurosis)」에서 근원적으로 흔들목마는 어머니로부터 제공되는 만족의 자위적인 대체물이라고 주장한다. 아동정신분석학자인 프레이버그Selma Fraiberg도 「숨겨놓은 보물을 발견한 이야기들(Tales of the Discovery of the Secret Treasure)」에서 목마 타기에 내재된 성적인 요소에 대해 지적한다. 프레이버그는 "말을 타다"가 성적 교섭을 의미한다는 사실을 지적하면서 아이들이 목마를 타는 행위는 성행위에 대한 모방행위임을 주장한다. 「흔들목마를 탄 우승자」에서 폴이 강하게 드러내는 흔들목마에 대한 집착은, 모정의 결핍으로 발생한 자위행위에의 탐닉으로 볼 수 있다.

폴은 경마 배당금을 모아 어머니에게 생일선물로 전달한다. 그녀는 다음과 같은 반응을 보인다.

그녀는 자신의 생일날 아침에 식사를 하러 내려왔다. 폴은 그녀가 편지를 읽는 동안 그녀의 얼굴을 바라보았다. … 그의 어머니가 편지를 읽는 동안, 그녀의 얼굴은 굳어졌고 더욱 무표정해졌다. 그리고 나서 차갑고 완강한 표정이 그녀의 입술에 나타났다.

어머니가 전혀 만족하지 않는 모습을 본 폴은 더욱 강박적으로 흔들목마를 탄다. 격렬하고 리듬에 맞추어 이루어지는 폴의 목마 타기는 성행위를 떠올리게 하는 방식으로 재현된다.

그는 목마에 앉아… 미친 듯이 몸을 흔들었다. 목마는 걷잡을 수 없이 거칠게 움직였고, 그의 머리카락은 물결치듯이 펄럭이고, 그의 눈은 기이하게 환하게 빛났다.

특히 목마를 타는 행위가 최고조에 오른 순간의 묘사는 성행위 중 절정의 순간을 연상시키기에 충분하다. 그리고 바로 그때 폴은 계시를 받아 경주에서 우승할 말의 이름을 외친다.

그녀는 무언가 위아래로 거칠게 움직이는 것을 보고 들었다. … 그녀는 자기 아들이 흔들목마를 타고 미친 듯이 앞뒤로 흔드는 것을 보았다. "말라바 Malabar." 그는 힘차고 이상한 목소리로 크게 소리쳤다. "말라바." 목마 타기를 멈춘 이상하고도 정신 나간 듯한 순간 그의 두 눈에는… 불꽃이 튀었다.

근대 자위행위담론은 "자위행위는 죽음"이란 등식을 확립시켰다는 사실을 기억하자. 그 시절 자위행위로 고민하는 젊은이에게 의사는 다음과 같은 "단호한" 진단을 내렸다.

그 젊은이에게 의사는 단호하게 말했다. "많은 젊은이들이 동일한 문제로 내게 오곤 한다. 나는 그들이 자신들을 죽이고 있다고 말해주는데, 너 또한 네 자신을 죽이고 말 것이다."[22]

근대의 대표적인 자위행위 연구자였던 액턴william Acton은 그의 가장 널리 알려진 저서 『아동기와 청년기에 있어서 생식기의 기능과 질환 (Function and Disorders of the Reproductive Organs in Childhood, Youth)』에서 등식을 조금 더 구체적으로 풀어서 이야기한다. 액턴은 상습적인 자위행위자는 "이 사악한 욕망이 잘 처리되지 않으면 죽음에 이르게 될 것이다. 실제로 신경이 쇠약해지고, 몸 전체 내지는 일부의 마비, 간질, 손발의 수축을 동반하는 마비 상태가 되기도 한다"고 주장했다. 지금 보기에는 너무 과도하거나 주술적인 느낌까지 주지만, 이 등식은 그때 절대적인 명제로 존재했다.

로렌스가 자위행위에 대해 보여주는 태도에는 당대의 지배적인 자위행위담론이 투영되어 있다. 그는 「포르노그래피와 외설(Pornography and Obscenity)」에서 자위행위를 대소변의 배설행위보다도 더 은밀하게 이루어지는 "가장 극단적으로 은밀한 인간의 행위"로 규정한다. 그는 자위행위의 커다란 해악으로 "그 행위가 오직 소모적인 본질만" 가진다는 점

1949년에 영화로 제작된 〈흔들목마를 탄 우승자〉에서 폴이 죽음을 맞이하는 장면. 자위행위는 죽음을 부르는 치명적인 질병으로 규정되었고, 자위행위 방지책을 마련하는 일은 상류계급 소년을 대상으로 하는 교육기관의 절박한 과제로 남았다.

을 지적한다. 자위행위에는 "힘의 지출만 있을 뿐 수입은 없기" 때문에 자위행위자는 "어떤 의미로는 시체로 남게 된다"는 것이다.

로렌스는 「흔들목마를 탄 우승자」의 결말 부분에서 자위행위담론이 유포하던, 자위행위는 치명적인 섹슈얼리티라는 메시지를 반복한다. 폴의 흔들목마 타기는 그가 기대했던 어머니의 만족을 가져오지 못한다. 그는 자위행위를 상징하는 목마 타기를 통해 끊임없이 힘을 "지출"하지만 어머니의 만족이라는 "수입"은 발생하지 않는 것이다. 결국 행위를 마치고 난 뒤 폴은 "방바닥에 쓰러지고", 상습적인 자위행위자에게 발생한다고 알려진 전형적인 증상을 보이다 사망하는 것으로 처리된다.

> 그는 의식을 잃었고, 수막염(brain-fever) 증세를 보이며 의식을 잃은 상태로 남아 있었다. 그는 지껄이고 몸을 뒤척였다. … 길고 구불거리는 머리카락을 한 소년은 베개 위에서 끊임없이 뒤척였다. 그는 잠을 자지도 않았고 의식을 되찾지도 않았다. … 소년은 밤중에 죽었다.

「흔들목마를 탄 우승자」 엔딩에서 당대의 독자들이 느꼈을 충격을 이해하기 위해 하나의 서사를 구성해보자. "20세기 후반 런던이나 혹은 뉴욕의 상류계급 출신 소년이 부모의 무관심과 냉담으로 마약중독자가 된다. 주사기를 다른 사람들과 돌려쓰던 소년은 결국 에이즈로 사망한다." 이 정도의 서사면 당대 독자들이 폴의 죽음으로 느꼈을 자위행위의 치명적인 해악에 대한 공포를 실감하게 해줄 수 있을 것이다. 로렌스는 「흔들목마를 탄 우승자」에서 삶에 대한 따뜻한 시선이나 동화적인 상상력을 보여주지 않는다. 다만 제국의 미래를 책임져야 할 상류계급 소년들에게 나타난 자위행위의 비극적 결과를 전율을 느낄 만큼 생생하게 전달해줄 뿐이다.

아들, 연인, 예술가, 사상가 ─ D. H. 로렌스

로렌스(1885~1930)의 삶은 어머니와의 분열적 관계와 시대와의 불화로 요약된다. 댄스파티에서 만나 첫눈에 사랑에 빠졌던 광부인 아버지와 교사인 어머니의 결혼생활은 갈등과 냉담으로 귀결된다. 로렌스는 아버지를 이해하지 못했고 그가 드러내는 노동계급 남성성을 경멸했다. 어머니는 로렌스를 향해 강한 기대와 집착을 드러냈고, 그는 어머니를 실망시키지 않는 아들이 되기 위해 노력했다. 이들의 독특한 모자관계는 로렌스가 다른 여성들과 정상적인 관계를 맺는 데 어려움을 겪도록 만들었다. 1913년에 출판된 『아들과 연인(Sons and Lovers)』의 상당 부분은 그의 자전적 경험으로 구성되어 있다. 로렌스는 노팅엄대학에서 공부했으며, 어머니가 세상을 떠난 뒤 그곳에서 만난 은사의 아내와 결혼한다.

로렌스는 빅토리아시대 성이데올로기와 충돌하고 경합했다. 그는 출산을 위해서만 제한적으로 승인되던 섹슈얼리티를 전면적으로 거부하고, 남성과 여성 간의 조화로운 성적 결합이야말로 삶의 진정한 생명력에 가닿을 수 있는 순간이라고 주장했다. 그는 소설과 시, 그림을 통해 당대의 성적 금기에 도전했다. 로렌스에게는 외설작가라는 타이틀이 덧씌워졌고, 1915년에 발표한 『무지개(The Rainbow)』는 발매가 금지되었다. 1928년에 출판된 『채털리 부인의 연인』은 외설시비로 재판을 받았고, 그가 세상을 떠난 후에도 30년 가까이 금서로 남았다. 로렌스는 영국을 떠나 이탈리아, 멕시코, 오스트레일리아, 프랑스, 미국에서 예술적 망명생활을 했다.

거듭되는 검열과 금지 속에서도 로렌스는 계급, 젠더, 섹슈얼리티에 관한 열린 시각을 버리지 않았고 진보적인 사유에서 이탈하지도 않았다. 그는 노동하는 인간의 아름다움과 그들의 섹슈얼리티를 찬양했고, 자유로운 여성성을 찬미했고, 여성의 성적 희열에 동의했다. 그는 자본주의의 가공할 위력에 저항했고, 계급적 차별과 억압에 반대했다. 1930년에 로렌스는 폐결핵으로 45년의 인생을 마감했다. 마음 약한 아들, 선한 배우자, 뛰어난 예술가, 진보적 사상가의 삶이었다.

구출된 소년들

소년의 섹슈얼리티는 삶과 죽음이 교차하는 지점이었다. 부모, 교사, 종교 지도자, 의사들은 소년의 섹슈얼리티를 올바른 방향으로 이끌거나, 이미 성적 악습에 빠진 소년의 경우에는 정상적인 섹슈얼리티로 순치시키려 했다. 소년의 섹슈얼리티에 대한 치유는 성적 에너지를 승화시키는 방법을 교육해 자기억제의 길로 인도하는 방식으로 시도되었다.

　대표적인 자위행위 연구자였던 액턴은 또한 저명한 자위행위 치료자이기도 했다. 그는 『아동기와 청년기에 있어서 생식기의 기능과 질환』에서 자위행위로 인한 치명적 결과에 대해 경고했을 뿐 아니라 자위행위의 예방과 치료에 대해서도 이야기했다. 그는 자위행위 예방을 위해서는 체조, 크리켓, 보트 타기, 산책, 수영 같은 것을 하는 것이 좋으며, 치료를 위해서는 찬물로 샤워하기가 효과적이라고 주장했다.

　자위행위에 대한 액턴의 처방은 조이스James Joyce가 쓴 『더블린 사람들(Dubliners)』에서도 발견된다. 「자매들(The Sisters)」편에 등장하는 코터

영감Old Cotter은 사망한 플린 신부Father Flynn를 상습적인 자위행위자로
의심한다.

그가 정확하게 그렇다고 말하려는 것은 아니지만… 그에게는 어딘가 이상
하고(queer) 괴이한 데가 있었지. … 내 생각에는 그것은… 독특한 질병의
사례 중 하나가 아닐까.

잭 삼촌Uncle Jack은 신부가 살아 있을 때 주인공 소년이 그와 가깝게
지냈다는 사실을 기억한다. 그는 소년도 자위행위에 감염되었을 가능성
이 있다고 판단하고 소년에게 체조와 냉수목욕을 하라고 충고한다.

운동을 해. 아, 어린아이였을 때 매일 아침, 겨울이나 여름이나, 나는 찬물
로 목욕했어. 그게 바로 지금의 나로 서게 해준 것이야.

빅토리아시대 작가인 메러디스George Meredith는 소년의 섹슈얼리티를
다룬 『리처드 피버렐의 시련(The Ordeal of Richard Feverel)』을 썼다. 그는 성
적 악습에 빠진 소년이 아버지의 도움으로 자기파멸적인 섹슈얼리티를
극복하고 제국의 바람직한 구성원으로 재구성되는 과정을 그려냈다. 제
국담론과 의학담론, 교육담론이 모두 동원된 이 소설은 자위행위의 오염
과 치유에 관한 가장 '전형적인' 문학적 사례로 남는다.
　『리처드 피버렐의 시련』에서 주인공인 리처드의 아버지로 등장하는
오스틴 경Sir Austin은, 훼손된 남성성의 회복과 영광스러운 제국의 부활

메러디스는 신분상승에 대한 욕망을 문학을 통해
이루려 했고, 마침내 영국 최고의 문학권력을 거머
쥐었다. 가족들이 모두 세상을 떠난 70대 후반의
일이었다.

이야말로 젊은 세대의 역사적 사명임을 역설하는 인물이다. 리처드는 성적 욕망을 시를 써서 승화시키려고 하지만, 오스틴 경은 시를 쓰는 행위가 남성적이지 못하다며 아들이 쓴 시의 원고를 불태워버린다. 그는 리처드가 시를 쓰는 것을 금지하고, 리처드는 자위행위에 빠져든다.

어느 이른 아침 오스틴 경은 리처드의 잠자리가 "폭풍이 친 모습"처럼 충격적으로 어지럽혀진 상태임을 발견한다. 오스틴경은 아들이 홀로 수치스러운 행위를 저질렀음을 알게 된다. 스포츠가 사춘기 소년들의 변태적인 색욕을 억제하고 순치시키는 힘을 지니고 있다고 믿는 오스틴경은, 리처드에게 남성적인 스포츠에 열중할 것을 권한다. 리처드는 아버지의 충고를 따라 새벽에 강에서 보트를 탄다.

리처드의 노 젓기는 "어떤 종류의 흥분"을 가라앉히는 "뛰어난 의학적 치유"로 작용한다.

리처드는 본능적으로 노 젓는 일에 몰두했다. 떠오르는 해로 광택을 띤 깨끗하고 신선한 강물이 화살 같은 뱃머리에 반짝거렸다. 머리 위에는 아침이 홀로 피어났고… 여전히 햇빛과 색채는 감미롭게 변화했다.

노 젓기를 마친 후 그는 "격렬한 운동을 끝낸 후의 고요한 묵상 속"에 잠기며 "최초의 열병과 같은 에너지에서 구원받는다." 스포츠 활동을 통해 성적 욕구를 승화시키는 데 성공함으로써 리처드는 성적 "시련"을 극복하고 제국의 미래를 짊어질 청년으로 새롭게 탄생하는 것이다.

재단사 아들에서 영국작가협회 회장으로 — 조지 메러디스

메러디스(1828~1909)의 할아버지와 아버지는 모두 해군의 군복을 만드는 재단사였다. 이 사실은 그에게 계급적 열등감으로 남아 오래 그를 괴롭혔다. 사춘기에 접어들면서 그는 독일유학을 결행했고, 영국에 돌아와서는 법률가로서의 성공을 꿈꾸었다. 이십대에 들어서면서 그는 법률가에서 시인으로 방향을 전환한다. 스물한 살에 첫 시집 『시(Poems)』를 출판했지만, 이십대 내내 그의 시인으로서의 커리어는 지지부진했다. 삼십 세가 되던 해에는 10년 가까이 결혼생활을 함께한 아내가 다른 남자의 아이를 임신하고 그를 떠난다. 다음 해인 1859년에 『리처드 피버렐의 시련』을 발표하면서 메러디스는 주목받는 소설가로 부상했고, 이후 그의 문학적 삶은 순탄하게 진행된다. 그는 삼십대 중반에 재혼했고, 사십대에 들어선 후 대표작 『에고이스트Egoist』를 발표했다.

메러디스는 사망하기 직전까지 계속 소설을 집필하고 발표했다. 그는 빅토리아시대의 대표적인 소설가로 우뚝 섰고, 노벨문학상 후보로 일곱 차례나 지명되었다. 1905년에는 계관시인이었던 테니슨Alfred Lord Tennyson의 뒤를 이어 영국작가협회(Society of Authors) 회장 자리에 올랐다. 두 명의 아내와 세 명의 아이를 앞서 보낸, 개인적으로는 불우한 삶이었지만, 문학적 삶은 너무 늦지 않게 만개해서 오래갔다.

두려워하거나 침묵하기

「흔들목마를 탄 우승자」 얘기를 조금 더 하고, 지난 세기말 미국에서 벌어진 정치적 사건을 되돌아보면서 소년의 섹슈얼리티에 관한 이야기를 마치자. 「흔들목마를 탄 우승자」에서는, 제목과는 정반대로, 아무도 승리하지 못한다. 죽거나, 비통해하거나, 소중한 이를 상실할 뿐이다. 자위행위의 치명적인 해악과 비극에 대한 '근대적' 시각이 생생하게 드러나고 있는 것이다.

클린턴 대통령은 백악관 인턴으로 근무하던 대학생 르윈스키Monica Lewinsky와 성적인 관계를 맺었다. 대통령의 직무윤리를 위반하는 극도로 부적절한 행위를 저지른 것이다. 클린턴은 이 사실이 알려진 후에도 대통령의 임기를 마칠 수 있었다. 하지만 엘더즈 보건부장관은 자위행위에 대한 발언 직후 장관직에서 물러나야 했다.

소년의 섹슈얼리티는 남성섹슈얼리티 지형에서 가장 예민하고 발화성 높은 지점으로 여전히 남아 있다. 섹슈얼리티에 대한 근대적 검열에서 벗어났다고 여겨지는 포스트모던의 시대에도, 자위행위에 대한 감시와 규제는 동일한 방식으로 이루어지는 것이다. 엘더즈 장관의 불운과 좌절은 가장 극적인 사례일 뿐이다.

2장

성적 주체로 가는 먼 길

독신남성의 섹슈얼리티

⚥

결혼이라는 통과제의

군대와 결혼이 남성주체로 승인받기 위한 통과의례(rite of passage)였던 적이 있다. 그 시절 어른들은 남자아이들에게 다음과 같은 말을 반복적으로 들려주곤 했다. "남자는 군대를 다녀와야 '사람'이 된다. 남자는 결혼해서 가정을 이루어야 '어른'이 된다." 이 말은 극단적으로 단순화되고 난폭한 진술이기는 하지만, 남성성 획득에 있어서 군대와 결혼제도가 품었던 제의적 필수성을 전시한다.

성장소설에서 군대/전쟁이 남자주인공이 반드시 거쳐야 하는 공간으로 자리 잡은 것도 통과의례의 문학적 반영이었다. 하지만 이제 군대의 제의적 효용성은 오직 징병제 국가의 젊은 남성들에게만 적용된다. 모병제를 채택한 나라에서 군대란, 일부 계급이나 집단을 향해서만 손짓하는 마치 조선왕조시대의 '천민부역제'처럼 바뀌었기 때문이다.

(2003년 이라크 전쟁이 한창일 때 미국 공영방송(PBS)에서 방영한 다큐멘터리를 본 적이 있다. 파병을 앞둔 미군들이 몸의 부위마다 자기 이름을 문신으로 새기고 있었다. 젊다기

보다는 어려 보이는 병사들은, 전쟁터에서 몸이 산산조각 나더라도 이름이 적혀 있으면 그래도 누구인지는 알 수 있지 않겠느냐고 반문했다. 히스패닉 억양이 심해 알아듣기가 힘들던, 그래서 영어로 얘기하지만 화면 아래 영어자막이 깔리던, 유독 앳되어 보이던 한 병사는 전쟁에서 돌아와 미국 시민권을 받는 것이 소망이라고 이야기했다.)

결혼이 개인의 선택사항으로 넘어가고 비혼에 대한 시각도 극적으로 달라졌지만, 남자는 결혼제도를 통과해야 어른이 된다는 명제에는 아직도 울림이 남아 있다. 무책임하고 미숙한 독신남성이 육아의 경험을 통해 신뢰할 수 있는 성숙한 남성으로 재탄생한다는 서사는 여전히 대중매체에서 견고하게 작동된다. 프랑스 영화 〈세 남자와 아기바구니〉가 흥행에 크게 성공하고 할리우드에서 리메이크된 것도 어쩌다 거둔 성과는 아니다.

엘리엇의 『사일러스 마너』 역시 육아를 통한 남성의 성장이라는 서사에 기반한 문학적 사례다. 금발의 여자아기를 키우면서 사일러스는 유아적이고 자폐적인 개인에서 성숙하고 책임감 있는 어른이 되기 때문이다. 그러나 『사일러스 마너』에서 엘리엇은 일반적인 육아서사와는 전혀 다른 지점을 탐색한다. 『사일러스 마너』는 독신남성의 섹슈얼리티에 관해 이야기한다.

다시 쓰자. 남성섹슈얼리티는 가족 내부에 위치한 '이성애자' '기혼' 남성의 섹슈얼리티를 정점으로 위계화된다. 성적 위계의 하단에 배치된 독신남성은 성적 주체로 승인받지 못한다. 그의 섹슈얼리티는 권력과 협상과정을 거친 이후에만 합법성을 부여받는다. 이제 성적 주체로 승인받기 위해 먼 길을 가야 하는 독신남성의 섹슈얼리티에 대해 이야기하려고 한다. 『사일러스 마너』가 그 길 한가운데 있을 것이다.

빅토리아시대 최고의 (여성)작가 — 조지 엘리엇

여성젠더가 작가에게는 낙인이자 족쇄였던 빅토리아시대 영국에서 조지 엘리엇 (1819~1880) — 비록 이 이름은 메리 앤 에반스Mary Ann Evans라는 여성정체성이 부각되는 본명을 숨기기 위해 사용한 필명이기는 하지만 — 은 시인, 소설가, 편집자, 비평가, 번역가로서 뛰어난 궤적을 남겼다. 무엇보다도 그녀는 영어로 쓰인 최고의 소설 중 하나로 평가받는 『미들마치Middlemarch』의 작가로 남아 있다.

엘리엇은 영국 중부의 보수적인 작은 도시 너니턴Nuneaton에서 태어나 독실한 감리교도로 성장했다. 20대 이후 실증주의(positivism)철학에 심취하면서 그녀는 불가지론 (agnosticism)을 받아들인다. 30대 중반에 이르러 그녀는 기독교를 비판한 포이어바흐 Ludwig Feuerbach의 저서 『기독교의 본질(The Essence of Christianity)』을 번역함으로써 기성교단과의 결별을 공식화했다.

급진적인 성향의 잡지 『웨스트민스터 리뷰The Westminster Review』 부편집장으로 발군의 능력을 보여주기도 했지만, 엘리엇의 수월성은 소설 쓰기에 있었다. 그녀는 40대 이후 50대 후반에 이르기까지 집중적으로 소설을 쓰고 발표했다. 그녀가 썼던 7권의 소설을 연대기 순으로 나열하면 다음과 같다. 『아담 비드Adam Bede』(1859), 『플로스강의 물방앗간(The Mill on the Floss)』(1860), 『사일러스 마너』(1861), 『로몰라Romola』(1863), 『급진주의자 펠릭스 홀트(Felix Holt, the Radical)』(1866), 『미들마치』(1871~72), 『다니엘 데론다Daniel Deronda』(1876).

엘리엇은 소설 속에서 당대의 주요 사회적·정치적 의제를 다루었고, 캐릭터의 내면도 섬세하게 포착했다. 개별 인물들의 심리묘사와 선거법 개정을 향해 질주하던 당대 영국사회의 모습이 함께 담긴 『미들마치』는 그 대표적 경우다.

엘리엇은 빅토리아시대 젠더이데올로기에 포획되지 않은 삶을 살았다. 그녀는 기혼남성인 철학자 조지 루이스George Henry Lewes와 동거생활을 했고 사회적 비난과 가족과의 절연을 감수했다. 나이 61세에 그녀는 자신보다 나이가 20년 어린 크로스John Walter Cross와 결혼을 감행했고, 그해 연말에 사망했다. 미국 소설가 헨리 제임스Henry James의 표현을 빌린다면 "화려하게 불온한(magnificently ugly)", 참으로 획기적인 삶이었다.

자위행위, 그 부도덕하고 반사회적 낭비

독신남성의 섹슈얼리티는, 그가 가족제도에 편입되지 않은 '성인'이라는 점에서 소년의 섹슈얼리티와는 전혀 다른 차원의 문제를 제기한다. 결혼할 수 있는 나이가 된 남성에게는, 가정을 이루고 부부 간의 성적 교환을 통해 새로운 구성원을 생산할 것이 요구되기 때문이다. 요구조건을 충족하고 나서야 비로소 그의 섹슈얼리티는 승인되고, 그는 한 가정의 가부장으로서 진정한 '남성어른'의 삶을 살아가게 된다.

근대로 접어들면서 자본주의 경제규범은 성적 윤리의 영역 안으로까지 밀려들어 왔다. 남성섹슈얼리티의 사용에 있어서도 자본주의적 가치의 준수가 강요된 것이다. 남성이 정상적인 섹슈얼리티를 획득하는 방식은, 생산활동의 참여를 통해 경제행위자로서의 의무를 이행하는 것과 직접적인 관련을 맺게 되었다.[23] 성적 에너지는 오직 생산을 전제로 사용할 때만 승인되었고,[24] 독신남성의 섹슈얼리티는 그 비생산성으로 인해 감시와 교정의 대상이 될 수밖에 없었다. 자위행위로 상징화되는 독신 남성의 섹슈얼리티는, 생산적인 영역으로부터 이탈한 "정액의 무익한 지출"[25]로 간주된 것이다.

근대에 들어서서 영향력을 키워간 것은 자본주의체제만은 아니었다. 중간계급의 지배력 역시 함께 커져갔다. 산업혁명으로 생산수단을 소유하게 된 중간계급은 막대한 부를 쌓았고, 경제적 자원을 바탕으로 정치적·사회적 자본도 급속도로 키워갔다. 새로운 지배세력으로 부상한 중간계급은 매우 엄격한 성윤리를 강조했다. 자신들이 누리게 된 새로운 지위가 장사수완이나 사업기술이 아니라, 다른 계급보다 우월한 도덕성에서 왔음을 인정받고 싶었기 때문이다. 인정욕구를 충족시키기 위해 중간계급은 이전과는 '다른' 성적 윤리와 규범을 적극적으로, 과시적으로 유포시켰다.

새롭게 부상한 중간계급의 성도덕은 과거의 지배계급이던 귀족계급의 것과는 많이 달랐다. 중세시대의 문학을 펼쳐보자. 아름답게 노래되는 기사와 귀부인의 사랑은 대체로 '불륜'이다. 기사도 문학을 대표하는 아더 왕King Arthur의 이야기도 예외는 아니다. 원탁의 기사단(Knights of the Round Table)의 상징적 존재인 랜슬롯 경Sir Launcelot은 아더 왕의 부인 기네비어Guinevere와 뜨겁고 격렬한 사랑에 빠진다. 기사도가 맨얼굴을 드러내는 순간이다. 이들에게 불륜은 여우사냥만큼이나 귀족적인 스포츠였던 것 같다.

영국의 고성을 방문하면 가장 인상적으로 다가오는 것도, 조선시대 양반계급 주택에서의 본채와 내당의 분리와는 비교할 수 없을 정도로 완벽한 독립성을 보장하는 부부 사이에 격리된 거주공간이다. 꽤 오래 걸어야 도달할 수 있는 부부의 개별적인 처소는, 불륜을 위해 최적화된 환경을 제공할 수 있었을 것이다. 이들 계급에게 부부의 사랑과 유대는 오히려 심각한 문제를 일으킬 수 있었다. 개별 부부나 가족의 친밀성은 전체 가문 차원에서의 결속과 단결을 훼손시키기 때문이다.

중간계급은 귀족계급과는 전혀 달랐다. 중간계급은 부부와 아이들로 이루어진 가족과 그들의 가정을 지상에서 가장 신성한 영역으로 추앙했다. 그들은 결혼제도를 통해 구성된 가정을 '유일한' 성적 교환의 합법적인 장으로 규정했다. 그럼으로써 성적 재화와 서비스를 생산하고 분배하는 일에 관한 '독점적' 지위를 가정에 부여했다. 이제 남성에게는 "자신의 쾌락을 결혼이라는 독점적인 틀 안에서 유지해야 한다는 의무"[26]가 새롭게 부과된 것이다.

남성섹슈얼리티에 대한 평가는 윤리적인 기준뿐 아니라 경제적인 판단을 통해서도 이루어졌다. 컬럼비아대학 교수였던 마커스Steven Marcus의 이야기를 들어보자. 그는 영문학의 새로운 풍경을 펼쳐 보인 『또 다른 빅토리아시대 사람들(The Other Victorians)』에서, 이 시기 정액에 대한 개념은 돈의 개념과 동일하게 구성되었다고 주장한다. 성적 절정에 대한 빅토리아시대의 구어적 표현은 "지출하기(to spend)"였다는 것이다. 가정이라는 독점구조의 바깥에서 이루어지는 성행위가 부도덕할 뿐 아니라, 무익하고 비생산적인 '낭비'나 '지출'로 여겨지게 된 이유다.

섹슈얼리티 연구의 권위자이며 역사학자인 캘리포니아대학 버클리 교수인 라쿼 역시 비슷한 생각을 공유한다. 그는 『성행위: 그리스인들로부터 프로이트까지의 몸과 젠더』에서 근대에 들어와 자위행위가 죄악으로 변모한 것은 사악한 성적 욕망 때문이기보다는, "비생산적인" 행위에 대한 경제적인 우려와 근심 때문이었다고 주장한다(유튜브에는 그가 했던 강연이 여러 편 올라와 있다. 시청을 권한다).

이제 기초적인 경제상식 하나가 남성섹슈얼리티에 대한 평가를 좌우하게 되었다. '경제행위는 교환의 장을 매개로 이루어지고, 수익은 교환행위를 통해 발생한다.' 자위행위는 이 기본적인 경제의 상식을 거스르는 행위가 된다. 교환의 부재를 전제로 이루어지고 출산이라는 수익을 창출해내지 못하기 때문이다. 자위행위는 무용한 지출로 산정되었고, 비생산성의 상징으로 간주되었다.

생산의 영역과 분리된 성적 소비라는 점에서 독신남성의 자위행위는 경제적인 위반행위가 된다. 여기에서 한발 더 나아가 자위행위는 상대를 필요로 하지 않는 '독립적인' 성행위라는 점에서 인간의 연대에 대한 위협으로까지 인식되었다. 자위행위에 대한 경계와 금지는 "인간 공동체의 가능성에 관한 총체적인 논란의 한 부분"[27]을 구성한 것이다.

이 이야기를 조금 더 하자. 소망하는 대상이 부재한 상태에서 이루어지는 자위행위는 고립되고 폐쇄적인 순환구조를 가진다. 오직 자신의 육체에 은둔하면서 욕망과 쾌락을 내면화하는 자위행위는, 행위자를 타인으로부터 고립시켜 사회적 통합에 균열을 일으키는 반사회적인 행위가 된다. "홀로 저지르는 죄악"에서 "홀로 저지름"은 잘못된 욕망을 충족시키는 "죄악"보다 더 심각한 문제를 일으키는 요소로 간주된 것이다.

빅토리아시대를 대표하는 역사가이며 사상가인 칼라일Thomas Carlyle

은 1831년에 출판된 「특질(Characteristics)」에서 자위행위의 반사회성에 관해 지적한다. 그는 자기 자신을 민감하게 느끼는 행위가, 비록 쾌락을 준다고 하더라도, 건강하지 못한 행위일 뿐 아니라 개인 간의 연대와 사회통합에 지장을 주는 위험한 행위라고 주장했다. 칼라일이 볼 때 "홀로 은둔하는 인간"은 "영원히 성장하지 못하고 반만 살아 있을 수밖에 없는" "무기력하고 불구적"인 존재가 된다. 이러한 "내면을 향해서만 존재하는 자기감각적인" 개인은, "많은 개인을 새로운 하나의 전체적인 개인으로 생명력 넘치도록 결합한" "지상에서 가장 중요한 인간의 성취인 사회"를 불완전해지도록 만든다는 것이다.

자위행위는 "건강한 욕망"을 이성과의 "역동적이고 사회적으로 구성된" 성행위가 아니라 "욕망자체로 회귀시키는", "근본적으로 이기적"이고 "사회적으로 퇴행적인 행위"[28]로 규정되었다. 급격한 산업화로 인해 개인이 생산조직의 일부가 된 시대적 상황에서, 밖에 나가는 것을 병적으로 혐오하고 자신에 대한 자극과 자기만족에만 골몰하는 자위행위자는 용납될 수 없었다. 자위행위가 표출하는 궁극의 나르시시즘은 노동시장에 대한 적대행위로까지 간주되었다. 개인이 사회적으로 고립된 상태로 존재하는 것은 허용되지 않았고, 독신남성의 섹슈얼리티는 교정과정을 통해 재구성되어야 했다.

문학은 독신남성의 섹슈얼리티를 어떻게 재현하는가

독신남성의 섹슈얼리티에 대한 문학적 재현은 18세기 초엽부터 발견된다. 1713년과 1714년에 걸쳐 스위프트Jonathan Swift와 포프Alexander Pope가 공동 저술했다고 알려진 『스크리블러스의 회고록(Memoirs of Scriblerus)』에는 독신남성의 자위행위에 대한 언급이 등장한다. 이 소설에서 자위행위는 과도한 자기애(self-love)로 인해 발생하는 질병으로 규정된다. 스크리블러스 박사Dr. Martin Scriblerus는 심신의 이상으로 고통받는 귀족남성을 진찰하고 그가 상사병에 걸렸다는 진단을 내린다. 하지만 사랑하는 대상이 존재하지 않으므로, 박사는 귀족남성이 자기 자신과의 사랑에 빠졌다고 결론 내린다. 스크리블러스 박사는 "자신과의 호색적인 경향을 보이는 사람들"이 세상에는 존재한다고 말한다. 그들 중 "자기애에 대한 정열이 극단적으로" 진행된 "환자들"은 "자신과의 은밀한 정사를 계속하고, 이것을 다른 세상 사람들로부터 감추며… 그가 사랑하는 사람들의 평판을 해치게 되는 것에는 조금도 신경 쓰지 않고 자신과의 수치스러운 행위에 완전히 빠져버린다."

『스크리블러스의 회고록』에는 자위행위자가 드러내는 구체적인 증상은 나오지 않는다. 다만 자위행위는 행위자를 외부와 소통하지 않는 폐쇄적이고 자기충족적인 존재로 만든다는 경고를 담고 있을 뿐이다.

자위행위의 구체적 증상을 기록한 텍스트를 찾다보면 전혀 생각지 못했던 사람과 만나게 된다. 그 의외의 인물은, 위대한 근대철학자이며 정치사상가였고 최고의 인문주의자였던 루소Jean-Jacques Rousseau다. 루소

는 사후에 출판된 그의 자서전 『고백(The Confessions)』에서 자위행위의
해악을 구체적으로 요약한다. 그는 상습적인 자위행위자에게 나타나는
증상을 다음과 같이 열거한다.

죽은 자같이 창백하고, 해골같이 극도로 마른 몸매다. 맥박과 심장박동도
매우 빠르며, 지속적으로 호흡이 가쁘다. 결국에는 너무 몸이 약해져서 운
동을 할 수 없게 된다. 빠르게 걸으면 숨이 차서 고통스럽고, 상체를 구부
리면 현기증을 느낀다. 무게가 매우 가벼운 짐도 들어 올리지 못한다. … 그
런데다가 우울증까지 발생한 것이 분명했다.

자위행위의 위험성에 대해 발언한 사람은 위대한 근대철학자만은 아
니었다. 현대영문학을 대표하는 소설가 조이스도 자위행위자를 재현했
다. 그는 20세기 최고의 소설로 평가받는 『율리시즈Ulysses』에서 자위행
위자의 두발과 치아 상태까지 살피는 섬세함을 드러낸다. 『율리시즈』에
서 주인공으로 등장하는 블룸Leopold Bloom은 상습적인 "자위행위(self-
abuse)"로 인해 부실한 인간으로 살아가게 된다. 그는 "나이보다 일찍 머
리가 벗겨지고" "금속으로 입힌 이빨"을 낀 "변태적으로 이상적인" 인물
로 그려진다.

영문학 텍스트 중 자위행위자에 관한 최고의 재현은 엘리엇의 『사일
러스 마너』에서 발견할 수 있다. 엘리엇은 『사일러스 마너』의 주인공인
독신남성 사일러스를 습관적인 자위행위자의 모습으로 그려낸다. 사일
러스는 "왜소한" 체구와 "창백한" 안색, 근시가 극도로 심한 "툭 불거진"

조지 엘리엇은 영문학 사상 가장 지적인, 그러나 결코 관념에 매몰되지 않았던 소설가였다. 그녀의 『미들마치』는 영어로 쓰인 최고의 소설 중 하나로 평가된다.

눈을 지닌 인물로 설정된다. "사일러스의 창백한 얼굴에 있는 툭 불거진 커다란 갈색 눈은 실제로 눈에서 가깝지 않으면 어떤 것도 분명하게 보지 못했다." 그는 또한 급격한 조로의 양상을 보이는 것으로 그려진다. "아직 마흔 살도 안 된 나이였지만, 몹시 여위고 얼굴빛이 누렇게 뜬 그를 아이들은 항상 '할아버지 기술자 마너(Old Master Marner)'로 불렀다."

사일러스는 졸도와 발작도 자주 일으키는 것으로 나온다. 사냥꾼이 들려주는 목격담이다.

사일러스가 무거운 짐을 등에 진 채 울타리에 난 층계식 출입구(stile)에 기대 있는 것이 보였다. 제정신인 사람이라면 짐을 층계에 올려놓고 쉬었을 터인데… 사일러스의 눈은 죽은 사람의 눈처럼 고정되어 있었다. 내가 그에게 말을 건네고 몸도 흔들어보았지만, 그의 몸은 경직되어 있었고 손은 마치 쇠로 만들어진 것처럼 짐을 움켜잡고 있었다. … 그가 죽었구나 하고 판단한 바로 그때, 마치 한 눈을 깜빡하는 것처럼 사일러스는 다시 정상으로 돌아왔다. "굿 나이트"라고 말하며 그는 걸어서 사라졌다.

엘리엇이 그려낸 사일러스의 특성은 당대의 의학담론이 주장한, 계속된 자위행위로 기력을 상실한 상습적인 자위행위자의 양상과 일치한다. 19세기 의학에서의 자위행위자 사례연구를 검토한 역사학자 길버트 Arthur N. Gilbert의 의견을 들어보자. 그는 그 시기 의학담론이 구성한 습관적인 자위행위자의 특성에 관해 다음과 같이 정리한다. 신체적으로 자위행위자는 소화불량, 지능저하, 안면창백, 전신쇠약 등의 증세를 드러낸다. 기질적으로 자위행위자는 고독을 좋아한다. 그는 인간을 싫어하고, 언제나 기분이 안 좋으며, 신경쇠약증에 걸리기 쉽다. 자기비하와 죄책감이 강하며 자신감을 상실하고 우울증 등으로 괴로워한다. 상당수의 자위행위자는 종교적인 성격을 강하게 띤 망상에 시달린다.[29]

엘리엇은 『사일러스 마너』에서 당대의 의학적 견해를 그대로 수용한다. 자위행위는 비정상적이고 병적인 남성섹슈얼리티로, 자위행위자는 사회적 관계에서 고립된 채 감각적인 쾌락만을 추구하는 남성으로 재현되는 것이다. 사일러스는 "다른 존재와는 전혀 관계가 없는 욕망과 만족의 진동으로만 좁혀지고 완강해지는", 사회적으로 고립되고 자기충족적인 삶을 영위한다.

사일러스는 자신의 문틀을 걸어서 넘어오라고 사람을 초대하지 않았다. 그는 결코 레인보우Rainbow 술집에서 맥주 한잔 하려고 마을 안으로 천천히 걸어 들어가지 않았다. 바퀴 제조공 가게에서 잡담을 나누지도 않았다. 직업적인 목적이나 혹은 생활필수품을 마련하기 위한 경우를 제외하고는 어떤 남자나 여자도 찾지 않았다.

자신만의 은밀한 쾌락을 추구하는 사일러스의 폐쇄적인 삶의 방식은, 마을사람들로 하여금 "그는 홀로 자신의 집에서 무엇을 하고 있는가?"라는 의혹의 눈길을 보내게 만든다. 그의 섹슈얼리티는 공동체적인 이슈로 부상하고 의혹과 검열의 장이 된다.

사일러스의 자위행위는 소설 속에서 직접적으로 묘사되지 않는다. 그러나 그가 "밤마다" "홀로" 행하는 금화를 쓰다듬는 행위의 재현은 자위행위를 암시한다.

그는 동전들이 자신을 알아본다고 생각하기 시작했고… 자신과 잘 알게 된 동전들을 무슨 일이 있더라도 모르는 얼굴을 한 다른 동전들과 바꾸려 하지 않았다. 그는 금화의 형태와 색이 그의 갈증을 풀어주는 것 같을 때까지 … 금화를 만졌다.

"오직 밤에만", "밤에는 그의 환락의 시간이 온다", "밤이 되면 그는 덧문을 다 닫고 대문을 단단히 걸어 잠근 후"와 같이 반복되는 시간대의 묘사는, 이후 진행될 그의 행위가 은밀한 혹은 부정한 것임을 예고하는 효과를 만들어낸다. 무엇보다도 그가 금화를 어루만지는 동작에 수반되는 에로틱한 분위기는 "은밀하게 홀로 저지르는 죄악"인 자위행위를 떠올리게 한다.

그리고 그것은 오직 밤에만 일어났다. … 밤에는 그의 환락의 시간이 온다. 밤이 되면 그는 덧문을 다 닫고 대문을 단단히 걸어 잠근 후에 금화를 끄집어냈다. … 검은 가죽부대에서 쏟아져나올 때 금화는 얼마나 밝게 빛나는가! … 그는 그것들을 모두 사랑했다. … 그는 금화의 동그란 언저리를 엄지손가락과 다른 손가락 사이에 넣고 돈의 감촉을 느껴 보기도 하고, 아직 베틀 속에 걸려 있는 물건이 반쯤 벌어놓은 금화의 생각을 마치 배 속에 있는 어린애 생각을 하듯이 사랑스럽게 했다.

"직접적인 감각"과 "환락"에 사로잡힌 그는, 밤마다 외딴 오두막에서 금화를 뜨거운 애정으로 어루만지며 자기도취의 황홀경에 빠진다. "몸이 떨리는 만족감"과 "즐거움의 환영"을 경험하는 일이 오로지 금화를 만지고 느끼는 행위를 통해서만 가능해지면서 사일러스의 은둔은 더욱 깊어진다.

사일러스는 금화 역시 섹슈얼리티와 동일한 방식으로 사용한다. 그는 금화를 유통시키거나 소비를 위해 지출하지 않는다. 다만 자신만의 쾌락을 위해 "마루 밑에 판 구덩이에" 은밀하게 감춰둘 뿐이다.

차츰차츰 기니guinea 금화와 크라운crown과 반-크라운half-crown 은화가 쌓여갔다. … 사일러스는 쌓인 동전이 열에서 백으로 자라나기를, 그러고 나서는 만으로 커져가기를 바랐다. 하나씩 더해지는 기니 금화는 그 자체가 만족이었고 새로운 욕망을 낳았다. … 그는 베틀 아래 바닥에서 벽돌 몇 장을 빼내었고 거기에 구덩이를 만들어 그 안에 금화와 은화를 담은 무쇠솥을 넣어놓았다. 솥을 다시 넣을 때마다 벽돌 위를 모래로 덮었다. … 이렇게 매년 사일러스는 고독 속에 살았고, 무쇠솥 안의 그의 금화는 늘어났다.

그의 자위행위가 "다른 어떤 존재와도 관계가 없는 단지 욕망과 만족 사이의 파동"에 불과한 무익하고 비생산적인 성적 행위인 것처럼, 그가 금화를 모으는 행위 역시 실제 효용가치와는 무관한 무목적의 행위로 그려진다. "그의 삶은 베를 짜고 돈을 모으는 단순한 기능으로 축소되었다. 그 기능이 지향하고 싶은 목적에 대해서는 어떤 사유도 부재했다."

사일러스가 쾌락과 행복을 추구하는 행위는 모두 자신의 내부를 향할 뿐 외부세계에는 굳게 닫혀 있다. 자신이 벌어들인 금화를 땅속에 묻어 사회적 효용으로부터 봉쇄하는 행위와, 자신의 섹슈얼리티를 가족제도 내에서 사용하지 않고 홀로 해결하는 행위는 모두 성적/경제적 주체로서의 역할과 책임을 거부하는 행동이 된다. 이것은 용납될 수 없는 행위이며, 사일러스는 공동체의 구성원들에게 혐오와 경원의 대상으로 남는다.

자위행위는 어떻게 치유되는가

『사일러스 마너』는 1861년에 출판되었다. 이 시기 영국남성의 평균 결혼연령은 29세였는데, 다른 유럽국가 남성의 평균 결혼연령에 비하면 매우늦은 나이였다. 더구나 영국남성 10명 중 한 명은 결혼하지 않고 평생독신을 유지했다. 가족제도에 편입되지 않은 독신남성에 대한 사회적 우려와 경계의 시선이 강하게 작동될 수밖에 없었던 이유다.[30]

여러 차례 했던 말을 다시 쓰자. 기혼남성의 섹슈얼리티가 남성섹슈얼리티를 대표하는 상황에서 독신남성은 성적 타자로 존재했다. 독신남성은 성적 주체가 아니라 성적 하위주체로 판정된 것이다. 독신남성의 바람직하지 못한 섹슈얼리티는 결코 방치되지 않았다. 독신남성에게는 서둘러 가족제도 속으로 들어가라는, 그래서 정상적인 섹슈얼리티로 순치되라는 사회적 개입과 압력이 계속되었다.

그동안 비평가들이 『사일러스 마너』를 어떻게 읽어 왔는지에 대해 짚어보고 가도록 하자. 지루할 수도 있겠지만, 『사일러스 마너』를 해석하는 우리의 입장이 기존의 시각과 얼마나 다른지를 확인할 수 있을 것이다. 『사일러스 마너』를 바라보는 시각은 크게 두 가지로 요약된다. 하나는 『사일러스 마너』를 공동체적 가치의 복원에 관한 소설로 읽는 것이다. 다른 하나는 『사일러스 마너』를 육아를 통한 남성의 성장서사로 파악하는 것이다. 이 두 가지 관점은 모두 독신남성의 섹슈얼리티에 관해 주목하지 않는다는 공통점을 지닌다.

첫 번째 입장부터 살펴보자. 리비스Q. D. Leavis 같은 거장을 포함해서 많은 '저명한' 비평가들은, 『사일러스 마너』를 고립된 개인이 공동체와의 유기적인 관계를 회복해가는 이야기로 해석한다. 소설의 공간적 배경인 래블로Raveloe가 산업혁명 이전의 한가롭고 평화로운, 전통적인 농촌공동체의 원형을 그대로 간직하고 있는 마을이라는 점에서 이들의 해석은 타당해 보인다.

래블로는 새로운 목소리가 삼켜버리지 않은 구시대의 메아리가 많이 남아 있는 마을이었다. … 그 마을은 우리가 즐겨 "유쾌한 영국(Merry England)"이라고 부르는 비옥한 평원의 한가운데 있었다. 중요해 보이는 마을 중앙에는 오래된 근사한 교회와 거대한 교회묘지가 있었다. 그리고 울타리를 잘 친 과수원과 닭 모양으로 장식한 풍향계가 있는 벽돌과 돌로 지은 커다란 농가가 두세 채 있었다. … 게을러 보이는 과수원에서는 내버려둬도 결실이 많았고… 검붉게 탄 얼굴의 농부들은 샛길을 따라 걸어가거나 레인보우 술

집으로 발걸음을 옮겼다.

이들 비평가의 의견을 조금 더 구체적으로 살펴보자. 리비스는『사일러스 마너』를 사회체제로부터 이탈했던 주인공이 다시 사회체제를 받아들이는 과정에 관한 우화로 읽는다. 비어Gillian Beer와 시멜Bernard Semmel도『사일러스 마너』에 관해 비슷한 이야기를 한다. 금화를 잃어버리고 대신 얻게 된 양녀에 대한 사랑이 사일러스의 축재에 대한 집착을 대치함으로써, 사일러스는 잃어버렸던 생명력을 되찾고 공동체의 일원으로 복귀하게 된다는 것이다. 여성주의자인 팩스톤Nancy Paxton도 비슷한 견해를 보인다. 그녀 역시『사일러스 마너』를 공동체적 가치를 회복하는 "도덕적 발전"에 관한 이야기로 해석한다. 이들은 모두 독신남성의 섹슈얼리티라는『사일러스 마너』의 주요 쟁점을 놓치고 있다. 그럼으로써 사일러스의 어떤 측면이 공동체에 대한 위협이 되었는지, 그리고 그가 소설 속에서 보인 도덕적 발전이란 무엇을 의미하는지 명쾌하게 설명하지 못한다.

『사일러스 마너』를 바라보는 또 다른 시각은,『사일러스 마너』를 무책임하고 미숙한 독신남성이 육아라는 새로운 체험을 통해 성숙하고 믿음직한 '어른'으로 다시 태어나는 이야기로 읽는 것이다. 이런 입장은 주로 대중매체에서 발견된다.『사일러스 마너』를 원작으로 만들어진 〈아빠는 총각(A Simple Twist of Fate)〉이라는 할리우드 영화를 보면서 이야기하자. 영화는『사일러스 마너』를 아기가 삶에 개입한 후 목격되는 독신남성의 극적인 변화로 해석한다. 우리말로 과도하게 의역된 영화제목 — 직

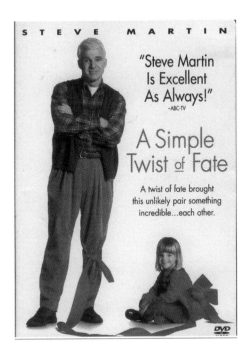

『사일러스 마너』를 원작으로 1994년에 할리우드에서 제
작된 영화 〈아빠는 총각〉. 당대 최고의 코미디 배우인 스
티브 마틴Steve Martin이 주연을 맡았다는 사실에서 짐작
할 수 있는 것처럼, 『사일러스 마너』는 밝고 산뜻한 가족
코미디영화로 재탄생했다. 영화로의 매체 변환과정에서
독신남성의 섹슈얼리티라는 원작의 주제는 완벽하게 소
거되었다.

역은 〈순전한 운명의 뒤틀림〉 정도가 될 것이다 ― 이 오히려 잘 요약한 것처럼, 영화에서는 독신남성의 육아서사가 따뜻하고 정감 있게 전개된다. 하지만 소설의 주요 지점인 독신남성의 섹슈얼리티는 지워져서 보이지 않는다.

다시 쓰자. 『사일러스 마너』는 성적 위반자가 합법적인 성적 주체로 재구성되는 과정에 관한 우화로 보아야 한다. 소설은 독신남성의 섹슈얼리티가 합법적이고 안전한 섹슈얼리티로 교정되는 과정을 보여주기 때문이다. 그 교화의 과정을 따라가 보자.

사일러스는 "홀로 행하는 죄악"의 상징인 금화를 도난당한다. 상실의 아픔에 힘겨워하던 그는, 사라진 금화 대신 에피Eppie를 발견한다.

그의 침침한 시야에는 벽난로 앞의 마루에 마치 금화가 놓여 있는 것처럼 보였다. 금화! 그 자신의 금화가 도난당했던 것과 똑같이 신비스럽게 되돌아온 것이다. 그는 자신의 심장이 거칠게 뛰기 시작하는 것을 느꼈고, 한동안은 되돌아온 보물을 잡기 위해 손을 뻗을 수도 없었다. … 익숙한 완강한 테두리의 단단한 동전 대신에 부드럽고 따뜻한 곱슬머리가 그의 손가락에 닿았다. 극도의 놀라움 속에서 사일러스는 무릎을 꿇고 그 놀라운 것을 살펴보기 위해 머리를 낮게 숙였다. 그것은 잠든 아이였다. 머리가 온통 부드럽고 노란 곱슬머리인, 동그랗고 예쁜 아이였다.

에피가 그의 집 안으로 들어온 후, 사일러스는 더 이상 자신만의 거처 깊숙한 곳에서 홀로 금화를 애무하지 않는다. 에피를 수양딸로 맡아 기르게 되면서 그는 아이를 돌보는 일에 모든 시간과 관심을 집중한다.

그는 해야 할 일이 아주 많았다. 스스로는 사용하지 않은 지 오래된 저장고에서 꺼낸 갈색설탕을 넣은 죽으로 어린 아기의 울음을 멈추게 했다. … 낮의 햇볕으로부터 멀리 감추어졌던, 새의 노랫소리를 듣지 못했고 사람의 말에도 흠칫 놀라지 않던, 좁게 닫힌 고독 속에서 숭배되어야만 했던 황금과는 달리, 에피는 끊임없는 요구와 계속 커져가는 욕구를 지닌, 햇볕과 살아 있는 소리와 살아 있는 움직임을 찾고 사랑하는 피조물이었다.

사일러스는 육아에 관한 지식과 도움을 얻기 위해 이웃에 문의하고, 육아비용을 감당하기 위해 경제활동에도 적극적으로 참가한다. 새로 얻은 가족의 양육에 전념하면서, 가장의 역할을 수행하면서, 그는 금화에 탐닉하던 예전의 삶으로부터 분리된다.

금화는 그의 사고를 똑같이 반복되는 원 안에 가두었고 그 바깥의 어떤 것으로도 인도하지 않았다. 그러나 변화와 희망으로 가득한 대상인 에피는, 그의 생각을 똑같은 텅 빈 한계로 향하던 예전의 걸음으로부터 멀리 떨어진 곳으로 데려갔고 앞으로 나아가도록 만들었다.

성적 만족을 위해 "이제껏 더욱 좁은 고립 속으로 움츠려들었던 그의 삶"은 가족제도의 치유과정을 통해 "주변의 삶과 연결되어진다." 외부사회와의 교류를 통해 "오랫동안 차갑고 좁은 감옥에서 마비되어온 그의 영혼은 열려지고, 차츰 각성의 전율과 함께 완전한 의식상태로 깨어나는" 변화와 회복을 체험한다.

가족제도 속으로 편입된 후 사일러스는 육아와 양육을 위해 자본주의 경제체제의 토대인 생산과 교환을 실천한다. 또한 "그의 이웃 가족들과 함께 묶어주는 유대와 자선"에도 참여한다. 그렇게 함으로써 그는 공동체와의 관계를 회복하고 존중받을 수 있는 공동체의 일원으로, 정상적인 성적 주체로 재구성된다. "그를 둘러싼 나이 많은 사람이나 젊은 사람 누구에게도 이제 혐오감은 없었다."

사일러스는 공동체의 규범을 이해하고 거기에 순응하며, "그가 할 수 있는 가장 오염되지 않은 단정한 모습"으로 변모한다.

15년간 낯선 존재인 것처럼 떨어져 살았고 전혀 교류가 없던 래블로의 삶을 더 잘 이해하게 되기 위해 그는 양순하게 경청했다. … 그는 스스로 래블로의 삶을 형성하는 관습과 신념에 적절하게 반응하게 되었다.

이제 더 이상 그는 "기괴하고 이해할 수 없는 피조물"로 존재하지 않는다. 래블로 사람들은 이전의 "경멸이 섞인 동정, 두려움과 의혹"의 눈길이 아닌 "웃음 띤 얼굴과 명랑한 질문"으로 사일러스를 대한다. 마을 사람들은 사일러스를 "만족과 어려움 모두 이해할 수 있는" 공동체의 일원으로 받아들인 것이다.

『사일러스 마너』는 어떻게 독신남성이 성적인 시민권을 받게 되는지를 분명하게 보여준다. 독신남성이 자위행위에서 벗어나 가족제도 안으로 복귀하여 생산적인 성적 주체로 재구성될 때, 성적 위계의 하단부에 배치되었던 그의 섹슈얼리티는 정상적인 섹슈얼리티로 승인받는 것이다.

『사일러스 마너』(1861)

젊은 시절 사일러스는 영국 북부의 산업도시 랜턴 야드Lantern Yard에서 방직공으로 일하며 신앙공동체에서 헌신적으로 활동한다. 그는 가까운 친구의 흉계로 공동체의 자금을 도둑질했다는 누명을 쓰고 약혼녀에게서도 버림받는다. 사일러스는 신에 대한 믿음과 인간에 대한 신뢰를 모두 잃게 된다. 상심한 그는 그곳을 떠나 아무도 자신을 모르는 영국 남부의 시골마을 래블로에 정착한다.

래블로에서 사일러스는 이웃과 완벽하게 단절된 채, 낮에는 옷감을 짜고 밤에는 모아둔 금화를 만지면서 살아간다. 안개가 자욱한 밤에 마을의 대지주 카스Cass 집안의 망나니 둘째아들 던컨Duncan이 사일러스의 금화를 모두 훔쳐 달아난다. 금화가 사라진 후 사일러스는 크게 낙담하고, 밤마다 집의 문을 열어놓고 금화가 돌아오기를 기다린다.

마약중독자 몰리Molly Farren는 카스 집안의 첫째아들 갓프리Godfrey와 비밀결혼을 하고 딸을 낳아 기르며 힘들게 생활한다. 갓프리가 다른 여자와 결혼하려 한다는 소식을 들은 그녀는 새해 전날 밤 딸을 들쳐 업고 카스 저택으로 향한다. 눈 내리는 밤길에서 몰리는 의식을 잃고 쓰러져 사망한다. 그녀의 아기는 불빛을 따라 사일러스의 집 안으로 들어간다. 그는 아이의 노란머리를 보고 금화가 다시 돌아왔다고 생각한다.

사일러스는 아이를 에피라고 이름 짓고 자신의 딸로 맡아 키운다. 에피는 사일러스와 마을사람들을 연결시키는 매개체가 되고, 아이를 키우면서 사일러스는 세상과 다시 화해한다. 소설은 아름답고 총명하게 자란 에피가 사일러스와 마을사람들의 축복 속에 이웃 청년인 아론Aaron Winthrop과 결혼하는 것으로 종결된다.

황홀과 탈주

현존하는 가장 위대한 여성주의 철학자 중 한 명이고, 소설가이면서 문학비평가인 클레망Catherine Clement의 글쓰기는 시적이고 모호하며 몽환적이다. 그녀가 『중략: 황홀의 철학(Syncope: The Philosophy of Rapture)』에서, 다른 때에 비해 건조하고 분명한 어조로 한 말을 되새기면서 자위행위에 관한 이야기를 마치도록 하자. 클레망에 따르면 "제약과 풍습, 관습적인 몸짓, 보이지 않는 일상의 연계망, 즉 사회, 시민권, 관계 등"은 "사회적 육체(social body)"를 구성한다. "사회적 육체"는 개인을 견디기 힘들게 만드는 "족쇄"로 작동한다. 하지만 개인에게는 "사회적 육체"의 지배 바깥으로 탈출하는, "새로운 반란"이 가능한 황홀한 순간이 존재한다. "격렬한 춤, 광기, 음악, 그리고 홀로 하는 부적절한 행위"가 바로 그러한 황홀의 순간을 만든다는 것이다.

자위행위는, 클레망의 표현을 빌리면, 개인이 사회적 통제의 바깥으로 탈주를 경험하는 황홀의 순간이다. 권력은 사회적 접촉으로 인한 비행과 일탈보다도 개인이 사회적 그물망 밖으로 빠져나가 버릴 때 더욱 위협적으로 느낀다. 그렇기 때문에 자위행위는 사회적 규범에 대한 직접적인 저항보다도 더욱 심각한 위반행위로 판정되고, 사회적 연대와 소통으로부터 이탈하는, 공동체의 가능성을 근원적으로 부정하는 행위로 규정된다. 근대적 기획물인 자위행위담론은, 앞으로도 지배적 성담론으로서의 위상을 유지해나갈 것이다. 불편한 예측이다.

2 부

남성동성애자

3장

계급과 민족의 이름으로

18세기 영국 남성동성애

향락적이거나 학구적인?

어떤 경우든, 그것이 섹슈얼리티나 계급이건 혹은 인종이나 젠더건, 개인을 하나의 테두리 안에 가두고 단일한 속성으로 묶어버리려는 시도는 불온하다. 흑인을 하나의 집단으로 분류하거나 노동계급을 단일대오로 간주하는 것 또는 동성애자를 단일한 무리로 취급하는 일은 무지하거나 지적으로 게으른 수준을 넘어서는 폭력이 된다. 이들은 모두 결코 하나로 묶일 수 없는 개별적 존재이기 때문이다.

내게 남성동성애자는 '쎈' 이미지로 다가왔다. 그 강렬한 첫인상은 뉴올리언스New Orleans에서 열린 마디 그라Mardi Gras 축제에서 왔다. 노출이 심한 복장과 튀는 분장을 한 다수의 동성애자들이 축제에 참가하고 있었다. 그들 중 일부는 신체의 은밀한 부위를 공개하고 농밀한 애정행위를 전시했다. 같이 간 일행 중 한 명은 견디지 못하고 일찍 숙소로 철수했다. 그때 그곳에서의 풍경은 선명한 이미지로 각인되었고 꽤 오래 남았다.

1990년대 초중반을 나는 플로리다 주정부가 있는 탤러해시Tallahassee
라는 곳에서 지냈다. 종합대학 둘, 미술학교 하나, 신학대학 하나, 2년제
대학 하나로 구성된 인구 10만이 조금 넘는 작은 대학도시였다. 남성동
성애자의 전혀 다른 이미지는 이곳에서 함께 수업을 듣던 대학원 동기
와의 교류에서 왔다. 미국 중서부지역에서 나고 자란 그는 동성애자인
자신이 그곳의 보수적인 분위기에 더 이상 적응하기 힘들다고 판단했고,
남부치고는 동성애에 수용적인 이곳으로 박사과정을 밟으러 왔다. 그는
훌륭한 학자로 성장할 것 같은 — 실제로 그렇게 되었다 — 뛰어난 학생
이었다. 늦은 시간까지 도서관을 떠나지 않았고 꽤 먼 데서 열리는 학회
에도 참가해 발표를 했다. 1950년대의 미국 SF 영화연구에 관심이 많았
던 그는 특유의 성실함으로 쉽게 구하기 힘든 영상자료를 꽤 많이 모았
다. 그는 생태와 환경에 도움이 되는 삶을 추구했고, 수반되는 불편함을
기꺼이 받아들였다. 남성동성애자를 향한 내 고정관념을 그가 수정했다.

20세기가 저무는 해 뉴욕 시에서 열린 게이 프라이드 위크Gay Pride
Week 퍼레이드를 구경하면서 나는, 남성동성애자가 얼마나 다채로운 개
인들인지 확인할 수 있었다. 아직 9·11 테러가 터지기 전이었고, 도시의
분위기는 활기차고 자유로웠다. 초여름의 좋은 날씨였고, 많은 사람들이
길가에 서서 퍼레이드를 구경했다. 퍼레이드 대열 속에는 백인, 흑인, 아
시아인, 히스패닉 등의 다양한 인종들이 있었고, 경찰, 소방관, 성직자,
교사 등 여러 직군의 종사자들이 보였다. 몸 가꾸기에 상당한 정열을 기
울여 멋진 육체를 갖게 된 이들이 성적 매력을 과시했고, 단정한 복장을
한 기독교인들이 "주께서 나를 동성애자로 창조하신 데 감사드린다"는

플래카드를 들고 행진했다. 화려하고 발랄한 표정으로 춤추고 노래하는 이들이 있었고, 진지한 얼굴로 구호를 외치며 정치단체의 깃발을 흔드는 사람들이 있었다. 누구도 과잉 대표되지 않은, 일정한 비율의 다양한 개인들이 거기 있었다.

남성동성애자는 결코 하나로 묶일 수 있는 집단이 아니다. 이성애자라고 해서 단일한 특성을 지닌 하나의 집단으로 분류할 수 없는 것과 마찬가지다. 그럼에도 불구하고 남성동성애자를 하나로 묶으려는 '폭력적인' 시도에는 숨겨진 의도가 있다. 바깥에 내건 숭고한 명분이 무엇이든, 그것과는 무관한 저의와 정교한 계산이 존재한다. 앞으로 풀어서 할 이야기를 짧게 미리 하자. 근대 이후 남성동성애는 가장 약한 사회적·정치적 고리였고, 남성동성애자는 낙인찍기에 가장 편리한 대상이었다. 그들은 민족적 이해나 계급적 입장을 관철시키기 위해 호출되고 동원되었다.

왜 18세기 영국인가?

남성섹슈얼리티 위계에서 아래로 밀려난 자들 중에서도 남성동성애자는 가장 혹독한 처벌과 직접적인 폭력에 시달려 왔다. 영국의 18세기는 동성애자에 대한 가혹한 탄압과 처벌이 남성섹슈얼리티 그 자체와는 무관했음을 분명하게 보여준다. 이 시기 남성동성애자의 배제와 억압은 민족적·계급적 이해관계의 고려 속에서 이루어졌기 때문이다. 남성동성애에 관한 긴 이야기를 18세기 영국에서 시작하는 이유다.

18세기 영국에서 남성동성애자에 대한 적대와 조롱은 매우 다른 두 가지 동기에서 출발한다. 하나는 동성애를 외래적 요소로 규정한 민족주의적 정서다. 민족주의자들은 동성애로 인해 영국남성의 이상적인 섹슈얼리티가 손상되는 것을 우려했다. 다른 하나는 기존의 계급지배 체제를 해체하려는 급진적 시도에서 비롯된다. 급진주의자들은 남성동성애를 귀족계급의 악덕으로 규정하고 동성애에 대한 공격을 통해 지배계급의 헤게모니를 약화시키려 했다. 남성동성애는 민족주의를 강화하는 기제나 계급해방을 위한 도구로 사용되었다.

남성동성애자를 대상화하고 배제하려는 움직임이 민족과 계급의 이름으로 일어났음을 기억하자. 한편에서는 민족이라는 대의를 앞세워 성적 소수자를 타자화했다면, 다른 한편에서는 계급의 명분을 들어 동성애자를 계급투쟁의 이해에 종속시켰다. 이 시기 진보주의자들의 계급해방을 위한 헌신적 활동이 남성섹슈얼리티의 위계를 강화하는 쪽으로 움직였다는 사실에도 주목하자.

계급이나 민족 또는 다른 사회정치적 문제의 해결이 성적 억압을 해소시켜줄 것이라는 기대는 매우 순진하거나 성급하다. 섹슈얼리티의 문제는 계급이나 민족과 같은 프레임으로는 결코 파악될 수 없는 또 다른 차원의 문제이기 때문이다. 18세기 영국의 남성동성애담론을 살펴보는 것은 남성섹슈얼리티가 얼마나 복합적이고 모순적인 구성체인지를 되새기는 일이 될 것이다.

남성동성애, 그 담론의 역사

남성동성애는 단순히 성적 취향을 드러내는 용어가 아니다. 그것은 계급, 종교, 젠더, 민족 등과 매우 밀접하게 연결된 구성물이다. 남성동성애는 섹슈얼리티에 제한된 단일한 담론이 아닌, 사회계급과 민족정서, 종교적 관용 등과 관련된 매우 중층적인 담론을 만들어낸다. 남성동성애를 향한 상이한 인식과 입장을 보여준 고대 그리스와 유대문화권은 그 대표적인 사례가 된다.

고대 그리스에서 동성애담론은 성적 지향의 차이가 아닌 계급 간의 차이에 집중했다. 남성 간의 사랑은 부정되거나 비난받지 않았다. 오히려 동성애는 문화, 철학, 군사, 예술 부문에 있어서 수월성을 지닌 최상위계급에 속한 남성들이 행하는 "세련된 악덕(beau vice)"[1]으로 인식되었다. 동성애자는 대중의 혐오와 공포가 아닌 찬탄과 모방의 대상으로 존재했다. 남성동성애가 "그리스인의 사랑(Greek Love)"으로 불리게 된 이유다.

유대문화권에서 생산된 남성동성애담론은 고대 그리스와는 전혀 다른 방향을 가리킨다. 유대문화권의 동성애담론은 민족적 정체성을 지키는 데 그 초점을 맞추었기 때문이다. 동성애는 이민족의 악습으로 규정되었고, 민족적인 경계와 금지의 대상이 되었다. 유대문화권에서 나타난 반동성애담론은 여호와의 선택받은 백성인 유대민족을 이방인들로부터 구별짓기 위한 전략의 산물이었다. 서구사회에서 남성동성애를 바라보는 시각은 유대문화권의 압도적인 영향력 아래서 형성되었다. 서구 남성동성애담론의 역사는 유대-기독교의 반동성애담론이 확산되어가는 과

정의 기록이다.

남성동성애에 대한 교회의 대응은 한차례 커다란 변화를 보인다. 동성애에 대해 무관심이나 관용의 태도를 유지하던 교회는, 12세기 중반에 이르면서 단죄와 억압으로 대응을 전환한다. 12세기 중반은 기독교가 이교도와 이단자를 탄압하기 시작한 시점과 일치한다.[2] 동성애자에 대한 억압은 종교적 소수자에 대한 박해와 동시에 진행된 것이다. 『구약성서』「레위기」의 기록 — 동성애자는 처형되어야 마땅하다 — 은 동성애에 대한 혐오와 증오의 기원을 이루었고, 동성애자에 대한 폭력적인 대응을 정당화하는 근거로 작용했다.

중세 이후 기독교의 영향력은 교회를 넘어 세속으로 확대되었고, 동성애자들이 지은 죄로 소돔이 멸망했다는 성서의 기록은 동성애 공포를 일반대중의 무의식에 각인시켰다. 교회의 가르침을 통해 확산된 반동성애 정서는 동성애의 범죄화로 귀결되었다. 영국의 경우를 예로 든다면, 영국의회는 1533년에 동성애를 사형에 해당하는 범죄로 규정했다.[3]

근대에 들어오면서 남성동성애는 성서에 입각한 중세적 "혐오"의 대상에서 "질병"과 "감염"이라는 의학적 개념으로 새롭게 정의된다. 이제 남성 간의 성행위는 인간의 육체에 치명적인 손상을 입히는 병적 행위로 정의되었다. 근대의학이 제시한 남성동성애담론은 주술적으로 느껴질 정도로 파격적인 상상력을 보여준다. 남성동성애 감염과정에 대한 설명을 들어보자. 남성에 의해 흡입될 경우 정액은 종족번식을 위한 속성상, 신체 내부기관에서 다른 목적으로 사용되기 위한 변형의 과정을 겪는다. 정액을 흡입한 자는 결국 흡혈귀와 비슷한 괴물이 되고, 그와 접촉하는 남성을 또 다른 흡혈귀로 만든다는 것이다.[4] 종교적 단죄와 사법적 위협, 그리고 엽기적인 상상력으로 가득한 의학적 경고에도 불구하고 영국에서 남성동성애는 위축되지 않았다. 그렇게 18세기가 시작된다.

계집아이 같은 사내의 탄생

동생이 뉴욕 시에 있는 학교와 직장에 다닌 적이 있어서 한동안 나는 그곳에 자주 갔었다. 한번은 컬럼비아대학 근처의 세인트 존 더 디바인 대성당Cathedral Church of St. John the Divine에 들렀다. 지금도 그런지는 모르겠지만 에이즈와 동성애 혐오범죄 희생자를 위한 제단이 있었고, 제단 위 벽에는 프랑스 철학자 푸코Michel Foucault의 글이 적혀 있었다. "욕망들을 통과해 새로운 형태의 관계, 새로운 형태의 사랑, 새로운 형태의 창조가 간다(Through Desires go new form of relationship, new form of love, new form of creation)."

푸코의 이야기를 계속하자. 그는 1976년에 『섹슈얼리티의 역사(The History of Sexuality)』라는 선구적인 연구서를 펴냈다. 그 책에서 푸코는 동성애자가 1870년경부터 "일시적인 탈선자"에서 "하나의 종(a species)"이 되었다고 주장한다. 18세기와 19세기 전반에 이르기까지 동성애자는 단지 "금지된 유형 중 하나의 행위"를 저지르는 "사법적인 제재의 대상"에 불과했다. 그러나 1870년경부터는 이성애자와 구별되는 성적인 방향성과 기호, 감수성을 지닌 부류로 새롭게 탄생했다는 것이다.

18세기에 들어와 영국사회에 등장한 "계집아이 같은 사내의 집." 남성동성애에 대한 사법적 대응은 아직 상대적으로 느슨한 시기였고, 이곳을 중심으로 남성동성애자는 "하나의 종"으로 가시화되었다.

18세기 영국사회를 돌아보면 푸코의 주장은 쉽게 무너진다. 이미 18세기 영국에는 남성동성애자들이 모이는 "계집아이 같은 사내의 집(molly house)"이 생겨났고, 복장전환과 역할전도를 핵심으로 하는 남성동성애자 하위문화가 꽃피웠기 때문이다. 이 시기에 이미 동성애는 특정행위가 아니라 종의 특성을 드러내는 개념으로 변모한 것이다.

동성애는 매우 범위가 넓고 혼란스러운 용어였다. 이 이야기를 조금 더 해보자. 중세 이후 17세기에 이르기까지 동성애는 인간의 타락한 심성으로 인해 누구나 저지를 가능성을 지닌, 성적인 방탕이나 죄악으로 여겨지는 행위를 거의 다 포함했다. 동성애는 수간, 이성애자의 항문성교, 성인남성이 어린 소녀를 성적으로 착취하는 행위, 기독교인과 유대인 사이의 성행위, 자위행위, 피임, 성직자가 내연의 처를 거느리는 행위 등을 모두 포괄하는 용어였다.[5] 영국에서도 스튜어트 왕조시대(1603~1714)까지는 동성애가 근친상간, 간통, 강간과 같은 성적 악행과 혼용되었다.[6] 동성애 개념이 정리되기 시작한 것은 18세기로 접어들면서부터라 할 수 있다. 남성동성애 하위문화의 부상과 남성동성애자 집단의 가시화는 동성애와 관련된 혼란스러운 상황을 해소시켰다.

뉴욕시립대학의 역사학 교수인 트럼바흐Randolph Trumbach는 「런던의 남색자들(London's Sodomites)」에서 이 시기의 모습을 구체적으로 소개한다. 그에 따르면 남성동성애자들은 로열 익스체인지Royal Exchange 부근의 찻집, 코벤트 가든Covent Garden 광장, 성제임스 공원St. James's Park과 무어필즈Moorfields의 남색자의 산책로 등에 있는 "계집아이 같은 사내의 집"을 모임장소로 삼았다. 이곳에서 그들은 자신들만의 용어로 소통하고, 남성이면서도 여성의 옷을 입고 여성적인 행동양태를 보이며, 여자 이름을 사용했다. 이들은 "모의결혼식(mock-marriage)"과 "모의출산(mock-birth)" 같은 행사도 열었다. 남성동성애는 이제 "일상 경험의 일부"[7]로 자리 잡은 것 같았고, 다소 과장되게 들리는 노턴Rictor Norton의 주장을 빌린다면 "남성동성애자는 도시에 범람하는 것처럼 보였다."[8]

18세기 영국에서는 "남성과 여성이라는 두 개의 젠더로 구성된 성적 체계"로부터 "남성, 여성, 동성애자 체계로의 전환"[9]이 이미 이루어졌다. 이런 역사적 사실은 동성애자 종의 기원이 푸코가 제시한 1870년경이 아니라 18세기 초엽으로 수정되어야 함을 보여준다. 그럼에도 불구하고 푸코가 이룩한 성취는 무시되거나 간과될 수 없다. 『섹슈얼리티의 역사』는 동성애 정체성 발전과 확립과정의 중요성이 부각되는, 동성애 연구에 있어서 "거대한 패러다임의 변화"[10]를 가져왔기 때문이다. 그는 동성애 연구의 새로운 문을 열었고, 푸코 이후의 동성애 연구는 대부분 그가 열어놓은 문을 통과하면서 시작된다.

남성동성애 가시성이 높아지면서 반발과 저항 또한 커져갔다. 동성애는 영국의 전통적인 남성성을 훼손시키는 반민족적 행위로 새롭게 규정되었다. 동시에 동성애는 귀족계급의 특권을 묵인하는, 그래서 계급제도의 개혁을 저지시키는 계급적 퇴행으로 간주되었다. 문학은 민족과 계급의 이름으로 새롭게 구성된 동성애담론을 충실하게 재생산했다. 이 시기 영문학 텍스트에서 동성애자는 여성적인 기질을 소유한 귀족계급 남성으로, 동성애는 영국의 전통적인 남성성을 위협하는 외래적 행위로 그려졌다.

역겨운, 계집아이 같은 사내들

남성동성애자를 여성적인 남성으로 바라보는 시선은 근대 이전에는 찾아보기 힘들다. 왕정복고기(1660~1700)까지만 하더라도 동성애자는 자신의 성적 능력을 과시하기 위해 여성과 남성 모두와의 성행위에 적극적인 남성으로 여겨졌기 때문이다. 남성동성애자는 여성과 남성을 가리지 않는 "극단적인 남성성의 자기과시"를 일삼는, 유쾌한 난봉꾼으로 간주되었고 "은밀한 경외의 대상"[11]으로 존재했다.

18세기에 들어서면서 남성동성애자를 바라보는 시각은 극적으로 달라진다. 동성애자는 남녀 모두를 아우르는 발군의 성적 능력을 소유한 남성에서, 여성과의 관계는 배제한 채 남성과의 관계만 배타적으로 선호하는 남성으로 인식된 것이다. 동성애자는 자신의 남성성을 희생하고 성행위에서 수동적인 역할을 하는 여성적인 남성으로 재규정되었다.

근대 이후 동성애자가 여성적인 남성으로 새롭게 인식되면서 남성에게서 발견되는 여성적인 외양이나 태도를 바라보는 시각도 변화한다. 근대 이전에는 남성이 여성적인 치장을 하거나 여성적인 행동을 하더라도 이것을 동성애적 욕망으로 간주하지 않았다. 17세기 후반까지만 하더라도 여성적인 스펙터클을 전시하는 남성이라고 하더라도 여성에게 성적 관심을 지닌다고 생각했다.[12] 근대 이후 동성애와 여성성이 함께 간다는 인식이 확산되면서, 남성동성애자는 성관계에서뿐만 아니라 행동과 복장에서도 여성성을 추구하는 남성으로 재규정되었다. 동성애적 성향은 여자처럼 행동하거나 여성의 복장을 착용하는 행위 등을 통해서도 드러

난다고 인식되기 시작했다.[13]

18세기 영문학은 남성동성애자를 바라보는 시선의 변화를 성실하게 반영했다. 남성동성애자의 여성성을 강조하는 방식으로 재현이 이루어진 것이다. 동성애는 여성적인 욕망으로 규정되었고, 이러한 욕망은 여성적인 옷차림과 행동양식을 통해 드러나는 것으로 그려졌다.

영국소설 생성기의 대표적인 소설가이자 극작가였던 필딩Henry Fielding이 1728년에 출판한 희곡 『여러 가면을 쓴 사랑(Love in Several Masks)』에는 "여자처럼 꾸민" 런던의 동성애자들이 등장한다. 오랜 기간 런던을 떠나 있다 돌아온 와이즈모어Wisemore는 친구인 맬빌Malvil에게 자신이 목격한 "여자들"의 "새로운 유행"에 대해 이야기한다.

> 와이즈모어: 여기 여자들이 변했다는 것을 알겠네. 그들은 우리들처럼 옷을 입고 커피 하우스 역시 자주 방문하더군. 나는 조금 전 튼튼한 견직물로 만든 코트와 반바지를 입은 두 명의 여자를 보고 깜짝 놀랐어.
>
> 맬빌: 하하하! 그 사람들은 멋 부린 남자(beaus)일세, 네드.
>
> 와이즈모어: 남자라기보다는 훨씬 여자에 가까운 것이 명백하니 더욱 놀라운 변신일세. 그러나 아마도 이 양서류적인 옷은 그들이 심각하게 계산한 것일지 모르네. 나는 성별 외에는 모든 것이 여성인, 그리고 그것을 제외하고는 남성적인 것이 하나도 없는 멋쟁이 남성을 알고 있네.

'여자 같은' 남성동성애자들에 대한 묘사는, 풍자작가이자 출판인이었던 워드Ned Ward가 1709년에 발표한 『런던 스파이(The London Spy)』에서도 발견된다. 런던 사람들의 생활방식에 대한 목격담을 기록한 『런던 스파이』에서 런던의 동성애자들은, "모든 남성적인 태도와 행위로부터 변질되어 떨어져나간 채 스스로를 여자라고 상상하고, 말할 때나 걸을 때, 수다 떨 때 여자들처럼 하고 여자들의 복식을 모방하는 자들"로 소개된다.

18세기 영국소설을 대표하는 작가 중 하나인 스몰렛Tobias Smolett은 『로드릭 랜덤Roderick Random』이라는 주목할 만한 동성애 관련 소설을 썼다. 대영제국 해군의 군의관으로 재직하기도 했던 그는, 이 소설에서 의상과 말투, 행동에 있어서 "근대 동성애자의 전형"[14]인 위플Whiffle 함장을 창조했다. "가느다란 몸매"의 위플은, "흰 선을 덧댄 핑크색의 코트"와 "석류로 만든 브로치를 드러내기 위해 단추를 달지 않고 금으로 수놓은 흰색 공단조끼"를 입고, "끝을 둥글게 말아" 어깨 위로 "물결치듯 흘러내리게 한" "리본으로 묶은" 머리카락을 "대담하면서도 수줍게 나풀거리며", 크고 화려한 양산을 든 모습으로 배 위에 최초로 등장한다.

스몰렛은 의상과 태도가 성정체성을 나타낸다는 점을 명백히 한다. 위플은 "얼굴을 가면으로 가리고 양손에는 흰 장갑을 끼었는데, 양 새끼손가락 위에는 반지를 끼어 장갑이 빠지지 않도록 했다." 여성의 패션 아이템인 흰 장갑과 새끼손가락에 끼는 반지, 그리고, 가면 — 가면은 가면무도회에 참가한 동성애자들이 일으키는 성적 광란을 떠올리게 한다 — 은 그가 동성애자라는 사실을 부각시킨다. 위플의 동료인 심퍼Simper 역시 외모와 복장, 태도를 통해 성정체성을 드러낸다. 그는 "매우 섬세한 용모"를 지니고, "요염한 여인"처럼 "야하게 차려입고" "나른한 미소를 우아하게 꾸며 짓는" 남성으로 재현된다.

의사로서 스몰렛의 삶은 무난하고 평이했다. 하지만 문학
적 삶에서는 "소설가가 인정한 소설가(Novelist's Novelist)"로
우뚝 섰다.

위플은 남성동성애자의 전형적 특징이라고 여겨진 여성적인 말투를 사용하는 것으로 그려진다. 위플은 심퍼에게 "어머, 심퍼 아냐. 난 정말 너무너무 혼란스러워! 난 배신당했고 너무 놀랐어!"라고 마치 여성이 남성에게 "앙탈 부리듯이" 말한다. 위플이 선상의 의자에 누워 휴식을 취하고 있을 때 선원 한 사람이 불쑥 그에게 다가온다. 위플은 선원을 "괴물"이라 부르며 "너무너무 놀랐어!"라고 신경질적으로 말한다. 그때까지 동성애자를 접한 경험이 전혀 없었음에도 불구하고 랜덤은, 위플과 심퍼의 복장과 행동, 말투를 통해 그들의 성정체성을 쉽게 파악해낸다.

스몰렛은 여성적인 외양과 행동양식을 드러내는 동성애자와 거칠고 강건한 선원들의 모습을 교차시킨다. 실크와 공단을 사용한 화려하고 사치스러운 복장을 한 동성애자와 거칠고 투박한 수직 의복을 입은 "남자다운" 선원들을 비교하면서, 스몰렛은 동성애자가 "겉치레와 변덕으로 변장하고 형상을 바꾸고 미화한, 인류의 한 사람이기보다는 짐승에 가까운 존재"라고 단정한다. 반면에 선원은 "하나님께서 창조하신 모습 그대로 사는" 착실한 기독교인이라는 평가를 내린다. 스몰렛은 동성애가 자연과 신의 뜻에 반하는, 남성을 여성화시키는 죄악임을 분명히 한다. 동성애는 "가장 커다란 열정을 가지고 혐오와 증오를 표출"해야 마땅한, "부자연스럽고 부조리하고 치명적인 결과를 야기할 욕구"이기 때문이다.

남성동성애자는 그 여성성으로 인해 경멸과 조롱 그리고 비난의 대상이 되어야 마땅하다는 주장은, 클리랜드John Cleland의 『패니 힐Fanny Hill』에서도 발견된다. 한 매춘여성이 자신의 성경험과 인생사를 서술한 이

소설은 18세기의 대표적인 성애문학 텍스트로 기록된다. 동성애가 얼마나 인화력이 높은 소재였는지는 『패니 힐』의 수용을 통해서도 입증된다. 이 소설에는 극도로 다양한 남녀 간 성행위가 노골적으로 묘사되었지만 별다른 주목을 받지 못했다. 길고도 상세한 동성애 장면이 소설 속에 첨가되면서, 『패니 힐』은 대중적 인기의 정점에 설 수 있었다.

『패니 힐』에는 성적 방탕과 일탈이 텍스트를 가득 채우고 흘러넘친다. 그러나 유독 동성애만이 "끔찍하고… 너무도 혐오스럽고… 불쾌할 뿐 아니라 터무니없는 취향"으로 규정된다. 비윤리적 성관계를 일삼는 수많은 남성 중에서 오직 남성동성애자만이 혐오와 비난의 대상으로 소환되고 있다. 이들은 "자신의 성에 속하는 늠름하고 강력한 덕성은 전혀 없고 여성들이 지닌 가장 나쁜 악덕과 어리석음으로 가득한" 남성이라는 이유로 "남자-처녀들(male-misses)"이란 조롱과 경멸을 담은 이름으로 불린다. 그리고 동성애자들의 여성적인 모습은 비난과 저주의 대상이 된다.

요컨대 이들은 여성을 싫어하고 배척하면서도 동시에 여성의 매너와 분위기, 혀 짧은 소리, 걸음걸이 그리고 일반적으로 여성의 겉치레 방식을 흉내낸다. 이런 점에서 이들의 괴이한 불일치는 우스꽝스럽기보다는 저주받을 흉악한 일이다.

『패니 힐』에서는 매춘여성들도 동성애자들을 극도로 멸시하고 동성애를 처벌받아야만 하는 범죄로 간주한다. 매춘여성 중 한 명인 패니는 동성애 장면을 목격하고 극도로 경악한다. 그녀는 충격으로 불안정한 상태에서도 그들을 고발하기 위해 결정적인 증거를 잡으려는 노력을 기울인다. 포주인 콜 부인Mrs. Cole 역시 동성애자들이 당장은 처벌을 면하더라도 "가까운 시일에 반드시 천벌을 받을 것"이라고 단언한다. 다양한 성적 죄악과 방종으로 가득한 텍스트 속에서 오직 동성애만이 "여성의 생계수단을 약화시킬 뿐 아니라 자연이 여성에게 부여한 소중한 것을 빼앗아가는… 우스운 것을 지나 정말이지 구역질 나는" 행위로 정의되는 것이다.

모든 사회적 타자가 그런 것처럼, 동성애자 역시 한편으로는 유약한 그러나 다른 한편으로는 위험한 존재로 인식된다. 약하고 여성적일 때 동성애자는 혐오폭력의 희생자가 되거나 경멸과 희롱의 대상이 된다. 그러나 통제 불가능한 악덕을 행사할 때 동성애자는 위험한 괴물로 간주된다. 동성애자는 감염성 높은 성적 욕망으로 인해 모든 성적 미덕과 순결함을 위협하고 더럽히는 악마와 같은 존재가 된다.

다시 『로드릭 랜덤』으로 돌아가자. 소설 속에서 위플 함장이 조롱하면서 웃어넘길 수 있는 동성애자 캐릭터라면, 스트러트웰 경Lord Strutwell은 위험할 정도의 지성을 갖춘 악의 화신으로 등장한다. 그는 성적 욕망을 말초적으로 자극하거나 물질적인 혜택을 제공하는 방식뿐만 아니라, 지적인 설득을 통해 남성을 유혹하는 것으로 그려진다. 스트러트웰 경은 괴물로서의 동성애자를 대표한다.

랜덤을 처음 만났을 때 스트러트웰 경은 일자리를 제공하겠다는 의사를 보인다. 랜덤은 "이처럼 고귀한 귀족의 선의에 감격의 눈물을 참기 힘들 정도의" 감동을 받는다. 그러나 스트러트웰 경이 그를 안고 입 맞출 때 랜덤은 그의 입맞춤이 "처음 본 사람에 대한 기이한 애정을 담고 있다는 느낌에 혼란스러움을 느낀다." 다음 날 랜덤을 만났을 때 스트러트웰 경은 지적인 담론을 통해 동성애를 합리화하며 다시 그를 유혹한다.

스트러트웰 경은 동성애를 역사적 맥락에서 옹호하면서 동성애에 대한 거부감을 약화시키려 한다. 그는 동성애를 향한 법률적·사회적 비난이 "편견과 몰이해"에 근거하고 있다고 주장한다. 동성애자였던 역사적 인물들을 열거하며 스트러트웰 경은 동성애가 고대에는 칭송받던 미덕이었다는 사실을 알려준다.

고대의 가장 뛰어난 인간들이 동성애적 열정을 즐겼다고 전해진다. 법률제정가 중 가장 지혜로운 이가 동성애의 탐닉을 공화국 내에서 허용했다. 가장 널리 알려진 시인들이 거리낌 없이 동성애자임을 드러냈다. 오늘날 동성애는 동방에서뿐 아니라 대부분의 유럽지역에서 성행한다. 영국 내에서도 동성애는 빠르게 확장되고 있으며, 당연히 머지않아 단순한 변태성행위가 아닌 세련된 부도덕이 될 것이다.

스트러트웰 경은 결혼의 신성함에는 동의하면서도 동성애 역시 유용한 가치를 지닌다고 강변한다. 동성애는 유아살해를 방지하고, "국가에 기생하며 성장할" 버려진 사생아들로 인한 손실을 줄여준다는 것이다. 또한 동성애에는 다음과 같은 장점이 존재한다고 주장한다.

젊은 여성들의 방탕과 정직한 남편을 둔 아내의 매춘을 방지할 뿐만 아니라, 동성애적 욕망의 추구는 우리들의 젊은 남성의 체질을 약화시켜 세대가 흐를수록 떨어지는 자손을 양산하는 평범한 성행위에 비해 덜 해롭다.

스트러트웰 경은 법률의 동성애 처벌이 비이성적으로 가혹하며 정의가 아닌 편견과 오해에 기초한다고 비판한다. 그는 "범법자에 대한 법률의 엄중함에도 불구하고" 자연스러운 욕망을 처벌하려는 시도는 근본적으로 효과를 거둘 수 없다고 단언한다.

랜덤은 스트러트웰 경에게 설득되지 않는다. 오히려 그가 자신을 유혹하여 남색을 시도하려 한다는 커다란 두려움을 느낀다. 당대 영국의 동성애혐오/공포담론은 랜덤의 발언을 통해 생생하게 표출된다. 그는 동성애가 비영국적인 외래의 악덕이라고 강조한다. 동성애는 자연법과 이성의 통제로도 금지시킬 수 없기 때문에 결국에는 영국사회를 감염시키고 결혼제도와 남성다움을 파괴시킬 것이라고 주장한다. 랜덤은 "부자연스럽고 부조리하고 치명적인 결과를 야기할 욕구에 대해 가장 커다란 열정을 가지고 동성애에 대한 혐오와 증오를 표출한다."

동성애자는 18세기 영문학에서 여성화된 남성으로, 비난과 조롱 혹은 경계의 대상으로 재현되었다. 동성애를 바라보는 부정적인 시선은 18세기에 지속적으로 확대된 제국주의 전쟁으로 인해 뒤로 갈수록 더욱 심화되었다. 전투적인 남성성이 긴급하게 요구되는 시대적 상황 속에서 동성애자의 여성성은 민족의 장래를 위협하는 해악으로 인식된 것이다. 동성애는 영국의 세계지배를 공고히 하는 데 필수조건인 강건한 남성성을 훼손시키는, 따라서 제국주의적 기획을 위해 반드시 제거되어야 하는 장애물로 간주되었다.

무난한 의사에서 대단한 작가로 — 토비아스 스몰렛

스몰렛(1721~1771)은 글래스고대학에서 의학교육을 받고 영국해군 군의관을 거쳐 런던에서 개업의 생활을 했다. 문학과는 무관한 교육적·직업적 배경에도 불구하고 그는 문학에 대한 열정과 야심을 드러냈다. 스몰렛은 시와 희곡, 소설을 쓰고 발표했다. 의사로서는 무난한 삶을 살았고, 시인과 희곡작가로서의 커리어는 돋보이지 않았지만, 소설가로서는 높은 평가를 받았다.

스몰렛은 무엇보다도 피카레스크picaresque 소설의 작가로 기억된다(악한소설 이나 건달소설로 번역되는 피카레스크 소설은, 하류계급 출신 주인공이 겪는 다양한 사건 혹은 모험이 1인칭시점으로 서술되는 소설 장르를 말한다). 스몰렛이 발표한 최초의 소설 『로드릭 랜덤』(1748)과 두 번째 소설인 『페러그린 피클Peregrine Pickle』(1753), 그가 세상을 떠난 해에 세상에 나온 그의 마지막 소설 『험프리 클링커의 원정(The Expedition of Humphry Clinker)』(1771)은 모두 피카레스크 전통에 충실한 소설이었다.

빅토리아시대 영국작가들은 스몰렛을 높게 평가했고 소설 속에서 그를 자주 언급했다. 『로드릭 랜덤』으로부터 커다란 영향을 받았다고 알려진 디킨스Charles Dickens는, 『데이비드 코퍼필드David Copperfield』에서 주인공이 가장 좋아하는 작가로 스몰렛을 선택했다. 새커리의 『허영의 시장(Vanity Fair)』에는 주요인물들이 『험프리 클링커의 원정』을 읽고 토론하는 장면이 나온다. 엘리엇의 『미들마치』에도 『로드릭 랜덤』과 『험프리 클링커의 원정』에 대한 호의적인 언급이 발견된다. 스몰렛은 빅토리아시대 작가들에 의해서만 높게 평가된 것은 아니었다. 대표적인 20세기 영국소설가 중 한 명인 오웰George Orwell은 스몰렛을 "최고의 스코틀랜드 출신 소설가"로 승인했다.

『로드릭 랜덤』(1748)

랜덤은 스코틀랜드의 귀족 아버지와 하류계급 어머니 사이에서 태어난다. 이들의 결합은 가문의 인정을 받지 못하고, 랜덤의 어머니는 사망하고 아버지는 정신이상자가 된다. 친할아버지는 지역의 학교 교사로 하여금 랜덤에게 라틴어와 그리스어, 프랑스어와 이태리어를 가르치도록 한다. 교사의 강압과 학대에 질린 랜덤은 고향을 떠나 프랑스, 서인도제도, 서아프리카, 남미를 떠돌며 다양한 경험을 한다. 랜덤은 좋은 가문의 여성을 유혹해서 귀족신분을 획득하고 풍족한 삶을 향유하기 위해 전력을 다한다. 소설은 랜덤이 아르헨티나에서 거부가 된 아버지를 다시 만나 재정적 도움을 받고 사랑하는 여인 나르시사Narcissa와 결혼하는 해피엔딩으로 끝을 맺는다.

민족의 이름으로

동성애는 영국에서 자생한 것이 아니라 유럽대륙, 특히 이탈리아에서 건너온 외래종으로 규정되었다. 『사탄의 수확축제(Satan's Harvest Home)』라는 팸플릿을 먼저 살펴보도록 하자. 1794년에 익명의 저자에 의해 출판된 이 문건은 동성애에 대한 당대의 인식을 여과 없이 보여주는 매우 흥미로운 텍스트이기 때문이다. 『사탄의 수확축제』에서 저자는 동성애의 원산지로 이탈리아를 지목한다. 그는 "남성의 여성화 풍습 중"에서 "가장 혐오스럽고 핵심적이고 유해한", 남성끼리 애정표현을 벌이는 일이 공공장소에서도 부끄럼 없이 펼쳐지는 이탈리아를 "동성애의 어머니이자 유모"로 호칭한다.

미소년들은 심지어 대로에서 어이없는 구애를 한다. 무엇보다도 충격적인 일은 남성의 형상을 한 커플이 가장 공적인 장소에서 서로 입 맞추고 심하게 애무하는 것을 보는 것이다.

익명의 저자는 동성애가 "자연을 거스른 다른 일련의 죄악과 함께 군주가 귀부인보다는 시종과 더 자주 수작을 벌이는 이탈리아"에서 영국으로 "수입되었다"고 개탄한다.

『사탄의 수확축제』가 보여준 동성애에 대한 시각은 당대를 대표하던 작가들의 소설에서도 동일하게 드러난다. 18세기 영국에서 사회개혁운동을 선도했던 고드윈William Godwin의 경우 역시 마찬가지였다. 그는 1794년에 출판된 소설 『캘럽 윌리엄스Caleb Williams』에서 동성애적 성향을 드러내는 포크랜드Falkland라는 캐릭터를 등장시킨다. 고드윈은 포크랜드를 이탈리아에서 교육받은 "외제(foreign-made) 영국인"으로 설정함으로써 동성애와 이탈리아와의 연관성을 부각시킨다. 포크랜드는 "형태와 외모에 있어서 극도로 섬세하며" 매너는 "여성적인 섬세함과 특별한 조화를 이루는", "이탈리아적인 취향"이 과도하게 드러나는 인물로 그려진다. 클리랜드도 『패니 힐』에서 동성애를 이탈리아와 연관시키는 관습을 되풀이한다. 패니는 두 남성동성애자의 성행위를 묘사하면서 어린 남성의 엉덩이를 "로마에 있는 쾌락의 산"에 비유한다.

성직자이면서도 정치평론가였고 또한 작가였던 스위프트는, 낡은 정치적 가치와 사회적 부조리에 관해 날카로운 풍자의 칼날을 휘두르는 것을 한 번도 주저하지 않았던 인물이다. 그러던 그도 유독 동성애와 관련해서는 기존의 시각을 넘어서지 못하는 상투성을 드러낸다. 스위프트는 1728년에 영국의 시인이자 극작가였던 게이John Gay의 『거지의 오페라(Beggar's Opera)』를 옹호하는 기고문을 썼다. 기고문에서 스위프트는 동성애자의 증가를 이탈리아적인 요소의 도입과 연관된 현상으로 파악한다. 그는 수년 전 "런던에서 부자연스런 악덕을 실행하는 일이 빈번해지고 많은 이들이 기소되었을 때", 나이 든 한 신사가 자신에게 "이탈리아 오페라와 가수들"이 이러한 현상의 "전조"였다고 "확신에 차서" 말했던 사실을 소개한다. 스위프트는 동일한 확신의 어조로 다음과 같이 주장한다.

게이의 오페라는 우리의 북구성 기후와 국민성에 전적으로 부적합한 이탈리아 음악에 대해 우리 사이에 존재하는 부자연스런 취향과, 그 결과로 우리에게 과도하게 나타난 이탈리아적인 계집아이 같은 사내와 이탈리아적인 터무니없음을 아주 공정하게 폭로하고 있다.

스몰렛의 소설 『페러그린 피클』에서도 동성애적 욕망과 특정한 국가는 동일시된다. 소설 속에서 페러그린이 이탈리아 백작의 행위와 "그의 행동거지의 추잡함"에 대해 비난하는 것은 바로 이러한 해석학에 근거한다. 소설에서 화가 팔레트Pallet는 식당에서 백작과 남작의 동성애를 목격한다.

백작은 황홀하게 남작과 입 맞추고 남작의 갈비뼈 아래를 간질이기 시작했다. 행위가 너무도 부드럽게 이루어지는 것을 본 덕이 높은 화가 팔레트는 몹시 놀랐고, 자신의 매력을 의식하고 또 자신의 육체를 경계하여 허둥대며 건넌방으로 갔다.

팔레트는 두려움에 떨며 충격적인 목격담을 페러그린에게 전한다. 백작의 국적을 알게 된 후 줄곧 그에 대해 경계의 눈길을 늦추지 않고 있던 페러그린은 팔레트의 얘기를 듣고 분노에 사로잡힌다. "그런 종류의 추잡한 행위를 당연하게 혐오하는 것을 즐기는" 페러그린은 "격분하여 두 명의 남자만이 남겨진 식당 문을 박차고 들어간다. 페러그린은 남작이 백작의 구애에 싫어하지 않는 것을 자신의 눈으로 직접 보고 팔레트의 불평이 근거 없는 것이 아니라는 사실을 확인한다."

외국에서 유입된 동성애로 인해 자랑스러운 영국의 전통적 남성성이 위협당하고 있다는 우려의 목소리가 커져가면서 동성애에 관한 혐오의 정서는 확산되었다. 다시 『사탄의 수확축제』로 되돌아가보자. 익명의 저자는 동성애가 유입되기 전 영국남성의 모습을 다음과 같이 회고한다. 그는 "질서와 훈육에 순응하며" 학업에서의 열정만큼이나 건전한 스포츠 활동에도 열중해 "혈액순환이 좋으며 군살이 끼지 않은 배"를 지닌 남성이다. 그는 "뛰어난 건강"을 유지하고 "자녀와 소중한 아내와 함께하는 축복을 누리며" "국왕, 조국, 가족"에 봉사하는 삶을 산다.

『사탄의 수확축제』의 저자는 이탈리아에서 동성애가 유입된 이후 원형적인 영국남성과는 극단적으로 다른 남성들이 증가하고 있다고 진단한다. 동성애라는 외래 전염병에 감염된 남성들이 나약하고 여성적인 남성들로 돌변했다는 것이다. 이들은 자신의 남성성과 생식력을 버린 채 여성의 복장을 착용하고 여자처럼 행동한다. 동성애는 기혼남성을 파멸시켜버리고 결혼적령기의 미혼남성을 결혼제도로부터 이탈하도록 만든다. 『사탄의 수확축제』의 저자는 이상적인 영국남성을 극단적으로 다른 존재로 만들어버리는 동성애의 확대가, 영국이 누리는 영광스러운 지위의 불가피한 쇠퇴를 가져올 것이라고 우려하며 크게 탄식한다.

우리는 우리 자신의 죄악만으로 충분하지 않은가? 혐오의 잔을 채우기 위해 그리고 우리 자신을 향한 신성한 분노가 무르익게 하기 위해 외국으로부터 죄악을 들여와야 하는가?

영국의 이상적인 남성성이 동성애에 의해 궤멸되리라는 공포는 고드윈의 『캘립 윌리엄스』에서도 쉽게 발견된다. 그는 동성애라는 외래의 악덕에 저항하는 영국의 전통적인 남성성을 지닌 인물을 텍스트 내에 도입한다. 그가 소환한 타이렐Tyrrel이란 남성 캐릭터는 동성애에 감염된 포크랜드와는 극단적으로 다른 인물로 그려진다. 타이렐은 "외제"가 아니라, 영국에서 성장한 "근육질이고 튼튼한" 몸을 소유한 영국남성의 "진정한 모범"인 것이다. 타이렐은 포크랜드를 "작디작은 부스러기", "말썽꾸러기", "여자 같은 남자"와 같은 동성애자에게 사용되던 경멸의 언어로 부르며 조롱한다. 그러나 "건장한 몸과 모두가 인정하는 용맹성으로 인해 모든 딸들이 다정한 눈으로 바라보는" 타이렐마저, 자신의 남성성이 포크랜드의 외래적이고 여성적인 위협으로부터 결코 자유롭지 못하리라는 불안감을 느낀다. 결국 영국의 순수한 남성성을 상징하던 타이렐은 외국의 죄악에 감염된 포크랜드에 의해 살해당한다.

18세기가 저물어갈수록 식민지를 차지하기 위한 제국들 사이의 전쟁은 더욱 격렬해졌다. 영국이 상시적인 전쟁상태 속에 놓이게 됨에 따라, 영국인의 민족주의적 정서 역시 더욱 강화되었다. 영국의 동성애담론은 상당 부분 민족주의에 의해 재구성되었다. 민족의 보존과 번영을 위해 영국 내 동성애의 확산은 반드시 저지되어야 한다는 주장이 지배담론으로 자리 잡았다.

계급해방을 위해

18세기 영국에서 동성애가 한편에서는 민족의 이름으로 단죄되었다면, 다른 한편에서는 계급해방을 위한 기제로 동원되었다. 동성애의 역사를 살펴보면서 확인한 것처럼, 동성애는 오랜 기간 귀족계급 남성 사이에서 행해지던 귀족계급의 악덕으로 간주되었다. 동성애의 계급적 배경으로 귀족계급이 지목된 것은 너무나 자연스러운 귀결이었다. 계급적 색채가 강하게 배어나오던 동성애는 18세기 영국의 계급갈등과 대립의 주요 전선에 배치된다.

18세기 영국에서 동성애가 계급을 중심으로 작동했다는 것은, 1631년의 동성애 재판기록인 『머빈 오들리 경의 재판과 구형(The Tryal and Condemnation of Mervyn, Lord Audley)』이 1699년에 책자로 발간되고, 그 후

오랫동안 인기리에 소비되었다는 사실을 통해서도 확인된다. 이 시기에는 귀족계급 남성이 동성애 혐의로 기소되면 권력의 묵인 하에 유럽대륙으로 도피하는 것이 일반적이었다. 귀족계급 남성이 동성애 혐의로 공판을 받고 사법적 처벌을 받은 오드리 경의 사례는 극히 이례적인 경우였다.[15] 이미 반세기가 더 지난 귀족계급 남성의 동성애 재판기록이 출판되어 대중적인 주목의 대상으로 부상할 만큼, 18세기 동성애담론은 계급과 밀접하게 연결되어 진행되었다.

18세기 영문학에서 동성애는 민족적 위반인 동시에 계급적·정치적 위반으로 재현된다. 뛰어난 비평가이자 시인이었던 포프Alexander Pope가 쓴 「아버스넛에게 보내는 편지(An Epistle to Dr. Arbuthnot)」는 그 대표적 사례다. 이 시에서 포프는 당대의 실존인물인 허비 경Lord Hervey을 공격한다. 허비 경은 자신보다 여덟 살 연하인 폭스Stephen Fox와 이탈리아에서 18개월을 함께 사는 등, 다채로운 동성애 행각으로 악명 높았던 인물이었다.[16] 포프는 허비 경의 빈약한 정치적 자질과 낮은 윤리성이 그의 성정체성에서 기인한 것으로 판정한다.

양쪽 편에 가담한 양서류!
보잘것없는 두뇌, 혹은 타락한 가슴
화장대에서는 계집애처럼 꾸미고, 관청에서는 아첨하고
이제는 귀부인처럼 춤추듯 걷는구나, 이제는 군주처럼 당당하게 걷는구나.

동성애는 허비 경의 정치적인 부패와 도덕적인 타락을 상징적으로 드러내는 장치로 사용되고, 동성애자인 허비 경은 정치적 "꼭두각시 (Puppet)"인 동시에 "곱게 단장한, 고통스러울 정도로 더러운 냄새를 풍기는 오물의 아이"로 규정된다.

동성애에 대해 부정적인 시각을 드러낸 것은 스위프트나 포프 같은 보수적인 진영의 문학가들만은 아니었다는 사실을 기억할 필요가 있다. 고드윈으로 대표되는 당대의 급진적인 개혁가들 역시, 노동문제나 여성문제에 있어서의 진보적인 입장과는 극명하게 대조적으로 동성애에 대한 억압을 정당화하거나 옹호했다. 이들은 동성애자에 대한 공세가 귀족계급과 민중의 긴장관계를 심화시킬 수 있다고 판단했다. 귀족계급의 특권적 죄악인 동성애가 남성을 여성적으로 만든다는 것을 강조함으로써 민중적 분노를 유발하려 한 것이다. 다시 반복하자. 동성애를 계급투쟁의 최전선에 동원한 당대 진보적 지식인들의 사례는, 성소수자의 문제는 계급해방과는 다른 차원에서 접근해야 하는 영역임을 보여준다.

아나키스트이기도 했던 고드윈은, 신분에 기반을 둔 사회제도는 철폐되어야 한다는 당대의 가장 급진적인 주장을 펼친 인물이었다. 그는 정치 팸플릿의 발간을 통해 귀족계급의 지배체제에 대한 공격의 선봉에 섰고, 『정치적 정의에 관한 연구(Enquiry Concerning Political Justice)』는 그 대표적 문건이다. 고드윈이 소설을 쓰게 된 것은, 정치적 사안을 주장하는 팸플릿에는 관심을 나타내지 않는 대중에게 가까이 다가가기 위해서였다. 자신의 사상을 효과적으로 전파하기 위해 대중적 인기의 중심에 있던 소설이라는 문학장르를 선택한 것이다.

고드윈은 『캘럽 윌리엄스』의 서문에서 자신의 의도에 관해 솔직하게 밝힌다. 자신이 소설을 쓰게 된 이유는 "철학이나 과학 책에 손대지 않는 사람들과 소통하는"데 있다는 것이다. 『캘립 윌리엄스』에서 고드윈은 귀족계급의 헤게모니 분쇄와 계급제도의 궁극적인 해체를 주장한다. 그는 계급문제에 대한 대중의 흥미를 유발하고 관심을 촉발시키기 위해 동성애를 소환한다. 그리고 대중의 동성애혐오증에 기대어 귀족계급에 관한 적대감을 고무시키려 한다. 소설에서 귀족계급 남성이 여성적인 태도와 분위기를 지닌 동성애자로, 귀족계급의 후원이 동성애적 관계로 그려진 이유다.

『캘립 윌리엄스』에서 고드윈은 귀족계급의 후원관계를 동성애관계로 재현한다. 고드윈은 중간계급 출신 캘립과 그를 후원하는 귀족계급 남성 포크랜드의 관계를 묘사하면서 구애의 언어를 차용한다. 캘립은 "나와 나의 후원자 사이에는 자성을 띤(magnetical) 공감"이 있으며, 눈길을 교환하는 것만으로도 "서로에게 책 여러 권의 분량을 이야기한다"고 고백한다. 캘립이 포크랜드의 과거에 호기심을 느끼는 장면에 깔린 성애적인 정조는 동성애적 경향을 더욱 극명하게 부각시킨다. 캘립은 포크랜드로부터 자신의 사생활을 염탐한다는 책망을 듣는데, 이때 캘립은 성적으로 강한 자극을 받는 것으로 그려진다. 캘립은 포크랜드의 책망이 "내 몸의 한가운데를 짜릿하게 했다"고 술회하는 것이다. 캘립이 후원자의 과거와 그의 여행 가방을 동일시하며 후원자에 대한 욕망을 여행 가방에 투사하는 장면 역시 에로틱한 색채로 그려진다. 캘립은 가방을 열면 "심장이 뛰도록 열망한 모든 것"을 발견하게 되리라 확신하면서, "통제할 수 없는" 성적 욕망과 "열정의 에너지"를 드러내며 몰래 포크랜드의 방

고드윈은 국가권력의 폐지와 사유재산의 공평
한 분배를 주장했다. 그는 투쟁이나 피의 혁명이
아닌, 비폭력적이고 이성적인 방식을 통해 사적
소유권과 계급제도의 철폐를 이룰 수 있다고 믿
었다. 성직자의 예복을 벗어던진 후에도 그는 기
독교 평화주의자로 남았다.

에 들어가 그의 가방을 연다.

고드윈은 『캘립 윌리엄스』에서 귀족계급 남성인 포크랜드의 중간계급 남성 캘립에 대한 후원을 동성애적 욕망에 기반을 둔 행위로 규정한다. 그럼으로써 귀족계급의 전통적인 미덕으로 칭송받아온 후원관계가 사실은 중간계급의 정치적 각성을 저지하고 귀족계급의 특권을 유지하는 수단에 불과하다는 점을 폭로하려 한 것이다. 고드윈은 귀족계급 남성의 후원을 거부하고 권력을 "급진적으로", "정당하게" 재분배하는 것이 시대적 과업임을 선언하고 그 과업에 동참할 것을 호소한다.

귀족계급의 특권과 동성애적 관계에 대해 의혹의 시선을 던진 진보적 지식인은 고드윈만은 아니었다. 혁명가이자 사상가였고 작가였던 페인 Thomas Paine도 귀족계급의 악습을 중간계급 남성성과의 관계 속에서 비판적으로 사유하는 모습을 보여주었다. 그는 『인간의 권리(The Rights of Man)』에서 귀족계급의 특권이 "인간의 성품 속에 일종의 여성과 같은 유약함을 불어넣어" 남성을 "여성의 모사품"으로 축소시킨다는 불만을 제기한다. 페인은 현재의 계급지배 구도가 보장하는 귀족적 특권이 동성애를 조장하고 중간계급 남성에게서 주도권과 자족성을 강탈한다고 주장한다. 그는 민주적인 개혁에 진정으로 걸맞은 영국의 "거대한 남성성"은, 중간계급 남성을 거세된 존재로 전락시켜버리는 귀족계급의 해체를 통해서만 가능하다고 역설한다.

귀족계급의 악습인 동성애로 인해 중간계급 남성이 여성화된다는 문제의식은 『로드릭 랜덤』에서도 발견된다. 위플 함장과의 선상생활을 경험하고 영국에 돌아온 로드릭은 이전과는 다른 세련되고 귀족적인 삶을 살아가는 것으로 재현된다. 로드릭은 귀족의 침실시종이었던 스트랩 Strap마저 놀라게 할 정도로 화려하고 사치스러운 의상을 장만한다.

다섯 벌의 멋진 코트가 있는데, 두 벌은 평범하고, 한 벌은 재단한 벨벳이고 한 벌은 금으로 테두리를 입혔고, 다른 하나는 은으로 레이스를 달았고 … 조끼는 금으로 무늬를 박은 것이 한 벌, 은으로 수놓은 푸른 공단으로 만든 것이 한 벌, 금으로 널찍한 무늬의 레이스를 단 초록색 비단 조끼가 한 벌, 무늬가 화려한 검은색 비단으로 만든 것이 한 벌.

여성적인 옷차림을 하고 "수천의 어이없는 교태"를 부리는 로드릭에게 주변사람들은 "동정 혹은 경멸"의 반응을 보인다. 하지만 그는 자신이 "특별한 정도의 주목과 찬사"를 받고 있다고 착각한다. "얼마나 자주 나는 나로 인해 흥분된 동료 멋쟁이들의 휘파람과 커다란 웃음소리에 얼굴이 빨개졌는지." 로드릭이 태생적으로 지녔던 강인함과 소탈함, 외양에 대한 무관심 같은 중간계급의 남성적 덕목은 흔적을 남기지 않고 사라져버린 것이다. 대신 위플 함장을 연상케 하는 인위적이고 가식적인 여성적 욕망만이 그 자리를 채운다.

『캘럽 윌리엄스』에서 고드윈은 동성애를 귀족계급의 악덕으로, 동성애자를 여성적인 특질을 소유한 귀족계급 남성으로 규정한 기존의 관점을 반복하는 데 머물지 않는다. 그는 귀족계급 남성의 후원을 동성애적 행위로 규정하는 것에서 한발 더 나아가, 동성애 확산이 가져온 더욱 심각한 문제가 중간계급 남성성의 훼손에 있음을 지적한다. 어린시절부터 캘럽은 귀족계급에게 전혀 위축되지 않는 면모를 보인다. 캘럽은 자신이 "세습된 부를 소유하고 태어나지는 않았지만" "흥미로운 생각과 탐구적인 영혼, 그리고 자유로운 야심"과 같은 "더 좋은 유산"을 소유했다고 자부한다. 그는 마을의 "화려하고 요란한" 귀족 젊은이들에게 "상당한 혐오"를 드러낸다.

"진취적인 마음"과 "자유로운 야망"으로 대표되는 중간계급 남성성을 소유했던 캘럽은, 포크랜드와의 만남 이후 여성화될 뿐 아니라 출신계급에 대한 자부심을 상실한다. 캘럽은 포크랜드를 처음 본 순간부터 "가장 열렬한 찬미자"가 되며, 심지어는 포크랜드가 자신에게 분노를 폭발시킬 때에도 기쁨을 느낀다. 비록 "거친 태도"이기는 하지만 "출신이 천하고 이제껏 이름 없는 존재였던" 자신에게 포크랜드가 "행복하게도 주의를 기울였다"는 점과, 자신이 "영국에서 가장 개화되고 가장 세련된 분의 행복에 갑자기 중요하게 되었다"는 사실에 "놀라움과 함께 커다란 기쁨"을 경험한다.

캘럽은 포크랜드의 계급적 우월성을 인정하고 포크랜드에게 자신을 통제할 수 있는 권력을 이양해버린다. 그 후 캘럽은 자신이 속한 계급과 스스로를 비하하고 혐오하게 된다. 후원받을 만한 자격이 없는 "천박하고 냄새나는 촌사람에 불과한" 자신을 "격려하기 위해" 포크랜드가 "스스로를 낮추었다"고 감격해하며, 캘럽은 포크랜드가 "애정과 친절함의 대상이 될 만한 존재인 반면에 나는 인류 중 가장 천하고 더러운 인간"이라고 자기비하적인 고백을 한다.

포크랜드가 타이렐을 살해한 범죄자라는 사실을 알게 된 후에도, 캘립은 "가장 완전한 애정을 지니고 나는 포크랜드를 그리워한다"고 선언한다. 중간계급의 순수한 남성성을 대표하던 캘립은, 귀족계급의 성적 악행을 상징하는 포크랜드와의 만남을 통해 계급적 자존심과 주체성을 잃고 비루한 인물로 전락해버린다. 캘립의 비극적인 변모를 통해 고드윈은, 계급제도의 전복을 통한 진정한 남성성의 회복이 얼마나 긴요한지를 분명하게 보여주려 했다.

캘빈교 목사, 아나키스트가 되다 — 윌리엄 고드윈

고드윈(1756~1836)은 캘빈교 목사의 아들로 태어나 자랐고, 스스로도 20대 중반까지 캘빈교 목사로 재직했다. 프랑스 계몽주의를 접한 후 그는 성직자의 삶을 버리고 정치철학자와 소설가로 존재이전을 단행한다. 그는 1793년에 발표한 『정치적 정의에 관한 연구』에서 계급제도와 신분제도의 철폐를 주장했다. 『정치적 정의에 관한 연구』라는 급진적인 문건은 그에게, 긍정적인 의미에서건 부정적인 방향에서건, 유명세를 가져왔고, 고드윈은 영국의 대표적인 아나키스트로 자리 잡았다.

18세기 영국에 새롭게 등장한 소설이라는 문학장르가 지닌 대중적 소구력에 주목했던 고드윈은, 1794년에 『캘립 윌리엄스』라는 소설을 발표한다. 그는 『캘립 윌리엄스』에서 지금까지 자신이 정치문건에서 주장하던 동일한 견해를 반복했다. 1830년대 뉴게이트 소설 — 신분제를 유지하는 데 악용되는 사법제도의 개정과 하류계급을 억압하는 데 동원되는 형벌제도의 개혁을 주장했던 범죄소설 — 은 소설장르의 인화력이 극적으로 발휘된 경우였다. 고드윈은 뉴게이트 소설을 접하고 탄복하고 또 탄식했다. 그는 대표적인 뉴게이트 소설가인 불워-리턴Edward Bulwer-Lytton에게 보낸 편지에 다음과 같이 적었다. "황홀한 마음으로 읽었으며 소설의 많은 부분이 너무도 뛰어나서 소설을 읽은 후 자신의 필기도구를 불 속에 집어던지고 싶은 충동을 느꼈다."

고드윈이 펼친 삶의 풍경은 다채롭다. 개신교 목사로 시작해서 급진적인 정치사상가로 살았고 소설가의 시간을 보냈다. 달라지는 삶의 자리에도 불구하고 국가권력과 사적 소유권을 폐지해야 한다는 신념은 그의 생애를 관통했다. 고드윈의 가계도家系圖 역시 현란하다. 18세기 영국에서 가장 지성적이고 진보적인 여인이 그의 아내였고, 19세기 영국에서 가장 뛰어난 문학적 능력을 드러낸 여성이 그의 딸이었다. 고드윈은 『여성의 권리 옹호(A Vindication of the Rights of Woman)』(1792)를 쓴 페미니즘의 선구자 울스턴크래프트 Mary Wollstonecraft와 결혼했고, 둘 사이에서는 『프랑켄슈타인; 혹은 근대의 프로메테우스(Frankenstein; or, The Modern Prometheus)』(1818)의 작가 메리 셸리Mary Shelley가 태어났다. 영국 낭만주의를 대표하는 시인 셸리Percy Bysshe Shelley는 그의 사위였다. 실로 뛰어난 개인들로 가득한, 대단한 가계였다.

『캘립 윌리엄스』(1794)

『캘립 윌리엄스』는 고드윈이 『정치적 정의에 관한 연구』에서 펼친 주장을 소설장르의 문법에 맞추어 다시 쓴, 세 권으로 이루어진 소설이다. 소설의 1인칭 화자인 캘립은 정규교육을 받지 못했지만 독학으로 세상의 이치를 깨닫기 위해 노력하는 청년으로 등장한다. 그는 대지주 포크랜드의 시중드는 일을 하게 된다. 캘립은 포크랜드가 이웃의 대지주이자 경쟁자이며 적수인 타이렐을 살해했다는 의심을 품는다. 캘립은 포크랜드에게서 자신이 타이렐을 죽였다는 고백을 끌어내지만, 발설하면 죽음을 맞이하리라는 협박을 당한다. 포크랜드는 캘립에게 자신의 돈을 강탈했다는 누명을 씌우고, 캘립은 도피한다. 캘립은 도피생활에서 돌아와 법정에 서서 스스로를 변호하지만 감옥에 갇힌다. 탈옥에 성공한 캘립은 황야로 도망가고 그곳에서 다양한 모험을 겪는다. 캘립은 다시 체포되어 법정에 선다. 캘립은 이제는 늙고 병든 포크랜드를 용서한다. 포크랜드는 얼마 지나지 않아 사망한다. 정의를 세우는 고귀한 일을 했음에도 캘립은 행복감을 느끼지 못한다. 오히려 자신이 포크랜드의 죽음에 책임이 있다는 죄책감을 느낀다. 캘립이 이 책의 목적은 포크랜드를 단죄하는 데 있지 않고 오히려 포크랜드의 왜곡된 개인사를 바로잡는 데 있다고 말하는 것으로 소설은 종결된다.

피의 처벌로 가는 길

18세기는 동성애 인식에 있어서 거대한 전환점으로 작용했다. 남성과 여성으로 구분되던 고착된 성적 체계로부터 남성, 여성, 동성애자로 구성된, 이전과는 전혀 다른, 성적 유동성을 지닌 체계로의 변환이 이루어졌다. 동성애자는 더 이상 일련의 행위로 정의될 수 없는, 기질, 행동양식, 의상체계, 언어습관, 그리고 성적 기호에 있어서 차별성을 지닌 "하나의 종"으로 탄생한 것이다.

여성성의 강조로 요약될 수 있는 남성동성애자 재현은 민족과 계급이라는 서로 다른 이해관계에 기반한 것이었다. 민족과 계급의 이름으로 재구성된 동성애에 대한 분열적인 시각은 문학 텍스트에 충실하게 반영되었다. 과장되고 왜곡된 모습으로 재현된 남성동성애자의 괴기함과 역겨움은 동성애에 대한 대중의 편견과 증오를 키워나갔다.

18세기 영국에서 목격되던 남성동성애자에 대한 혐오와 적대는 다음 세기에 들어서면서 사법적 처벌로 변환된다. 영국의 19세기는 동성애 탄압과 처벌이 가장 가혹했던 시기로 기억되는 것이다. 이제 그 피의 처벌 속으로 걸어 들어갈 차례다.

4장

입 밖에 낼 수 없는 죄악

19세기 영국 남성동성애

사라진 동성애 글쓰기

대구 사는 내가 할 말은 아니지만, 영국 음식은 맛이 없다. 깊은 맛도 없고, 그렇다고 원재료의 느낌을 제대로 살리는 것도 아니다. 기준이 이미 낮아진 상태로 접해서 그런지 아일랜드 음식은 맛있다. 양이 넉넉하고 — 때로는 지나치게 넉넉하기도 하고 — 맛이 진하고, 식당에 따라서는 감칠맛이나 손맛도 느낄 수 있다. 기차역에 배웅을 나온 어머니가, 가면서 먹으라고 자식에게 삶은 달걀을 주는 풍경도 익숙하다.

  아일랜드는 음식 취향만 비슷한 것은 아니다. 감정이 풍부하고 쉽게 얼굴에 드러나는 것도 우리나라 사람들과 흡사하다. 인간관계나 일처리 방식도 좋게 말해 정이 넘치고, 다르게 말한다면 합리적이기보다는 안면이나 연줄에 영향을 많이 받는다는 점도 그렇다. 조이스의 『더블린 사람들』에 등장하는 술 좋아하고, 허세 부리고, 무례하고, 다정하고, 둔감하고, 쉽게 위축되거나 좌절하는 인물들이 하나같이 친숙하게 다가오는 이유다. 식민지배를 오래 겪어서인지 — 이들은 우리가 경험한 일제강점

기와는 비교도 할 수 없을 만큼 오랜 시간을 제국의 신민으로 보냈다
— 한이나 비애, 절절한 슬픔 같은 민족적 정서도 강하게 느껴진다(아일
랜드 포크뮤직을 들어보라. 발성이 부드럽기는 하지만, 우리의 남도창이나 서도민요와 매우
유사한 음색과 정조다).

아일랜드 문학은, 아마도 러시아 문학을 제외하고는, 서구문학 중에서
우리에게 친화력이 가장 좋으리라고 생각한다. 유럽 백인 특유의 감성적
이물감이 상대적으로 적게 느껴지기 때문이다. 한국인이 좋아하는 영
문학 정전 중 많은 작품을 아일랜드 출신 작가들이 쓴 것도 우연은 아
니다. 장르별로 한 편씩 꼽아보자. 예이츠William Butler Yeats의 「이니스프
리 호수의 섬(The Lake Isle of Innisfree)」은 김소월의 「진달래꽃」과 함께 한
국인의 애송시집에 빠지지 않고 수록된다. 조이스의 소설도 우리나라에
서는 소구력이 높다. 그의 성장소설 『젊은 예술가의 초상(A Portrait of the
Artist as a Young Man)』은 제목만으로도 매력적인 문화상품으로 등록된다.
베케트Samuel Beckett의 『고도를 기다리며(Waiting for Godot)』는 부조리극
(Absurd Drama) 중에서는 가장 빈번하게 한국 무대에 오르고 있다.

또 한 명의 뛰어난 아일랜드 출신 작가에 관해 이야기하자. 와일드
Oscar Wilde는 19세기를 대표하는 시인이자 소설가와 동화작가였고 당대
최고의 희곡작가이며 평론가였다. 문학은 현실변혁에 복무해야 한다는
빅토리아시대의 당위를 거부하고, 그는 유미주의(aestheticism)를 선도했
다. 그리고 문학과 삶을 통해서 그것을 실천했다. 중간계급의 도덕률이
지배하던 시절이었고, 그의 삶의 방식은 퇴폐적이고 부도덕하다는 비난
에 직면했다.

와일드는 1895년에 동성애 혐의로 구속된다. 식민지 출신이었던 그는 본국인에게 제공되던 다양한 혜택에서 배제되었다. 하지만 형벌은 식민지인인 그를 비껴가지 않았다. 21세기에 목격되는 "이익의 사유화, 손실의 사회화" 현상의 19세기 제국주의적 변주였다.

법정에 선 와일드는 동성애를 "감히 그 이름으로 부를 수 없는 사랑"[17]으로 정의한다. 동성애는 신의 뜻과 자연의 법칙을 거슬리는 질병이자 죄악으로 판정되던 시대였기 때문이다. 동성애는 진정한 기독교인이라면 결코 그 이름조차 언급할 수 없는 "입 밖에 낼 수 없는 죄악(mute sin)"으로 규정되었고, 동성애자는 건전한 다수를 감염시키는 치명적인 감염원으로 간주되었다.

빅토리아시대 영국인들은 생산성과 효율성이 절대가치이던 초기자본주의를 통과하고 있었다. 이들에게 동성애자의 성적인 비생산성은 산업적 비생산성으로 인식되었고, 동성애는 경제적 안정과 발전을 위협하는 행위로 다가왔다. 19세기 영국에서 목격된 폭력적이고 잔혹했던 동성애 처벌은 그 자연스러운 사법적 수순이었다.

18세기만 하더라도, 비록 동성애혐오나 공포를 부추기기는 했지만, 동성애를 소재로 한 많은 문학 텍스트들이 등장했다. 소설 텍스트를 예로 들어보자. 영국소설의 문법을 완성시킨 작가라는 평가를 받는 필딩은, 최초로 쓴 소설 『조셉 앤드류스Joseph Andrews』에 남성동성애자를 등장시키고 그를 향한 극도로 잔인하고 모멸적인 구타장면을 삽입했다. 스몰렛의 『로드릭 랜덤』에서 혐오스럽게 재현된 동성애자 귀족남성, 클리랜드의 『패니 힐』에서 매춘여성들에게조차 멸시를 당하고 사는 남성동성애자들을 기억하리라 생각한다. 18세기에 널리 읽힌 동성애문학에는 영국 소설만 있었던 것은 아니었다. 순결한 청년을 유혹하는 동성애자 이교도 사제에 대한 괴기한 재현으로 유명했던 독일작가 빌란트Christoph Wieland 의 소설 『애가돈Agathon』도 영국에 대량으로 수입되었다.

19세기에 들어오면서 이 모든 것은 극적으로 달라진다. 지난 세기에 활발하던 동성애에 대한 문학적 대응은, 그것이 호의적인 것이든 혹은 적대적인 것이든, 흔적도 없이 사라진다. 19세기에는, 특히 빅토리아시대 에는 동성애 관련 저서는 거의 출판되지 않았다. 사법적 처벌이 동성애 행위뿐 아니라 동성애 관련 언술행위도 대상으로 삼기 시작했기 때문이 다.[18] 처벌의 범위가 확대되고 그 수위도 높아지면서 지난 세기에 쏟아져 나오던 동성애류 출판물은 이제 찾아볼 수 없었다. 어떤 형태로든 동성 애와 관련된 언급은 처벌의 두려움이 예견되는 일이 되었고, 해외로 망 명하지 않고 영국 내에 있던 작가와 활동가들은 침묵의 시간을 보냈다.

벤담의 동성애 저작물과 1833년에 익명으로 출판된 장편서사시 『돈 리언』은, 그렇기 때문에, 극도로 희귀한 문학적 사례가 된다. 두 개의 텍 스트 모두 당대의 지배적 동성애담론에 대한 전복적인 시각을 드러내고 있다는 점에서 더욱 그렇다. 이들의 주장을 미리 빠르게 살펴보고 가자.

공리주의(Utilitarianism)를 주창한 철학자이고 법률가이면서 사회개혁 가이기도 했던 벤담은, 시민의 자유에 있어서 가장 앞선 국가였던 영 국에서 많은 숫자의 동성애자들이 처형된 사실에 경악한다. 그는 유래 를 찾아보기 힘들 정도로 비극적인 영국의 현실이, 성적 쾌락에 대한 금 욕적 태도나 도덕적 우월감, 그리고 동성애적 쾌락의 공유가 불가능한

공리주의 철학자로 알려진 벤담은 빛나는
초년이 말년까지 이어진 드문 사례다. 나
이 들어 늙어서도 그의 삶은 노욕으로 더
럽혀지지 않았다.

데 대한 질투에서 기인한다고 파악한다. 벤담은 "행위의 윤리적 가치"는 "쾌락을 증가시키고 고통을 감소시키는" 정도에 따라 판단되어야 한다고 주장하면서 동성애적 욕망과 행위에 대한 탄압을 중지할 것을 요구한다.

『돈 리언』은 동성애자를 성적인 방향성과 기호(predilection), 감수성에서 차이를 드러내는 소수자 집단으로 분류하면서 이성애자와의 구별짓기를 시도한다. 일인칭 화자는 자신의 동성애적 정체성에 대한 깨달음의 과정을 기록하며, 동성에 대한 성적 욕망이 이성에 대한 욕구만큼이나 자연스러운 것임을 주장한다. 『돈 리언』은 미래에 등장할 "커밍아웃 coming out" 텍스트의 원형을 이룬다.

지금부터 벤담의 텍스트와 『돈 리언』을 읽으며 소거되었던 성적 타자의 목소리를 들어보도록 하자. 우리의 독서는 젠더, 민족, 종교, 경제, 법률과 관련된 남성섹슈얼리티 지형도를 새롭게 그리는 작업이 될 것이다. 새로 그리기를 통해 동성애가 공개적인 처벌의 위협과 은밀한 위반의 욕망이 충돌했던 빅토리아시대의 주요 전선임이 밝혀질 것이다.

거세진 처벌과 젠더적 관용

19세기에 접어들면서 강화된 동성애에 대한 처벌은 민족주의담론이 동성애담론의 중심으로 진입한 결과였다. 18세기 후반의 프랑스 대혁명(1789~94)과 19세기까지 계속된 나폴레옹 전쟁(1797~1815)은, 민족주의적 정서를 심화시켰고 동성애를 바라보는 영국인의 태도를 더욱 적대적으로 만들었다. 프랑스 대혁명 이후 프랑스에서 동성애는 더 이상 범죄로 간주되지 않았고, 1810년에 나폴레옹 법전은 동성애에 대한 관용을 제도화했다.

프랑스에서 벌어진 동성애에 관한 극적인 변화가 영국인들에게는 프랑스식 부도덕의 극치로 받아들여졌다. 변화의 과정을 지켜본 영국인에게는 피의 혁명에 대한 공포가 극대화되었다. 프랑스식 혁명과 전쟁에 대한 우려와 불안은 영국인들의 동성애혐오를 증폭시켰다. 동성애자들을 즉시 처벌하지 않으면, "모든 것이 허락된다고 믿는 각종 인간들이 가면을 벗고 그들만의 연합체와 조직체를 건설하여"[19] 영국이 내전상태에 빠지리라는 선동이 힘을 얻어갔다. 동성애자들의 결사체가 결국 국가적 존립을 위태롭게 하리라는 공포와 함께 동성애에 관한 적대감은 걷잡을 수 없이 커졌다.

동성애로 인한 혼란과 무질서가 영국을 위험에 빠뜨릴 것이라는, "마녀를 화형시킬 때 보였던 광기에 비견될 동성애 편집증"[20]이 19세기 전반 영국사회를 휩쓸고 지나갔다. 반동성애적 정서의 확산은 동성애자에 대한 처벌의 증가로 귀결되었다. 18세기와 비교할 때 19세기 이후 동성애 처벌의 증가세는 두드러진다. 1749년과 1804년 사이에 영국에서 남색 죄로 처형당한 사람은 10년에 한 명꼴이었다. 그러나 1806년과 1839년 사이에는 민간인 60명이 공개처형되었고, 해군에서만 20명의 군인이 사형당했다.[21]

당국은 동성애자에 대한 기소건수를 증가시키기 위해 동성애자 모임을 급습하거나 함정수사로 동성애자를 유인하기까지 했다. 함정수사, 기소, 공개모욕의 가혹성으로 인해 피의자가 자살하는 일도 빈번했다. 1805년과 1835년 사이에 영국의 전체 사형 집행건수는 절반 이상으로 줄어든 반면, 동성애자에 대한 사형 집행건수는 거의 동일하다는 역사적 사실은 동성애자에 대한 가혹한 처벌을 반증한다. 1837년의 형법개정으로 영국에서의 사형 구형이나 집행은 급속도로 줄어들지만, 동성애는 반역행위, 살인, 강간, 살인의 의도를 지닌 방화와 함께 사형에 해당하는 범죄로 남는다.[22]

18세기까지만 하더라도 동성애 처벌은 계급과 분리될 수 없었다. 동성애자에 대한 처벌은 중하위계급에 국한되었기 때문이다. 동성애 혐의로 기소되더라도 귀족계급 남성은 해외도피가 묵시적으로 용인되었고, 중간계급과 노동계급의 남성만 처벌을 받았다. 동성애 처벌이 계급제도의 옹호와 재생산에 개입한다는 거센 비난을 받은 주된 이유다.

19세기 영국에는 더 이상 동성애 처벌의 계급적 차별은 존재하지 않았다. 달라진 현실을 잘 보여주는 사례를 들어보자. 1822년 클로거Clogher 교구의 주교였던 조슬린Percy Jocelyn은 동성애 혐의로 체포되어 구금된 후 주교직에서 강제사퇴를 당했다. 비슷한 시기에 외무부장관이자 하원의 대표였던 캐슬리어 경Lord Castlereagh은 동성애자임을 폭로하겠다는 협박에 시달리다 자살했다. 이제 영국에서는 모든 계급의 남성 동성애자가 '공평하고' '동등하게' 처벌받았다.

이 시기 동성애 처벌에서 계급은 결정권을 상실했지만 젠더는 막강한 영향력을 행사했다. 동성애 검열에서 제외된 유일한 집단은 여성이었다.

동성애 판정에서 여성이 제외된 것은 빅토리아시대에 새롭게 구성된 젠더이데올로기 덕분이었다. 지난 세기와 비교해보면 새로운 젠더규범으로 인한 변화와 차이는 매우 두드러진다. 18세기만 하더라도 여성의 동성애는 적발대상이었고, 여성동성애자는 남성과 마찬가지로 사법적 처벌을 받았다. 해밀턴Mary Hamilton의 사례가 대표적인데, 그녀는 세 명의 여성과 사실혼관계를 맺었다. 그녀는 세 번째 여성과 3개월 간 동거하다가 1746년에 체포되어 재판에 회부되었다. 같은 해에 필딩은 그녀의 이야기를 가지고 『여자남편 혹은 일명 조지 해밀턴 씨인 메리 부인의 놀라운 역사(The Female Husband or, the Surprising History of Mrs. Mary, Alias Mr. George Hamilton)』라는 소설을 신속하게 발표하기도 했다.

빅토리아시대 젠더이데올로기에 관한 이야기를 조금 더 하자. 산업혁명은 공간의 성별화를 가져왔다. 가정은 여성의 영역으로, 바깥세상은 남성의 공간으로 구획되었다. 여성은 "가정의 천사"로 규정되었고, 여성의 섹슈얼리티는 소거되었다. '천사'인 여성은 무성적 존재이기 때문에 여성과 성적 욕망은 무관한 것이 되었다. 무성성의 소유자인 여성들 사이의 성관계란 인식의 범위 바깥에 존재했다. 빅토리아 여왕이 여성동성애를 불법화하는 법안에 서명하기를 거부한 것도 여성 간 성행위가 불가능하다는 확고한 믿음 때문이었다.

여성동성애 관련 법안은 제정되지 않았고, 여성동성애자는 법률적 처벌의 대상에서 제외되었다. 여성 간의 사랑이 문학 텍스트 내에서 비교적 자유롭고 솔직하게 표현될 수 있었던 이유다. 여성동성애에 대한 관용은, 여성의 섹슈얼리티가 이데올로기적인 통제와 훈육의 대상으로 새롭게 설정되었기 때문에 역설적으로 가능했다. 남성과 여성에 대한 극도로 다른 사법적·사회적 대응에서 볼 수 있는 것처럼 동성애 역시 젠더 이데올로기의 견고한 틀에 묶여 있었다.

학대와 능멸의 수사학

동성애담론이 신학담론의 영향권에 머물던 17세기까지만 하더라도 동성애 관련 언어는 격조를 지닌 고어체로 구성되었다. 이런 사실은 중세 이후 17세기 이전의 동성애 기소문에 빈번하게 등장했던 다음과 같은 어휘 및 표현에서 잘 드러난다. "전능하신 신을 극도로 불쾌하게 만드는", "평화에 반하는", "모든 인류의 수치가 되는", "기독교인들 사이에서는 명칭을 사용할 수 없는", "소돔에서 벌어진 추한 행위."[23] 18세기 영국에서 계급과 민족의 이름으로 동성애를 호출하면서부터 동성애담론을 구성하는 언어는 극적으로 달라진다. 동성애담론은 동성애에 대한 적대감을 노골적으로 드러내는 폭력적인 수사학을 사용했고, 난폭해진 동성애 수사학은 문학 텍스트와 언론을 통해 유포되었다.

19세기 들어 동성애자에 대한 대중적 관심이 급증함에 따라 신문은 동성애자에 대한 기소와 재판, 판결과 처벌에 대해 상세하게 보도하기 시작했다. 19세기 중반에 이르러서는 동성애 관련 기사가 매년 천 건 이상 지면을 장식할 정도였다. 동성애자 체포나 재판을 보도하면서 신문이나 잡지는 예외 없이 동성애를 비하하는 언어를 동원하여 동성애에 관한 편견을 강화시켰다. 동성애는 흔히 "정숙한 자라면 그 생각만으로도 구토하게 될 매우 더러운 범죄", "오염", "남성성에 대한 지울 수 없는 오점", "불결한 호색함", "부패", 그리고 "도덕적 흑사병" 등의 이름으로 불리게 되었다.

벤담은 이런 식의 언론보도가 대중의 감정을 악화시켜서 동성애에 관한 심도 있는 논의 자체를 불가능하게 만든다고 보았다. 그는 언론이 만들어낸 부정적인 효과에 관해 다음과 같이 지적한다. "신문과 잡지가 만들어낸 혐오의 표현은 포탄처럼 끊임없이 지축을 흔든다. 따라서 지금까지 이성의 횃불을 든 사람 중 누구도 이 주제에 대해 발언하지 않으려는 것도 놀라운 일은 아니다."

폭력적이었던 것은 동성애담론만은 아니었다. 동성애 처벌 역시 잔인하고 가혹했다. 소돔이 불바다가 된 성서의 내용에 근거해 동성애자에 대한 처벌로는 화형이 가장 고전적인 방법으로 사용되었고, 수장, 생매장, 신체절단, 굶겨 죽이기 등의 방식이 혼용되었다. 교수형이 주된 처형방식으로 자리 잡아갔지만, 여전히 화형이 가장 적절한 동성애 처벌방식이라는 견해는 확고한 지지를 받았다. 스코틀랜드에서는 동성애자에 대한 화형이 국가적 치유로 규정되었고, 동성애라는 사악한 죄악이 사람들의 주목을 받는 것을 피하기 위해 이른 아침에 화형을 실시했다.

1828년까지 영국법정은 남색의 판결을 위해 삽입과 사정의 증거물을 요구했다. 하지만 요구조건이 충족되지 않은 경우에도 기소된 자는 남색의 시도를 위한 폭력행위라는 유죄판결을 받았다. 유죄판결을 받은 자는 무게만으로도 질식사에 이르게 할 수 있는 칼을 쓰고 성난 군중 속에 방치되었다. 군중에게는 투석이 허용되었고, 투석으로 죄수가 죽는 경우도 드물지 않았다. 영국을 방문한 프러시아 장교는 영국에서는 "남색을 실제로 행한 자는 처형되었고 남색 시도는 공개적으로 모욕을 주는 처벌을 받는데, 공개적으로 모욕을 주는 행위는 사형만큼이나 가혹했다"[24]고 증언했다.

『돈 리언』에도 동성애 혐의로 체포된 남성이 공개모욕을 당하는 장면이 나온다. "자신의 얼굴에 타르를 바르고 주먹과 막대기로 머리를 구타하는" 군중에 포위되어 있던 이 남성은 결국 칼로 목을 찔러 자살했다는 신문기사가 인용된다. 영국의 언론은 동성애 범죄자에 대한 군중의 잔혹성을 승인했고, 악한이나 괴물이라는 정형화된 경멸의 언어로 피해자를 호칭했다. 남성동성애자에 대한 능멸은 19세기 영국의 사회문화적 현상으로 기록된다.

유태인, 마녀, 이단자와 같은 타자에 관한 기록이 이 시기 문학 텍스트에 많이 남아 있는 것과는 극명하게 대조적으로, 성적 타자인 동성애자는 법률과 의학 텍스트를 제외하고는 언급할 수 없는 금기로 존재했다. 고대 그리스문학에서 남성 간의 연애시에 부여되던 명예로운 찬사는 19세기 영국문학에서는 기대할 수 없었다. 남성이 다른 남성에게 보내는 사랑의 시편이 불경스럽고 부도덕한 것으로 간주되었다는 사실은, 워즈워스William Wordsworth의 뒤를 이어 계관시인이 된 테니슨Alfred Lord Tennyson이 자신의 대학시절 친구를 추모하며 지은 『인 메모리엄In Memorium』의 사례로 확인된다.

『인 메모리엄』은 테니슨의 대표작으로 간주될 뿐 아니라 빅토리아시대의 가장 뛰어난 시작품으로 평가되고 있다. 하지만 『인 메모리엄』은 동성친구에 대한 과도한 애모의 정과 비탄으로 인해 당대의 비평가들로부터 거센 비난을 받았다. 독창적인 운율법을 개발하고 20세기 시인들에게도 많은 영향을 끼쳤던 19세기 영국시인 홉킨스Gerard Manley Hopkins로 추정되는 『타임스Times』의 비평가는 테니슨이 색욕적인 다정함을 드러낸다고 비판했다. 그는 테니슨의 그런 태도가 동방의 시에서나 볼 수 있는 "불쾌하게 익숙한" 감성을 표현한 것으로서 "비영국적인 것"[25]이라 주장했다. 문학 텍스트 내에 표현된 섹슈얼리티가 정상적인 취향에 맞지 않는다고 판정되면, 텍스트에 대한 진지한 비평적 접근은 사라지고 작가에 대한 도덕적 비난과 편견만이 남았다.

19세기 영국에서 동성애 텍스트를 실명으로 출판한 경우는 동성애에 대한 비난과 공격, 그리고 조롱의 입장에 선 출판물을 제외하고는 찾아보기 힘들다. 많은 경우 동성애 관련 문학 텍스트는 성정체성이 드러날 것을 우려한 저자, 동료, 제자나 스승, 가족에 의해 파기되었다(영국에서 동성애를 직접적으로 다루는 텍스트는 개인 소장판이나 지인들 사이에서만 돌려 읽는 한정판으로 은밀하게 출판되었고, 19세기 영국 동성애 텍스트의 중요 구성요소인 동성애 포르노그래피의 경우처럼 지하시장을 통해 유통되었다).

동성애를 다룬 문학 텍스트를 파기하지 않는 경우, 문제가 될 수 있는 부분을 텍스트에서 삭제하거나 의도적인 오독과 왜곡으로 텍스트를 탈동성애화(dehomosexualize) 하는 것이 대안으로 선택되었다. 동성애문학 텍스트는 많은 경우 성별이 바뀌어 편집되었는데, 영국에 소개된 휘트먼Walt Whitman의 시는 그 대표적 사례였다. 휘트먼의 시에서 동성에 대한 사랑이 표현된 경우에는 대명사 목적격의 성별을 바꾸어 이성에 대한 애정표현으로 전환시킨 것이다.[26] 작가의 동성애가 공인된 특수한 경우를 제외하고는 문학 텍스트를 해석할 때 텍스트에 드러난 동성애적인 징후에 대해 언급하는 것은 금기시되었다.

말하지 못한 철학자

1814년에 벤담은, 그가 살아 있을 동안에는 출판되지 않을, 동성애에 관한 원고를 완성했다. 그 글에서 벤담은 자신이 목격한 동성애자에게 사형언도를 내리는 재판장의 모습과 법정의 반응에 대해 다음과 같이 적었다. "두 명을 교수대에 보내는 판결을 내린 판사의 얼굴은 고양된 기쁨으로 빛났으며 주위의 방청객들은 박수로 그를 축하했다." 벤담은 법률가와 방청객이 드러내는 동성애에 대한 증오와 적개심에 소름 끼치도록 경악했음을 고백한다.

벤담은 동성애혐오와 공포를 만들어낸 종교적·철학적·윤리적 요인에 대해 성찰한다. 그는 기독교가 강조하는 금욕이, 노하기를 잘하는 신을 달래거나 회유하기 위해서는 희생제물이 필요하다고 믿던 고대의 미신적 신앙에서 유래한다고 판단한다. 최초에는 두려움과 소망 속에서 신에게 음식물을 공양하던 인간들이 그 후에는 다른 종류의 쾌락, 특히 성적 쾌락을 억제함으로써 신의 용서와 자비를 구했다고 본다. 그러다가 결국은 대다수가 선호하지 않는 성적 쾌락을 추구하는 자들을 희생제물로 바치게 되었다는 것이다. 벤담은 이런 방식이 신의 분노를 약화시키는 동시에 평판이 좋지 않은 사람들을 취향이 다르다는 이유로 집단에서 제거해버릴 수 있기 때문에 선호되었다고 주장한다.

벤담은 동성애에 대한 기독교적 해악이 모세오경에서 비롯된다고 주장했다. 모세오경은 육체적인 불결함을 도덕적 음란이라는 관념과 동일시했고, "더러움"과 "악덕"의 비논리적인 등치가 무해한 형태의 성적 행위를 처벌하는 근거가 되었다는 것이다. 그는 율법적 금기와 처벌의 확산이 결국은 종교적인 그리고 세속적인 지배자들의 권력을 강화시키는 효과를 산출하는 결과를 가져온다고 보았다.

벤담은 "식탁의 쾌락"과 "침대의 쾌락"에 대한 개신교의 이율배반적인 입장에 대해 주목한다. 개신교는 "식탁의 쾌락"을 향해서는 관용적인 태도를 보인다. 건강을 지나치게 해치지 않는 한도 내에서라면 금지된 음식을 먹는 행위도 도덕적으로 문제 삼지 않는 것이다. 하지만 "침대의 쾌락"에 대해 개신교는 전혀 다른 입장을 취한다. 이런 이중적 태도에 대해 벤담은 극도로 회의적인 시각을 보인다. 율법에 어긋나는 쾌락이 현실적으로 어떤 해악을 끼치는가에 대한 고려나 검토 없이, 개신교는 구교와 동일하게 구시대적 금지만을 강요한다는 것이다.

벤담은 영국에서 쾌락에 관한, 특히 성적 쾌락에 관한 금욕적 태도가 종교적인 기원만을 지니는 것이 아니라 윤리적·심리적 측면과도 연결된다고 파악한다. 금욕적 삶은 여러 시대에 걸쳐 도덕적 우월감의 근간이 되어 왔기 때문이다. 벤담은 스토어학파 철학자들에게서부터 찾아볼 수 있는 이런 태도가 가식적이고 허위적인 윤리체계에 근거한다는 점에서 유대의 바리새인과 크게 다르지 않다고 본다. 이들과 같은 도덕주의자들은 동성애 공격을 자신들과는 무관한 죄악을 자유롭게 저주함으로써 평판을 높일 수 있는 기회로 여긴다는 것이다. 벤담은 또한 동성애자에 대한 편협한 태도가 동성애적 쾌락을 공유하지 못하는 데서 오는 단순한 질투의 감정에서 출발한다고 주장한다. 대중 사이에서 발견되는 동성애공포증(homophobia) 역시 동성애에 대한 맹목적이고 비이성적인 질투나 반감을 합리화시키려는 심리에서 기인한 것으로 본다.

벤담은 동성애를 "본성에 반하는 범죄"로 판정하는 행위는 교부신학을 통해 법률적 전통 속으로 진입한, 구시대적인 편견을 은폐하고 있는 환영에 불과한 것으로 평가한다. 그는 동성애가 "사회에 아무런 해악도 끼치지 않는다"고 주장하면서, 법률이 단지 취향에 근거해 어떤 행위를 범죄로 규정하는 것에 대해 반대한다. "한 인간을 파멸시키기 위해서는 그의 취향에 대한 혐오보다는 더 나은 이유가 반드시 존재해야"하기 때문이다.

조숙한 천재, 아름다운 노년으로 꽃피다 — 제러미 벤담

벤담(1748~1832)은 보수당인 토리당Tory Party의 열성적인 지지자였던 런던의 자산가 아들로 태어났다. 귀족계급의 사내아이들을 위한 기숙학교인 웨스트민스터 스쿨Westminster School을 거쳐 옥스퍼드대학에서 수학했지만, 그는 지배이데올로기를 옹호하거나 강화하는 편에 서지 않았다. 오히려 그는 사회적·정치적·윤리적으로 가장 급진적인 제안을 내놓았고 언제나 진보적 입장과 같이했다.

벤담은 정교분리와 표현의 자유를 주장했고, 교도소 개혁을 위해 원형감옥인 파놉티콘

Panopticon의 건설을 추진했다. 그는 여성의 평등권과 이혼할 권리를 요구했고, 노예제도와 사형제도의 폐지 그리고 체벌의 금지를 옹호했다. 그는, 지금으로부터 200여 년 전에 이미, 동물권을 승인했다. 결혼이 사회적으로 강요되던 시대에 벤담은 평생 독신으로 살았다.

벤담은 조숙한 천재였다. 유아기에 영어로 된 역사서를 읽었고 세 살부터는 라틴어를 학습했다. 일곱 살에 웨스트민스터 스쿨에 입학했으며 열두 살에 옥스퍼드대학에 진학했다. 열다섯 살에 학사가 되었고 열여덟 살에 석사학위를 취득했다. 20대에 그는 두 권의 주요저서 『도덕과 입법의 원리 개론(An Introduction to the Principles of Morals and Legislation)』과 『법률론 일반(Of Laws in General)』을 써냈다. 실로 빠르고 눈부신 학문적 성취였다.

벤담의 성취는 젊은 시절에만 머물지 않는다. 그는 60대에 접어들면서 밀James Mill과 함께 법률개정운동을 주도한다. 70대 중반에는 『웨스트민스터 리뷰』를 창간해서 진보적인 사상과 견해를 영국사회에 유포시켰다. 84세의 나이로 세상을 떠날 때까지 그는 지적 담론의 생산과 현실문제의 개입을 멈추지 않았다. 그가 사망한 1832년, 노년의 그가 집중했던 의회개혁운동의 핵심적 법안인 선거법개정안(Reform Bill)이 의회를 통과했다. 드디어 중간계급의 시대가 열리게 된 것이다. 벤담은 이 소식을 듣고 세상을 떠났다. 축복받은 임종이었다.

저항의 시 : 『돈 리언』

1833년 8월 『쿠리어Courier』에는 니콜스Henry Nicholas Nicholls 대위가 동

성애 혐의로 체포되었다는 기사가 실린다. 성정체성이 폭로된 후 그의 존재는 완벽하게 재구성되는데, 그 과정은 동성애자에 대한 영국사회의 대응방식을 극명하게 보여준다. "잘생긴 외모의 소유자"이고 명망 있는 가문 출신이며 국가를 위해 여러 차례 전공을 세운 참전용사라는 그의 개인사는 소멸된다. 이제 그는 단지 동성애자일 뿐이며, 자동적으로 사회적 비난과 단죄의 대상으로 존재이전을 당한다. 50년을 함께 살아온 가족도, 교류를 나누던 친지도 모두 그와의 관계를 단절한다. 체포된 이후 "단 한 명의 가족과 친지도 그를 면회하지 않았고", 그는 완벽하게 고립된다.

니콜스 대위는 유죄가 인정되어 처형되고, 같은 해에 『돈 리언』이 익명으로 출판된다. 『돈 리언』은 교수대에 목매달려 있는 니콜스 대위의 시체 형상을 묘사하며 법복을 입은 "저명한" 판관에게 자신이 만든 "작품"을 똑바로 바라볼 것을 요구하면서 시작된다. 동성애의 탈범죄화를 주창하는 『돈 리언』의 전복성은, 처벌당하는 자와 처벌하는 자의 지위를 역전시켜버리는 오프닝에서 이미 분명하게 드러난다. 동성애자로 처형된 사형수 니콜스 대위는 비장하고 엄숙한 정조의 묘사에 의해 순교자의 광채를 발하지만, 국가의 법질서를 대변하는 판관은 냉소적인 시적 화자의 개입으로 불의한 권력의 하수인으로 전락한다.

동성애에 대한 대중적인 혐오와 동성애를 처벌하려는 권력에 맞서 동성애의 정당성을 옹호하기 위해 『돈 리언』은 다음과 같은 의문을 제기한다. 첫째, 동성애는 부자연스런 선택인가? 둘째, 역사상 실재했던 인물 중에서 동성애자는 누구이며, 그들은 어떤 평가를 받았는가? 셋째, 만일 지배적인 동성애담론을 수용한다고 하더라도, 다른 성적 일탈행위에 비교할 때 동성애에 대한 처벌은 공평한가? 이 세 가지 질문을 사유하는 과정은 동성애 탄압의 부당성을 드러내는 작업이 된다. 특히 동성애 문제를 역사적인 맥락에 배치함으로써『돈 리언』은 동성애혐오증이 역사적 무지와 편견에서 비롯된 것임을 폭로하는 효과를 만들어낸다.

『돈 리언』의 시적 화자로는 바이런Byron이 등장한다. 그는 동성애적 욕망이 결코 이성적이거나 의식적인 선택과는 무관한 자연적인 성향이라는 점을 분명히 한다.

> 내가 잘못된 것인가, 아니면 자연이 잘못된 것인가,
> 아직 소년이었을 때 만약 한 성향이 강해서
> 변덕스러운 공상 속에서 나의 영혼을 지배한다면,
> 그리고 통제를 완벽하게 거부한다면.

그는 동성애자에 대한 혐오가, 동성애가 창궐했던 롯Lot의 고향마을이 하나님의 진노로 인해 불로 심판받았다는 성서의 기록을 동성애 단죄의 근거로 이용한, 교회로부터 온다고 본다. 그러나 그는 성서의 가르침이 동성애적 성애와 욕망을 "부자연스러운" 변태적 성향으로 규정한다는 증거는 어디에도 없다고 주장한다. 바이런은 자연현상을 예로 들며 자신의 주장을 뒷받침한다. "우리가 심은 나무의 가지가 자라 원래 자신의 것이 아닌 꽃을 피우지 않듯이" "인간도 타고난 정열이 다스리며 / 아무리 조심스럽게 쳐내도 다시 싹을 틔우게 되는"것이다.

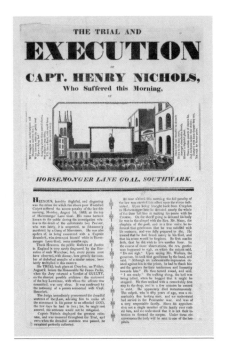

동성애 혐의로 체포된 니콜스 대위의 공판과 처형
에 관해 보도한 기사. 삽화에서처럼 그는 군중들
앞에서 교수형에 처해졌다. 장편서사시 『돈 리언』
은 처형된 니콜스 대위와 재판을 주재한 판관을 호
명하면서 시작된다.

동성애를 죄악으로 규정하는 것이 부당하다는 사실을 드러내기 위해 『돈 리언』이 채택하는 주요 전략 중 하나는 개인적인 체험을 원용하는 것이다. 특히 "원숙한 나이가 되어" 최초로 경험했던 동성애의 애틋함을 회고하는 부분에서 드러나는 서정성은, 동성애자를 타락한 괴물로 규정한 당대의 동성애담론을 무력화시킨다. 바이런은 아버지의 사유지에서 일하는 젊은 일꾼에게 사랑의 감정을 느낀다. 그러나 성적 규범에 충실하기 위해 "메리Mary"와 "마가렛Margaret"에게 애무의 손길을 보내며, "예의범절이 금지한다 / 같은 애무의 손길이 시골청년에게 향하는 것은"이라고 스스로에게 되뇐다.

성장과정에서 자연스럽게 발아된 동성에 대한 매혹과 그와 동시에 느꼈던 두려움에 대한 바이런의 회고담은, 참회가 아니라 자신의 전존재를 규정하는 정체성에 관한 고백인 것이다. 그의 고백은 내밀하면서도 동시에 공적 발화로서의 힘을 지닌다. "여성의 매력에 경의를 표하기 위해" 애쓰던 자신의 모습이 "어렸을 때부터 받아온 교육"의 결과였다는 체험적 진실로 인해, 섹슈얼리티는 사회적으로 규정되며 동성애공포증 역시 사회적 통제에 기인한다는 사실은 분명해진다.

바이런이 "가슴속에 품어야만 했던 어린시절의 본능은 / 잠시 동안은 억제되는 듯했다." 그러나 그 시절에도 교육에 의해 학습된 규범적인 섹슈얼리티를 위반하는, "내면적으로 미리 나타난 / 세월이 흐른 뒤에 드러낼 기호"가 있었음을 시인한다. 바이런은 에들스톤Eddleston이라는 찬양대 소년과 가까워지면서 자신이 소년에게 느꼈던 집착과 성적 매혹을 주저 없이 드러낸다.

오! 얼마나 내가 그의 볼에 나의 볼을 대고 싶어 하는지,
얼마나 사랑스럽게 나의 팔이 그의 손목에 감기는지!
또 다른 감정이 우정의 이름을 빌리고,
내 부끄러움을 덮기 위해 그 외투자락을 가져온다.
또 다른 감정! 오! 밝혀내기 어려워라.
사랑이 익숙한 우정의 자리를 빼앗아버리는 경계선을.

바이런은 자신이 느끼는 동성애적 감정이 "사랑, 내 눈을 기쁘게 하는 사랑 / 그 사람을 내 눈에 담아"라고 긍정한다.

"이 어린 소년은 나의 우상 / 강하구나 나의 열정, 내면의 감시를 벗어나니"라는 고백과 함께, 바이런은 "그토록 격렬한 것이 이토록 순결할 수 있을까?"라는 의문을 제기한다. "무엇이 불을 붙이는가? / 소년이 아니라 처녀가 욕망을 움직이는 것이 관습이건만"이라고 소년을 향한 자신의 욕망에 대해 돌아보는 가운데, 그는 자신의 욕망이 자연스러운 것임을, 따라서 죄악시될 수 없음을 재확인한다.

왜 이성은 욕정에 굴복하는가?
법률이 "멈춰!"라고 외쳤으나 정열은 계속 나아간다,
그러나 자연은 우리에게 정열을 주었다, 인간이 법률을 주었을 뿐,
어디에서부터 이토록 강하고 거스를 수 없는 끌림이 오는가?
그리고 누구에게도 해를 끼치지 않는데 무슨 이유로 잘못되었다 하는가?

바이런은 "그들의 말과 행위를 역사가 기록하고 있는 현자들"을 호출한다. 그리고 그들의 역사적 권위에 기대어 반동성애담론에 저항한다. 그는 동성애와 관련된 고대의 철학자와 문학가들의 예를 구체적으로 나열한다.

나는 젊은이를 사랑한다, 그러나 호레스Horace도 그랬다,
그가 용서받았다면, 말하라, 왜 내가 비난받아야 하는지를?
젊은 알렉시스Alexis가 버질Vergil을 한숨짓게 했을 때,
그는 세상에 자신의 선택을 말했다, 나는 안 되는가?
그렇다면 소크라테스는 왜 철인으로 불리는가,
그의 시대에서뿐만 아니라 모든 시대에서,
만일 진리의 오솔길에 말을 흩뿌린 입술이,
어느 총애하는 젊은이에게 입맞춤할 수 있다면
혹은 플라톤은 왜 공화국에서
내가 몰래 마음에 새기는 교의를 작성했는가?

현자들 역시 본성에 충실하기 위해 금기를 위반했다는 진술을 통해 동성애는 역사적으로 "모든 사회적 지위와 지역"에 존재하는 보편적인 것임이 입증된다. 따라서 보편적이고 자연스러운 행위를 범죄로 규정하는 것은 편견에 근거한 야만행위이기 때문에, 동성애에 대한 탄압이 중지되어야 마땅하다는 그의 주장은 강한 설득력을 지니게 된다. "만일 책에서 읽은 것이 사실이라면 / 사제와 현인들조차도 품에 안게 만든 / 여

성의 교태마저 지워버리는 그러한 매혹"을 추구하는 것에 대해 "금단의 나무 열매를 따먹었다"고 비난하는 것은 자가당착에 빠지는 일이기 때문이다. 그러한 금기는 어떠한 역사적 근거도 없는, 고작해야 "편견이 너와 나에게 금지한 일"에 불과한 것이 된다.

바이런은 자신이 소환한 고대의 명사들이 "케케묵은 보기"일 수도 있음을 인정한다. 그는 동시대의 "경건한 사람들", 즉 국왕과 성인, 학자와 법률가 역시 성적으로 "전능한" 본성의 명령에 저항하지 못하고 "미소년의 품에서 위안을 구했다"는 사실을 거론한다. 본성은 도덕적인 혹은 법률적인 엄명에 의해 바뀌거나 무시될 수 없기 때문이다. 따라서 동성애자로 하여금 비밀스럽고 위선적인 이중생활을 강요하고 주체의 분열을 피할 수 없도록 만드는 사회적 폭력은 어떤 이유로도 정당화될 수 없는 것이다.

바이런은 영국 내에 만연한 이성애자의 성적 방종에 대한 법의 관용적인 태도와 동성애에 대한 가혹한 처벌을 비교한다. 그럼으로써 동성애자에 대한 법률적 박해의 불공평성을 고발한다. 영국은 "모든 악덕이 만발하여 / 대담한 얼굴의 매춘부가 / 길모퉁이마다 참한 처녀의 얼굴 붉힘을 뻔뻔스럽게도 걷어차 버리는" 곳이다. 영국사회에서 이성애자의 성적 일탈은 방해받지 않고, 제재당하지 않으며, 또한 비난받지도 않는다. 그러나 "내버려두면 알려지지 않은 채 남아 있을 한 경향"만이 집요하게 추적되어 "여자를 싫어하는 불쌍한 자는 교수대에 오르게 되고", 공개된 죄명으로 인해 처형된 후에도 그의 이름은 더럽혀진다.

바이런은 동성애적 행위가 부도덕하지 않음을, 결코 결혼에 대한 신성모독인 처녀성의 능욕이나 간통으로 귀결되지 않음을 분명히 한다. "나는 다른 이의 땅에 쟁기질하지 않고", 원치 않는 자손을 태어나게도 하지 않으며, "내가 판 곳에서는 다시는 씨의 싹이 나지 않을 것이다." 따라서 동성애에 대한 무지와 비이성적인 증오 위에 건설된 종교적·도덕적·법률적·사회적 담론에 대해 침묵하는 일은 "이제 범죄와 같기 때문에", 바이런은 자신의 월계관이 시들고 고문으로 "자신의 육체가 찢겨지더라도" "두려움 없이 목소리를 높일" 것을 다짐한다.

『돈 리언』은 문학적 형상화에 있어서 적지 않은 문제점을 드러낸다. 시적 화자의 서술은 종종 평면적이거나 투박하고, 동일한 메시지가 텍스트 내에서 선언적으로 반복되는 경우가 적지 않다. 크럼프턴Louis Crompton과 같은 비평가는 『돈 리언』의 유일한 가치는 대표적인 낭만주의 시인인 바이런George G. Lord Byron의 『돈 주안Don Juan』을 동성애적으로 패러디하고 있다는 사실에서 찾을 수 있다고 평가한다. 『돈 리언』에 등장하는 시적 화자의 이름인 바이런이 『돈 주안』의 작가명과 같고, 『돈 리언』이라는 제목 역시 『돈 주안』을 연상시킨다는 점에서 두 텍스트의 상호관련성을 주장할 수는 있을 것이다.

『돈 리언』이 단지 『돈 주안』과의 관계에서만 가치를 지닌다는 주장은 『돈 리언』에 대한 지나친 폄하로 들린다. 『돈 리언』이 동성애자 탄압의 잔인성에 대해 드러내는 분노는 풍자의 차원을 훨씬 넘어서기 때문이다. 자신의 전존재를 걸고 부당한 억압에 대항하리라는 다짐이 전달하는 비장한 정조 역시 패러디의 해학성과는 거리가 멀다. 『돈 리언』에서 거칠게 반복되는 동성애 해방과 관련된 단선적인 진술도 텍스트 전체를 훼손시키는 결정적인 약점이라기보다는, 거대한 이성애 지배질서를 붕괴시켜야 한다는 절박함이 미학적 고려를 앞선 결과로 보는 편이 적절하다. 동성애적 욕망의 근원과 본질에 대해 전복적으로 사유하며 당대의 동성애담론에 대해 저항하는 『돈 리언』의 독자적인 가치는 여전히 유효한 것이다.

남성섹슈얼리티의 새로운 모색

19세기 영국사회는 개인의 사회적·법률적 정체성을 승인하는 데 이성애를 가장 중심적인 요소로 인증했다. 동성애는 침묵의 주제였으며, 침묵은 동성애자를 보이지 않는 존재로 만들어버렸다. 동성애문학 텍스트에서 흔히 발견되는 주제인 동성애의 강렬함과 비밀스러움에서 드러나는 것처럼, 동성애적 열망은 이성애적 욕망을 능가할 만큼 강렬함에도 불구하고 비밀스러운 갈망으로 은폐되었다. 당대의 성적 금기를 위반하며 동성애의 탈범죄화와 동성애에 대한 사회적 수용을 강력하게 요구한 『돈 리언』은 익명으로 출판되었다. 당대의 진보적 개혁가였던 벤담마저도 생전에는 자신이 작성한 동성애 원고의 출판을 시도하지 못했고, 사후에야 필사본의 형태로 공개되었다.

동성애공포증과 처벌의 위협에도 불구하고, 섹슈얼리티는 거부할 수 없는 자아정체성의 중심요소였다. "계집아이 같은 사내의 집"은 폐쇄되지 않았고, 동성애 하위문화는 19세기 영국사회에 확산되었다. 동성애자에 대한 법률적·사회적 탄압을 분쇄하려는 투쟁은 19세기 후반 이후 동성애 해방운동의 역사 속에서 계속되었다. 동성애에 대한 대응방식은 공동체와 사회의 문화적 관용성과 다양성을 드러내는 지표로 재설정되었다.

19세기 영국에서 구성된 저항적 동성애담론은 동성애를 단지 동성과의 성행위에 대한 욕망으로 규정하는 것을 넘어선다. 저항담론은 그런 욕망이 함축하는 정치적·사회적·윤리적 결과에 대한 인식을 포함하는 차원으로까지 나아갔다. 자신의 공리주의 철학에 입각해 동성애 처벌이 어떠한 합리적인 근거도 없음을 입증한 벤담과, 동성애자 정치의식의 발전양상을 극화하여 지배적 동성애담론에 대한 전복을 시도한 『돈 리언』의 경우는 이를 잘 드러낸다. 동성애는 이성애 지배질서의 위협과 섹슈얼리티의 새로운 유동성에 대한 모색이 첨예하게 대립한 주요 전선이며 담론 장이었다.

5장

헤밍웨이,
남성동성애자들 사이에서 길 잃은

길 잃은, 혹은 새 길을 찾은

우디 앨런Woody Allen의 영화는 경이로웠다. 그의 영화는 ─ 유태계 미국인의 무의식을 탐사한 것이든, 남성성의 위축과 불안을 다룬 것이든, 뉴요커의 삶을 그린 것이든, 지식인 계급의 위선을 폭로한 것이든, 무너져가는 또는 이미 폐허가 된 가족이나 부부관계를 보여주는 것이든 ─ 불온한 상상력으로 질주하고, 간결하고 건조한 유머를 분출하고, 전위적 예술성을 전시한다. 호의를 가지고 분류하자면, 최소한 1980년대까지는 그랬다.[27]

1980년대가 저물 무렵부터 우디 앨런의 영화에서는 예전의 광채가 보이지 않는다. 비슷한 방식의 유머가 반복되고, 익숙한 캐릭터들이 다시 등장한다. 낯선 조롱이나 냉소, 자기비하가 사라진 자리에 불쑥 끼어든 과도한 주제의식과 버거운 진지함은 당혹스럽다. 영화예술가로 언급되기보다는 추문의 주인공으로 보도되는 일이 더 잦지만, 여전히 그에게는 미덕이 남아 있다. 그의 영화에는 영화작가의 재능이 반짝이는 지점이

최소한 하나 이상 발견된다. 〈미드나잇 인 파리Midnight in Paris〉(2011)에서도 그의 덕목은 사라지지 않는다. 1920년대 파리에 머물던, "길 잃은 세대(Lost Generation)"라고 불리던 미국 예술가들에 대한 '마술적인' 소환과 재현이 일어나고 있기 때문이다.

"길 잃은 세대"라는 용어는, 미국의 모더니스트 시인이자 소설가 그리고 사상가였던 스타인Gertrude Stein에게서 비롯된다. 작가로서 활동한 시간의 대부분을 파리에서 보낸 그녀는 헤밍웨이에게 "전쟁에 참전했던 젊은 당신들 모두"는 "길 잃은 세대"[28]라고 말했다. "길 잃은 세대"는 제1차 세계대전에서 살육의 참상을 겪고 서구의 전통적 가치체계에 대해 환멸과 불신을 지니게 된, 좌절하고 방황하는 젊은 미국남성들 특히 그 중에서도 예술가 집단을 가리키는 용어로 자리 잡았다.

"길 잃은 세대"의 절망이 단지 전쟁을 통과하며 경험한 존재론적 충격에서 온 것만은 아니었다. 이들의 방황과 좌절은 경제적·정치적·윤리적 혼란뿐 아니라, 섹슈얼리티의 새로운 유동성과 그에 따른 성정체성의 갈등과 의혹과도 밀접하게 연결되기 때문이다. "광란의 20년대(Roaring Twenties)"로 불리는 1920년대는 성적 불안과 방황의 시기이기도 했다.

젊은 미국인 남성들에게 1920년대는 사회경제적 변동의 시기인 동시에 성적 변혁의 시기로 기록된다. 누구나 잠재적으로 행할 가능성을 지닌 성적 방탕이나 죄악으로 간주되던 동성애가, 이 시기에 들어와 이성애자와 구별되는 성적인 방향성과 기호, 감수성으로 구성된 확고한 성정체성으로 미국사회에 등록되었기 때문이다. 여기에는 제1차 세계대전이 결정적인 계기로 작용했다.

제1차 세계대전이 끝난 후 "길 잃은 세대"로 불리게 되는 젊은 예술가들이 파리로 모여들었고, 헤밍웨이는 그들 중 하나였다. 미국인들에게 파리가 "동성애자 세계의 수도"로 간주되던 시절이었고, 파리를 재현할 때 헤밍웨이는 당대 미국인들의 인식을 그대로 반영했다.

제1차 세계대전에 참가한 미군병사의 37퍼센트가 동성애적 행위에 개입했다는 통계[29]는 과장되거나 부풀린 것처럼 보인다. 그럼에도 불구하고 동성애자와의 조우가 참전 미군병사의 전쟁경험의 주요 부분을 차지했다는 사실은 분명하게 보여주고 있다. 동성애자와 함께 동일한 공간에서 생활하고 임무를 수행하는 과정에서 참전군인들은 동성애자가 정상적인 남성과는 분명하게 구별되는 성적 부류임을 인식하게 되었고,[30] 이러한 체험은 미국사회의 동성애 특히 남성동성애 인지에 있어서 커다란 전환점이 되었다.

제1차 세계대전 이후 동성애자가 별개의 종으로 인식되면서 미국에서의 동성애담론은 종교담론이 아니라 의학담론을 통해 새롭게 구성된다. 이제 동성애는 윤리적 죄악이 아니라 비정상적·병적 행위로 인식되었고, 동성애자는 참회를 통해 용서받고 거듭날 수 있는 죄인이 아니라 동성애라는 질병을 전염시키는 보균자로 규정되었다.

남성동성애자는 대중으로부터 두 가지 상이한 반응을 이끌어냈다. 하나가 동성애에 감염될 가능성에 대한 공포와 두려움이라면, 다른 하나는 동성애자의 여성성에 대한 조롱과 경멸이었다. 동성애자는 정상적인 남성을 비정상적인 존재로 변모시키는 두렵고 끔찍한 존재가 되었다. 동시에 동성애자는 외모와 태도, 언어에서 남성성을 결여한 "여자 같은 남자(effeminate fairy)"[31]로서 조롱과 능멸의 대상으로 자리 잡았다.

〈미드나잇 인 파리〉로 다시 돌아가자. 우디 앨런은 헤밍웨이, 피츠제럴드F. Scott Fitzgerald와 그의 아내 젤다Zelda Sayer를 1920년대 파리의 심야술집으로 소환한다. 피츠제럴드는 아내의 방종과 활력에 치이고 힘들어하는 섬세하고 유약한 남성으로, 헤밍웨이는 독한 술 — 아마도 브랜디 — 을 마시며 남자답게 처신하라고 호통 치는 마초로 재현된다. 영화에서 헤밍웨이가 지녔던 관습적인 이미지 — 남자답게 잘생기고 호방한 — 는 매우 효율적으로 재생산되고 있다.

헤밍웨이의 남성섹슈얼리티에 대한 태도는 영화에서 재현된 이미지와는 다르다. 1920년대 중반에서 1930년대 초반까지 헤밍웨이 문학에서는 동성애자에 대한 묘사와 언급이 자주 발견되는데, 남성동성애자를 향한 그의 시선은 마초적이거나 단순하지 않다. 그는 남성동성애자를 「간단한 질문(A Simple Enquiry)」과 『오후의 죽음(Death in the Afternoon)』에서처럼 두려움의 존재로 그리거나, 「세상의 빛(The Light of the World)」과 『해는 다시 떠오른다』에서와 같이 경멸과 조롱의 대상으로 재현하기도 한다. 하지만 그의 문학은 동성애자를 감염을 일으키는 공포의 병원체나 혐오스러울 정도로 여성적인 남성으로 묘사하는 수준을 넘어선다. 가시적인 남성성과 진정한 성정체성 사이의 관계에 대해 탐색하는 소년과 젊은 남성에게 남성동성애자는 공포와 조롱의 대상으로만 다가오지 않기 때문이다. 「정열의 결핍(A Lack of Passion)」에서 남성동성애자는 다른 젊은 남성에게 동성애자로서의 새로운 정체성을 발견하도록 이끌어주는 소중한 존재로, 『해는 다시 떠오른다』에서는 남성동성애자가 질투와 시기의 대상으로 그려진다.

곤쇼렉John C. Gonsiorek 같은 비평가는 헤밍웨이의 동성애자 재현에는 동성애공포증이 드러난다고 명쾌하게 결론 내리지만, 헤밍웨이는 당대의 지배적 동성애담론을 그대로 따라하는 데 머물지 않는다. 헤밍웨이는 동성애자를 재현할 때 당대의 전형화된 방식을 수용하고 그것을 반복할 뿐 아니라, 그것을 넘어서는 모습도 함께 보여주기 때문이다. 남성동성애자는 두려움과 혐오의 대상인 동시에 연민, 질시, 자조, 매혹의 대상으로 다채롭게 그려진다.

헤밍웨이는 남성동성애자를 평면적이 아니라 중층적이고 복합적으로 재현한다. 그가 그리는 것은 "길 잃은 세대"로 불리던 당대 미국 젊은 남성들의 동성애에 대한 두려움만은 아니다. 자신들에게 잠복되어 있을지 모를 동성애적 성향과 기질에 대한 의혹과 자기불신, 그리고 정상적 남성 섹슈얼리티에 대한 강박과 좌절까지도 헤밍웨이는 섬세하게 포착해낸다.

전설 혹은 포즈 — 어니스트 헤밍웨이

헤밍웨이(1899~1961)는 시카고 시내에서 서쪽으로 20분 정도 차를 달리면 나타나는 일리노이 주 오크 파크Oak Park에서 태어났다. 쇠락한 기운이 감돌기는 하지만 이 작은 도시는 세계적인 건축가 라이트Frank Lloyd Wright의 집과 스튜디오 그리고 그가 설계했던 집들로 가득한, 문화유산의 보고로 남아 있다. 헤밍웨이 생가는 건축학도들이 끊임없이 방문하는, 라이트가 설계했던 집들 사이에 빅토리아풍으로 서 있다.

그의 아버지는 내과의사였고 사냥과 낚시를 즐기는, 말 그대로 집 바깥의 사나이 outdoorsman였다(이 시절 미국 중서부의 자연은 원시에 가까운 상태였다는 사실을 기억하자. 지금도 몬태나 주나 사우스다코타 주를 가로지르는 고속도로 휴게소에는 곰이 나타났을 때의 대처법이 걸려 있다. 이런 곳에서의 사냥과 낚시는, 유료 낚시터나 사냥 허가철의 논밭이나 야산에서와는 전혀 다른, 생존을 건 싸움이었다). 인간이 운명의 주인이라고 믿었던 그는 권총자살로 삶을 끝냈고, 아버지의 삶의 궤적은 — 권총이 엽총으로 바뀌기는 했지만 — 헤밍웨이에 의해 그대로 반복된다. 헤밍웨이의 어머니는 신앙심이 깊고 예술적인 소양을 지닌 여성이었다. 그녀에게는, 아마도 그녀의 배우자에게도, 그리 행복한 결혼생활은 아니었다. 그녀는 아들인 헤밍웨이에게 집중했고, 과도하게 의존했다.

헤밍웨이의 글쓰기는 신문기자를 하면서 본격적으로 시작되었고, 기사문의 간결하고 건조한 문체는 이후 하드보일드 스타일로 완성되었다. 그는 주어와 동사로만 이루어진 문장을 꿈꿨다. 그의 문학적 커리어는 성공적이었고, 성공은 매우 오래 지속되었다. 1952년에 발표해 1953년에 퓰리처상과 1954년에 노벨문학상을 받은 『노인과 바다(The Old Man and the Sea)』는 그 정점에 있다.

헤밍웨이의 문학적 광채는 고유한 삶의 방식을 통해 더욱 빛났다. 그는 제1차 세계대전에서 싸웠고 스페인내전에도 참가했다. 아프리카 평원에서 사자사냥을 했고, 멕시코 만에서 청새치 낚시를 했다. 『노인과 바다』에서 진술한 것처럼, 인간은 파괴될 수는 있어도 패배하지는 않는 존재라고 믿었던 그는 삶과 죽음의 현장에서 매순간을 향유하고자 했다. 늙고 병들어 행동하지 못하게 되었을 때는 서서히 죽음을 기다리기보다는 스스로 생명을 거두는 편을 선택했다. 자살로, 헤밍웨이의 신화는 완성되었다.

여성의 시각에서 헤밍웨이 신화는 전혀 다르게 보일 수밖에 없다. 생명과 역사의 담지자인 여성에게는, 패배되기 전에 미리 파괴를 선택하는 헤밍웨이나 그의 남성 주인공들의 태도는 미성숙하고 무책임한 포즈로 보이기 때문이다. 작가의 사생활이나 소설이 드러내는 여성의 재현방식이나 여성관을 별개로 치더라도, 헤밍웨이가 "멋있어 보이지만 결국은 남성우월주의자(Cool Male Chauvinist)"에 불과하다고 평가받는 이유다.

헤밍웨이는 독특한 라이프스타일로 하나의 브랜드가 되었다. 화려하고 고급스러운, 품격 있는 삶의 방식은 그의 생애를 관통했다. 그가 30대를 보낸 플로리다 키웨스트Key West의 집 뒷마당에는 개인 풀장이 있다(섬이어서 물이 귀했기 때문에 풀장에 물을 채우는 비용이 풀장

건축비보다 많이 들었다고 한다). 헤밍웨이는 아침에 일어나 자기 집 풀장에서 수영을 하고 집 필실에서 글을 썼다. 낮에는 낚시를 했고 밤에는 걸어서 5분 정도 걸리는 단골 바에 가서 술을 마셨다.

헤밍웨이가 삶을 끝낸 곳은 아이다호 주 케첨Ketchum에 있는 그가 소유한 목장에서였다. 하늘이 끝없이 넓게 펼쳐지는 황량하면서도 매혹적인 공간에서 그는 마지막 순간을 맞았다. 할리우드 스타들과 주식부자들이 근방에 별장을 마련해 주말이나 휴가철을 보내는 것이 트렌드로 자리 잡기 40년 전이었다.

동성애를 대하는 1920년대 미국의 자세

미국에서 동성애 관련 기록이 등장한 시기는 식민지시대였던 16세기 중반까지 거슬러 올라간다. 이 시기부터 19세기 초엽까지의 동성애 문건은 거의 대다수가 개척자와 선교사들이 미국 원주민들의 동성 간 성관계에 관해 작성한 보고서로 구성되며, 인종적 편견과 종교적 판단을 강하게 드러낸다. 이 문건들은 포함하고 있는 사례의 숫자도 부족하고 정보의 양도 빈약하며, 무엇보다도 신뢰성의 문제로 인해 동성애 연구 자료로는 한계를 지닌다.

미국에서 동성애 가시화(homosexual visibility)가 본격적으로 시작된 시기는 19세기 후반부터라고 할 수 있다. 이 시기에 미국사회에서 동성애자, 특히 남성동성애자의 존재가 가시화되었다는 사실은 1870년대에 출판된 『성 진단서(sexual advice manual)』를 통해서도 확인된다. 집필자 중한 명인 내과의사 내피George Naphey는 동성애자 회합장소를 중심으로 진행된 복장전환과 여장무도회에 관해 다음과 같이 증언한다.

의료전문가가 접하게 된 구역질 나는 장면의 진상을 밝히기를 선택한다면 … 우리는 여성의 복장을 한 남자들이 자주 찾는 식당에 대해 그리고 그들의 차마 표현할 수 없는 음탕함에 대해 말할 수 있다.[32]

뉴욕 시를 비롯한 일부 대도시를 중심으로 시작된 동성애자 하위문화는, 세기말을 거치면서 대부분의 대도시로 빠르게 확산되었고 제1차 세계대전 이후에는 동성애자 공동체의 형성으로 이어졌다.

1920년대에 들어와 동성애가 이성애와 구별되는 새로운 성정체성으로 인식되면서 종교담론을 중심으로 구성되었던 동성애담론은 의학, 법률, 문학, 예술 담론 등을 통해 재구성된다. 가장 적극적으로 개입한 것은 의학담론이었다. 가시성의 규모나 빈도에서 남성동성애가 여성동성애를 압도했지만, 의학적 개입은 여성동성애를 중심으로 이루어졌다. 1920년에 영어로 번역되어 단행본으로 출판된 프로이트의 『한 여성동성애 사례의 심리적 발생원인(The Psychogenesis of a Case of Homosexuality in a Woman)』이 1920년대 미국에서 동성애에 대한 이해와 치료의 준거 틀로 자리 잡은 것은 이런 사실을 잘 보여준다.[33]

동성애는 의학적 논의를 통해 수간(bestiality), 시간(necrophilia), 노출증 등과 같은 범주 안에 배치되었다.[34] 동성애가 병적인 도착행위로 규정되면서 동성애자와 정상인 사이의 접촉을 근원적으로 차단하거나 배제하는 것이 동성애에 대한 효과적인 대응방식으로 제시되었다. 동성애자들이 "도착적인 행위를 저질러서 사회에 위협을 가하는 것을 방지하기 위해 이들을 격리 수용할 시설의 설치가 필요하다"[35]고 주장한 리히텐슈타인Perry M. Lichtenstein 박사와, 동성애자의 잘못된 성욕을 치유하는 수단으로 거세와 같은 극단적인 방식을 주장한 퀘베인F. de Quervain 박사[36]가 동성애담론의 주요 발화자로 활약을 펼쳤다.

의학담론을 중심으로 새롭게 구성된 동성애담론은 언론보도를 통해 부정적으로 증폭되어 대중에게 전달되었고 동성애에 대한 미국사회의 대응방식을 결정지었다. 1920년대 미국언론에는 동성애 관련 기사가 '빈번하게' '다수' 게재되었다. 특히 로드아일랜드 주 뉴포트Newport 해군 훈련소에서 발생한 동성애를 다룬 1921년 7월 20일의『뉴욕 타임스The New York Times』기사는, 동성애 규제와 처벌을 강화시키는 계기가 되었다. 루스벨트 대통령은 뉴포트사건을 조사할 풍속수사반을 발족시켰고 부도덕한 행위를 하는 인물을 체포하기 위한 함정수사를 승인했다.[37] 독일 베를린에서 발행된『인권 저널(The Journal of Human Rights)』에는 이 시기 미국을 방문한 독일남성이 경찰의 기습단속에 의해 체포되었다는 기사가 실렸다. 그는 기습단속이 "내가 경험한 가장 거친 대접이었다. … 나는 이곳 미국을 뒤덮고 있는 흉악한 교활함과 거짓된 수줍음을 비난할 것이다. … 유명한 동시에 악명 높은 미국보다는 유럽의 모든 국가에, 특히 독일과 프랑스에 더 많은 자유가 존재한다고 말하는 것은 아마도 공정한 일일 것이다"[38]라고 진술했다.

뉴포트사건 이후 미국 전역에 걸쳐 "의심스러운 요소들"[39]을 제거하기 위한 동성애자 소탕작전이 지속적으로 벌어졌다. 동성애자 체포는 주로 여성동성애자에 집중되었는데, 뉴욕지역에서의 적발사례를 살펴보면 이러한 경향이 잘 드러난다. 1921년 12월 16일 『뉴욕 타임스』에는 킴볼Ethel Kimball이라는 29세 여성이 그녀의 전 생애를 남성으로 살면서 2년의 구애 끝에 다른 여성과 결혼했다가 체포되었다는 기사가 실렸다.[40] 1929년에는 아켈-스미스 부인Mrs. Lillian Arkel-Smith이 지난 6년간 바커 대령Colonel Victor Barker으로 행세하며 "하나님의 집을 오염시키고 무구한 자연을 분노케 하고 인간의 법을 어겼기 때문에"[41] 구속되었다는 기사가 게재되었다.

모든 탄압에는 저항이 뒤따른다. 인간은 존엄성을 지닌, 그것을 지키려는 존재이므로. 계속되는 동성애 처벌과 탄압에 대항하기 위해 미국 최초의 동성애자 인권운동이 시작되었다. 1925년 6월 4일에 시카고인권협회(The Society of Human Rights in Chicago)가 "정신적 혹은 육체적 비정상"으로 진단받은 모든 남성과 여성의 인권을 보호하는 것을 목적으로 설립되었다. 막 움트기 시작한 저항에 대해 권력은 강력한 반동으로 대응했다. 시카고인권협회는 한 해를 넘기지 못하고 "음란한 문서"를 출판했다는 혐의로 주요 구성원의 다수가 체포된 후 해산되었다.[42]

억압에 맞서 싸운 시간은 결코 헛되이 사라지지 않는다. 공식적으로 발족한 최초의 동성애자 운동단체인 시카고인권협회는 와해되었다. 그러나 조직적 저항의 경험은 동성애자들에게 '그들'과 '우리'라는 분리의식을 강화했고 대도시를 중심으로 동성애자 공동체가 확산되는 계기로 작용했다.

1920년대의 상당 기간 미국의 예술 분야에 종사하는 동성애자에게는 다른 분야의 동성애자에게는 허용되지 않던 사회적 관용이 주어졌다. 이 시기 미국사회가 보여준 독특한 미덕이었는데, 미국문학이 '세계문학'으로 비상하는 동력이기도 했다. 동성애자는 미국의 문학예술과 비평계에서 주요 구성원으로 활동하면서 동성애자 인권운동에도 적극적으로 참여할 수 있었다. 헤밍웨이와 교류하며 그에게 영향을 주었던 스타인은 그 대표적인 인물이었다.

스타인은 당대의 지배적 동성애담론에 맞서 동성 간의 강력한 연대는 성적인 문제로만 치환될 수 없는 영적인 관계라고 주장했다. 스타인은 산문시 「앨리스 비의 노래(The Song of Alice B)」에서, 파리 아방가르드의 멤버였고 자신의 파트너로 평생을 함께한 앨리스Alice B. Toklas와 나눈 동성 간 사랑을 다음과 같이 노래한다.

나는 멋진 여성 한 명을 봤네. 그녀는 손수건과 입맞춤을 지녔네.
그녀는 두 눈과 노란 신발을 가졌고, 그녀는 선택한 모든 것을 가졌고 그녀는
나를 선택했네. 프랑스를 통과해가면서 그녀는 중국 모자를 썼고 나도
그랬다네. 해를 쳐다보면서 그녀는 지도를 읽었네. 나도 그랬네. 물고기를
먹으면서
돼지고기를 먹으면서 그녀는 뚱뚱해졌네. 나도 그랬네. 푸른 바다를 사랑하
면서 그녀는 고통스러워했네.
나도 그랬다네. 우리는 얼마나 아름답게 헤엄쳤는지. 물속에서가 아니라.
사랑 속에서.

동성애를 그린 문학예술에 대해 언론은 동성애라는 용어를 직접 사용하지 않았다. 대신 모호한 표현을 통해 간접적으로 암시하는 방식을 택했다. 『뉴욕 타임스』 서평은 이런 경향을 선도했다. 1924년 5월 4일 『뉴욕 타임스』 서평은 스티븐슨Sylvia Stevenson의 소설 『잉여(Surplus)』에 등장하는 여성 사이의 사랑을 추구하는 인물을 "저런 정서적 구조를 지닌 소녀"[43]로 지칭한다. 1925년 5월 31일의 서평은 흄Cyril Hume의 소설 『잔인한 우정(Cruel Friendship)』에서 동성애자로 나오는 주인공을 "남성으로 적합하지 못한, 우정이나 사랑을 획득할 수 없음이 명백한 인물"로 평가했다. 1927년 11월 13일 『뉴욕 타임스』가 매켄지Compton Mackenzie의 소설 『베스타 여신의 불(Vestal Fire)』이 "양성적인 경향이 농후하다"[44]고 언급한 사례도 당대의 보도방식을 잘 보여준다. 연극에 드러난 동성애적 성향에 관해서도 언론은 명시적으로 지적하지 않았다. 동성애 주제를 다룬 기블Harry Gibble의 연극 〈삼월 교미기의 산토끼들(March Hares)〉에 대해 『뉴욕 타임스』는 "기이할 정도로 남자답지 못한 코미디"[45]라고 에둘러 평했다.

문학예술에서 동성애 처벌은, 다른 분야에 비해 늦기는 했지만, 1920년대가 저물기 전에 시작되었다. 문학예술 분야에서 동성애 처벌의 시작역시 '공교롭게도' 여성동성애와 연관되어 일어났다. 젠더적 편견은 20세기 초 미국에서 동성애를 향한 태도를 특징짓는 핵심에 위치했다. 영국의 여성시인이자 소설가인 홀Radclyffe Hall의 『고독의 우물(The Well of Loneliness)』은, 고든Stephaen Gordon이란 여성이 자신의 성정체성을 깨달은 후 남성복장을 하고 살아가면서 여성의 사랑을 갈구한다는 내용으

한 여성이 남성으로 살아가면서 다른 여성과의 사
랑을 추구한다는 내용으로 이루어진 소설 『고독의
우물』을 쓴 영국의 여성시인이며 소설가인 홀. 『고
독의 우물』은 문학예술 분야에서의 동성애에 관한
미국사회의 대응방식을 급속도로 전환시켰다. 그
녀의 소설이 미국 출판시장에 진입하면서 동성애
문학에 대한 규제와 처벌은 본격화되었다.

로 이루어진 소설이다. 『고독의 우물』은 1928년 영국에서 출판되어 같은 해에 미국에 소개된 후 문학예술에서의 동성애에 관한 미국사회의 대응방식을 급격하게 변화시켰다. 『고독의 우물』은 미국독자들에게 동성애 주제를 '직접적으로' 다룬 '최초'의 '본격적인' 동성애소설로 소개되면서 거대한 사회적 반향과 물의를 일으켰기 때문이다. 동성애문학에 대해 모호하고 유보적인 태도를 견지하던 언론은 『고독의 우물』에서 그려진 동성애를 "성도착"[46]으로 직접적으로 거명하며 공격했다. 『고독의 우물』은 경찰에게 전량 압수되었고 "인식할 수 없을 정도로 악마와 같이 극도의 타락을 조장하고 고무하는 문학"[47]이라는 이유로 금서가 되었다. 이제 법률의 규제와 처벌은 문학예술 분야에서까지 작동되기 시작했고, 반동성애 물결은 미국사회를 뒤덮게 된다.

공포와 경계, 경멸과 조롱

1920년대 미국 동성애담론을 지배한 것은 의학담론이었다. 의학담론 내에서 동성애는 선천적으로 결정된 기질이 아니라 동성애자와의 접촉을 통해 감염되는, 프랑스나 이탈리아 같은 유럽국가에서 유입된 외래의 질병으로 규정되었다. 특히 파리는 카츠Jonathan Katz가 『미국 남성동성애자의 역사(Gay American History)』에서 지적한 것처럼 "동성애자 세계의 수도"로 간주되었다. 동성애자는 정상적인 인간을 괴물로 변하게 하는 흡혈귀처럼, 건강한 젊은이를 성관계를 통해 동성애에 감염시켜 성적 괴물로 만드는 사악한 존재로 간주되었다.

남성동성애자의 가시성은 주로 복장전환과 역할전도를 통해 나타나고, 정상적인 남성의 동성애자로의 전환은 여성성의 발현을 통해 확인이 가능하다고 인식되었다. 의학담론은, 믿기 힘들지만, 이런 인식을 선도하고 전파했다. '저명한' 정신의학자 리버스W. C. Rivers 박사가 1920년에 발표한 「남성동성애의 새로운 특성(New Male Homosexual Trait)」이라는 논문은 그 대표적인 경우다. 그는 남성동성애가 남성에게 내재된 고양이에 대한 애정과 상호연관성이 있다고 주장하면서, "만일 고양이를 좋아하는 것이 남성동성애자의 특징으로 부여된다면 그 이유는 그런 것이 여성의 취향이기 때문일 것이다"라고 결론지었다.

헤밍웨이는 동성애를 그릴 때 지배적 동성애담론을 답습하는 모습을 보인다. 「간단한 질문」에는 어린 남성과의 동성애 가능성을 은밀하게 탐색하는 남성동성애자가 등장한다. 그의 국적은 이탈리아로 설정된다. 투우에 관한 논픽션 『오후의 죽음』에는 파리가 동성애를 전파하는 타락의 장소로 규정된다. 『오후의 죽음』은 파리에 모인 미국인 남성동성애자에 대해 다음과 같이 언급한다.

그들 중 대부분은 여자를 남기고 왔다. 대개 그녀는 사서이거나 혹은 고등학교 영어교사다. 예쁘게 생긴 영어교사 말이다. 예쁘고 총명하고 가정도 좋은. 동네마다 한 명씩 있지. 그런데 남자가 떠나버린 후 그녀는 파리를 비난하고 자신의 남자가 그곳에서 돌아다니다 만난 거트루드 스타인과 모든 문학계 사람들을 비난하지.

혜밍웨이는 파리를 동성애자가 탄생하는 장소로 설정하고 그곳에서 활동하는 스타인으로 대표되는 미국 예술가들을 동성애를 전파하는 자들로 규정한다. 그럼으로써 파리를 소돔과 고모라로 간주한 당대의 미국인들의 상투적인 인식을 그대로 수용하고 있다. 『해는 다시 떠오른다』에서 파리를 "악성유행병을 발생시키는(pestilential) 도시"로 묘사한 것도 이런 그의 인식체계를 잘 보여준다.

혜밍웨이가 동성애에 대한 지배담론을 그대로 반영하고 있다는 점은, 무엇보다도 동성애를 생득적인 것이 아니라 후천적으로 습득할 수 있는 성적 지향으로 재현한다는 사실에서 가장 분명하게 드러난다. 그의 초기문학에는 어린 이성애자를 유혹이나 강압을 통해 동성애의 세계로 이끌거나 동성애자로 전환시키려고 하는 남성동성애자가 등장한다. 「간단한 질문」에서 동성애자로 등장하는 소령은 19세인 자신의 당번병이 유혹에 반응할지를 살핀다. 소령은 당번병에게 연애경험과 여자들과의 관계에 대해 조심스럽게 물어본다. 당번병이 방어적인 태도를 취하자 그를 돌려보내며 소령은 다음과 같이 말한다.

두려워하지 말게. … 나는 자네를 건드리지 않을 테니까. 원한다면 원대로 복귀해도 좋아. 하지만 내 당번병으로 있는 것이 더 나을 거야. 전사할 가능성이 더 적으니까.

소령은 당번병의 얼굴이 붉어지고 "난로에 넣을 장작을 가지고 방에 들어올 때와는… 몸 움직임이 달라지는"것을 목격한다. 당번병의 걸음걸이와 몸 움직임이 변화하는 것을 감지한 후에 소령은 "어린 녀석이…
내게 거짓말 한 것은 아닐까"라고 의심한다. 앞으로도 소령은 당번병을
유혹할 가능성을 포기하지 않을 것임이 암시되면서 소설은 종결된다.

정상적인 남성을 유혹해서 폭력적인 방식을 통해 타락시키는 사악
한 남성동성애자는, 『오후의 죽음』에서 한 신문기자가 자신이 경험한 일
화를 소개하는 방식을 통해 생생하게 재현된다. 기자는 한밤중에 자신
이 묵은 호텔의 옆방에서 벌어진 소동과 자신의 방문을 두드리는 소리
에 잠을 깬다. 문을 두드린 이는 나이가 많은 부유한 남자와 함께 파리
로 여행 온 가난한 젊은 남성이다. 젊은 남성이 기자의 방으로 피신하고
나서 잠시 후에 연상의 남성이 그 방을 찾아온다. 그는 젊은 남성이 "여
행으로 너무 피로한 상태"라고 기자에게 양해를 구한다. 그는 젊은 남성
을 "매우 합리적이고 설득력 있게 호소해" 자기 방으로 데리고 간다. 한
참 후 기자는 옆방에서 들리는 "싸우는 것 같은" 소리에 다시 잠을 깬
다. 기자는 젊은 남자가 "나는 그런 것인 줄 몰랐어요. … 안 할래요! 안
할래요!"라고 외치다가 "절망적인 비명소리"를 내는 것을 듣는다.

며칠 후 기자는 여전히 함께 거리를 거니는 그 두 사람을 본다. "그 방
으로 다시 돌아가느니 자살하겠다고 말했던 두 사람 중 나이가 더 어린
남자는 머리를 붉게 물들인" 상태다. 이성애자인 젊은 남성이 동성애자
남성과 함께 파리를 여행하다가, 자신의 정체를 드러낸 동성애자와 강
압적으로 성관계를 맺게 된 후 동성애자로 변모했다는 정황이 제시되고
있는 것이다.

헤밍웨이는 남성동성애자를 여성적인 외양을 하고 말이나 행동에 있

어서 "흥분상태를 지속적으로 유지하는"⁴⁸ 부류로 파악하는 지배적 시각을 수용한다. 『오후의 죽음』에서 동성애자가 된 젊은 남성이 여성처럼 머리를 붉은색으로 염색했다는 점에서도 짐작할 수 있는 것처럼, 헤밍웨이 문학에서 외양과 말투는 동성애자를 식별하는 주요 기준으로 작용한다. 동성애에 감염된 남성은 외모, 말투, 행동에 있어서 여성적인 취향을 드러내기 때문이다. 남성동성애자는 헤밍웨이의 소설에서 "주요 응시 대상"이 되고 그들의 말과 행동은 "세밀하게 묘사"⁴⁹된다. 세밀한 관찰과 묘사를 통해 부각된 동성애자의 과도한 치장과 여성적 말투, 절도 없는 행동 등은 이들을 향한 비난과 조롱의 근거가 된다.

『해는 다시 떠오른다』의 대중무도장(bal musette) 장면에는 동성애자들이 대거 등장한다. 이들은 "새로 머리를 감아 웨이브가 진 머리카락"과 "하얀 손", "하얀 얼굴"로 "찌푸리고 몸짓을 하고 수다를 떠는" 남자들로 재현된다. 언어에 있어서도 동성애자들은 남성적인 것과는 거리가 먼 말투를 사용하는 것으로 그려진다. "구불거리는 금발머리"를 한 남성동성애자는 조제트Georgette라는 매춘부를 보고 "진짜 매춘부가 저기 있어. 나 저 여자랑 춤출 거야. 날 봐"라고 들뜬 어조로 말하며, "경박하게 좀 그러지 마"라는 책망에는 "자기, 걱정 마"라고 대답한다.

『해는 다시 떠오른다』의 중심인물이며 서술자인 제이크는 남성동성애자들을 "재미있는" 사람들로 가볍게 대하려고 노력한다. 하지만 그는 그들에게 혐오의 감정을 표출하고야 만다. "영국식 억양과 비슷한" 여성적인 어조로 말한다는 이유로 제이크는 신예작가 프렌티스Prentiss를 동성애자로 의심한다. 그가 제이크에게 다가와 "당신은 파리가 멋지다고 생각하세요"라고 묻자 "그렇다"라고 짧게 대답한다. 프렌티스가 계속해서 "정말"이라고 묻자 제이크는 "제기랄… 그래. 당신은 안 그래"라고 역정을 낸다. 브래독스 부인Mrs. Braddocks이 제이크에게 "성마르게 굴지 마세요… 아시지요"라고 충고한다. 제이크는 자신이 까다롭게 구는 것이 아니라 "아마도 토할 것 같다는 생각을 하는 것뿐"이라고 동성애자들을 향한 혐오의 감정을 드러낸다. 대중무도장 장면이 "남성동성애자 문화에 대한 모욕"[50]이라는 비판을 받는 이유다.

헤밍웨이의 단편 「세상의 빛」에는 17세와 19세인 두 명의 소년이 등장한다. 소년들은 동성애자라는 오해를 받아 바텐더로부터 "더러운 남색의 상대자들"이라는 모욕적 언사를 들으며 술집에서 쫓겨난다. 기차역에서 이들은 동성애자라는 이유로 벌목꾼들로부터 집단적인 모욕을 당하는, 산장에서 요리사로 일하는 남성을 목격한다. 그가 소년들에게 다가와 몇 살이냐고 묻자, 소년 중 하나인 토미Tommy는 요리사에게 "나는 96세이고 얘는 69세"라고 대답하며 그를 조롱한다. 다른 소년이 "우리는 17세와 19세예요"라고 사실대로 말하자 토미는 그를 데리고 요리사를 피해 자리를 움직인다. 요리사가 그들에게 어디로 가느냐고 묻자 토미는 적대적인 감정을 거침없이 드러내며 "당신과는 다른 방향으로"라고 대답한다. 동성애자로 몰려 모욕을 당하는 일을 겪은 소년 역시, 남성동성애자에 대해서는 이해와 용인이 아닌 혐오와 조롱의 태도를 보이는 것이다.

『해는 다시 떠오른다』(1926)

『해는 다시 떠오른다』에는 파리와 스페인을 떠돌며 살아가는 잃어버린 세대의 모습이 그려진다. 신문기자인 주인공 제이크는 제1차 세계대전에 참가했다가 성불구가 된 남성이다. 그는 브렛Brett Ashley을 만나 사랑에 빠진다. 브렛은 제이크를 사랑한다고 말하지만, 그와 육체적인 결합에 실패한 후 끊임없이 다른 남성과 성적인 관계를 맺는다. 그는 브렛을 지켜보며 상처받는다. 여행과 투우경기에 몰두하면서 상심을 달래던 제이크는 그녀에게서 벗어나기로 결심한다.

도와달라는 브렛의 전갈을 받은 제이크는 그녀를 찾아 떠난다. 제이크는 투우사가 떠난 후 무일푼으로 스페인의 싸구려 호텔에 홀로 남은 브렛을 발견한다. 소설은 택시에서 제이크와 브렛이 나누는 솔직한, 그러나 자기모멸적인 대화를 들려주면서 끝난다.

위안과 부정, 분노와 자조

헤밍웨이가 동성애자를 비하하고 모욕하며 동성애공포증을 드러낸다고 단정해버리기에는 그가 동성애를 대하는 태도는 다층적이다. 그의 문학에는 동성애에 대한 공포와 동성애자에 대한 멸시뿐 아니라, 동성애에 대한 끌림과 동성애자에 대한 공감의 순간이 함께 존재하기 때문이다. 그러나 공감과 매혹은 분노와 자조의 태도로 바뀌거나, 텍스트 내에서 수정되거나 삭제되어 공개되지 않는다.

헤밍웨이는 자신의 문학을 둘러싸고 동성애와 관련된 의혹이 제기되는 것을 막기 위해, 남성인물 사이의 관계를 이성애적인 것으로 재현하기 위한 노력을 기울였다. 「어떤 일의 종말(The End of Something)」의 수정 과정은 그가 마다하지 않던 수고를 잘 보여준다. 1925년에 출판된 단편집 『우리들의 시대(In Our Time)』에 수록된 「어떤 일의 종말」은, 한 젊은 남성이 여자를 떠나보내고 다른 남성과의 교우관계에서 위로를 받는다는 내용을 담고 있다. 주인공인 닉Nick Adams이 자신의 여자친구와 헤어지고 나서 친구인 빌Bill에게서 위로를 받는 장면에는 동성애적 요소로 간주될 수 있는 묘사가 포함되어 있었다. "그는 빌의 팔이 자신의 어깨에 느껴질 때까지 그곳에 누워 있었다. 그는 빌이 자신을 만지기 전에도 그가 다가옴을 느꼈다."[51] 헤밍웨이는 이 장면을 두 번이나 다시 고쳐 썼다. 최종적으로 수정된 문장들은 다음과 같다.

닉은 빌이 숲속을 걸어 돌아 개간지로 들어오는 소리를 들으며 그곳에 누워 있었다. … 그런데 빌은 그를 만지지 않았다.

헤밍웨이는 닉과 빌의 신체적인 접촉을 완전하게 삭제함으로써 둘의 관계에서 동성애 의혹이 제기될 가능성을 근원적으로 차단했다.

헤밍웨이의 미완성 원고를 사후에 비글Susan F. Beegel이 편집해서 『헤밍웨이 리뷰Hemingway Review』에 게재한 「정열의 결핍」에는, 동성애에 대한 매혹이 더욱 분명하게 드러난다. 젊은 투우사 개비라Gavira는 여성에게 성적 매력을 느끼지 못하는 남성으로 설정된다. 그를 유혹해 성행위를 시도하던 호텔 메이드는 관계가 제대로 이루어지지 않자 "당신은 뭐지? 투우사, 당신은 뭐지? … 남색자?"라는 힐난 섞인 질문을 던진다. 그는 "단지 아무것도 아니야. 아무것도 아니야. 단지 아무것도 아니야"라고 대답한다. 개비라는 스스로의 성정체성에 대해 불분명한 인식을 드러내는 것이다.

버스를 타고 이동하다가 개비라는 투우사 살라스Salas를 만난다. 그는 살라스가 남성적이고 여자들에게 인기가 많은 일반적인 투우사들과는 "다르다"는 느낌을 받는다. "개비라는 살라스와 함께 있는 것이 좋았다. 그와 함께 있는 것은 개비라가 항상 느꼈던 구체적인 무엇인가를 의미했다." 살라스는 개비라가 다른 투우사들의 발에 걸려 넘어지려고 할 때 그를 도와주고 그들은 버스에서 마주앉는다.

> 개비라는 자리에 앉았고 그의 무릎이 살라스에게 닿았다. ⋯ 개비라는 생각하지 않았다. 그는 단지 거기에 앉아 있을 뿐이었다. 버스의 어둠 안에서 이제 그는 자신의 전부가 차분하고 평화로워짐을 느꼈다. 살라스는 그를 만지지는 않았다. 그것은 단지 사람들로 가득한 버스 안에서 그의 무릎이 개비라의 무릎을 압박하는 것이었다. 그것은 압박이 아니었다. 그것은 무릎이 그에게 닿은 것이었다. 살라스는 어둠 속에서 손을 개비라의 무릎에 올려놓았고 계속 거기에 머무르도록 했다.

「정열의 결핍」은 개비라가 자신의 성정체성에 눈뜨고 동성애에 빠지는 순간을 애틋한 정조로 그린 수작이다. 그러나 헤밍웨이는 살아 있는 동안 동성애자 성장소설로도 독해가 가능한 「정열의 결핍」을 완성시켜서 출판하지 않았다. 출판되지 않은 미완성 원고로만 존재했던 「정열의 결핍」은, 헤밍웨이가 수행했던 동성애와 관련된 자기검열을 분명하게 보여준다.

헤밍웨이의 문학은 동성애를 거부하려는 시도가 분노와 자기모멸이라는 분열적 반응으로 변화하는 순간을 포착해 그려낸다. 강박적으로 이성애자 정체성을 수호하려는 노력이 동성애자에 대한 분노와 열패감으로 귀결되는 『해는 다시 떠오른다』는 그 대표적인 사례다. 제1차 세계대전에서 입은 부상으로 성불구가 된 제이크는, 자신이 사랑하는 여인 브렛을 보면서 여전히 성적 욕망을 느낀다. "브렛은 엄청나게 보기 좋았다. 그녀는 머리를 넣어 입는 저지 스웨터와 트위드 스커트를 입고 있었다. … 경주용 요트의 선체 같은 그녀 몸의 곡선은 울 스웨터를 입어서 숨김없이 드러났다." 그러나 브렛은 성적 욕망을 실현할 능력을 상실한 제이크를 성적 파트너로 인정하지 않는다. 그가 브렛에게 입맞춤을 할 때 그녀는, "나 건드리지 마… 제발 나 좀 건드리지 마"라고 짜증을 내며 그를 거부한다. "왜 그래?"라고 반발하는 제이크에게 브렛은 "못 견디겠어"라고 답한다. 제이크의 남성섹슈얼리티 상실과 함께 "남성적 불패와 권위에 대한 확신"[52]도 사라져버린 것이다.

제이크는 성적 장애로 인해 자신이 남성동성애자와 똑같은 처지가 되었다는 사실을 깨닫는다. 여성과 성관계를 맺을 수 없는 자신은 남성동성애자들처럼 여자들이 "너무나 안전하게 술 마실 수 있는" 존재인 것이다. 그러나 제이크는 자신이 남성동성애자와 같은 처지가 된 것을 용납하지도, 수용하지도, 인정하지도 못한다. 제이크는 대중무도장에서 브렛과 함께 춤추는 남성동성애자들에게 강한 적개심과 분노를 느낄 뿐이다.

나는 매우 화가 났다. 어쨌든 그들은 나를 항상 화나게 한다. 그들은 재미있는 사람들이라는 것을, 그리고 관용해야 한다는 것을 나는 안다. 그러나 저 우월한 히죽거리는 태연함을 깨뜨리기 위해 나는 한 명을, 아무라도, 무슨 물건이든지 팔을 크게 휘둘러 때리고 싶었다. 그러는 대신에 나는 거리를 따라 내려가서 무도회장 옆의 술집에서 맥주를 마셨다. 맥주는 맛이 좋지 않았고 나는 내 입에 남은 맛을 없애기 위해 더 형편없는 코냑을 한 잔 마셨다.

여성과 성관계 할 수 있는 능력을 상실함으로써 자신은 가장 남성답지 못한 남성들과 같아졌다는 수치스러움과 좌절감이 남성동성애자들을 향한 증오로 투사되고 있는 것이다. 자신은 여성과의 성행위를 욕망함에도 불구하고 능력의 부재로 그러한 욕망을 실현할 수 없지만, 그들은 성적 능력이 존재함에도 불구하고 그것을 욕망하지 않는다는 사실 앞에서 제이크는 위축감과 열등감마저 느낀다. 그들은 성적 능력을 잃지 않았기 때문에 제이크 자신보다 "우월한" 부류라고까지 할 수 있기 때문이다.

제이크는 소설의 결말에 이르러 자신이 남성섹슈얼리티의 영역에서 패배하고 추방당한 "국외추방자"라는 사실을 인정한다. 브렛과 택시를 타고 움직이던 제이크는, "말을 타고앉아 교통을 지휘하는 카키색 제복을 입은 경관"이 "경찰봉을 쳐들어" 자신들에게 길을 지시하는 모습을 목격한다. 강렬한 남성성을 과시하는 경관의 모습과 극단적으로 대조되는, 성적 능력을 상실한 자신을 의식하면서 제이크는 남성성의 경합에서 패배한 자신의 처지를 고통스럽게 확인한다. 브렛은 "오, 제이크… 우리는 함께 정말 좋은 시간을 보낼 수 있었을 텐데"라고 안타깝게 말한다. 제이크는 다음과 같이 대답하고, 그의 대답과 함께 소설은 종결된다.

응, … 그렇게 생각하다니 예쁘지 않니?

(Yes, … Isn't it pretty to think so?)

그가 사용한 "예쁘다(pretty)"는 표현은 "여성의 말"[53]이라고 할 수 있다. 제이크는 동성애자의 특징으로 여겨지던 여성적인 말투를 흉내 내면서 자신이 남성섹슈얼리티를 상실한 성적 타자라는 현실을 자조적으로 수용하는 것이다.

잃어버린 혹은 새로 찾는

제1차 세계대전 이후 동성애가 확고한 성정체성으로 미국사회에 등록되면서, 미국남성들은 자신이 동성애자로 분류될지 모른다는 두려움과 함께 자신의 성정체성을 이성애자로 승인받아야 한다는 압박감을 느꼈다. 이들은 정상적인 남성성을 입증하는 데 강박적으로 집착하게 되었다. 적지 않은 수의 동성애자들이 활동하고 있던 문학예술 분야에 소속된 헤밍웨이가 의식했을 압박감의 강도는 극심했을 것이다.

이성애 정체성에 강박적으로 집착했음에도 불구하고, 헤밍웨이가 동

헤밍웨이는 어린 시절과 젊은 날, 그리고 나이가 들어서도 미국인들이 가장 좋아하는(All American) 외모를 전시했다. 여기에 문학적 재능과 열정, 독특한 스타일의 사생활이 더해져 그는 신화적 존재로 남을 수 있었다.

성애를 재현하는 방식은 일면적이기보다는 복합적이고 중층적이다. 헤밍웨이의 문학에는 동성애에 대한 지배적 시각을 넘어서는 지점이 존재한다. 헤밍웨이는 동성애자와 맞서서 정상적인 남성성을 수호하는 데 머물지 않았다. 그는 동성애자와 대면한 남성의 심리적 변화에 관해, 그의 내면에서 일어나는 욕망과 경멸, 증오와 갈등, 좌절과 체념에 대해 심층적으로 탐구하는 데까지 나아갔다.

헤밍웨이의 문학은 "잃어버린 세대"의 표류와 방황이 전후의 정치경제적·윤리적 혼돈에 의해서만은 아니라는 점을 보여준다. 이들의 방황은 유동적 섹슈얼리티로 인한 성정체성의 혼란과 동성애공포증 속에서의 자기분열에서 비롯되었을 수도 있음을 그려낸 것이다. 이들이 잃어버린 것은 단지 고향집이나 교회로 가는 길만은 아니었다.

6장

하드보일드 추리소설의 탐정은
왜 남성동성애자를 응징하는가

반공영화와 성서영화

내가 미성년자였던 시절에는 영화 단체관람을 가는 일이 잦았다. 초등학교 때는 학교 시청각실에서 영화를 봤고, 중학교 때부터는 학교 바깥으로 나가 광화문과 종로의 극장에서 영화관람을 했다. 주로 우리나라에서 만든 반공영화였고, 기독교 성서의 서사를 담은 할리우드 영화일 때도 있었다. 비록 학교행사이기는 했지만 평일 낮 극장에서 영화를 보는 일은 해방감을 주기에 충분했다.

그때 본 반공영화의 내용은 잘 기억나지 않지만, 몇 개의 장면은 비교적 선명하게 떠오른다. 한국전쟁이 배경인 영화를 보러간 적이 있었는데, 당시 최고의 인기를 구가하던 여배우의 상반신이 드러나는 장면이 나왔다. 한국영화의 노출수위가 높지 않던 때였고, 산만하고 시끄럽던 아이들이 한순간에 조용해졌다. 극장 안에는 정적이라고 부를 수밖에 없는 고요함이 흘렀다. 동창들 모임에서 지금도 이 영화 얘기가 나오는 것을 보면, 그 영화장면을 목격하던 순간은 10대를 통과하던 우리에게 집단

기억(collective memory)으로 남은 것 같다.

성서영화의 내용은 대부분 기억이 난다. 솔로몬 왕과 시바의 여왕 사이의 로맨스, 데릴라의 유혹과 삼손의 몰락, 모세와 이스라엘 민족의 이집트 탈출, 소돔과 고모라의 멸망에 관한 영화들이었다. 모두가 대작이었고 특수효과도 뛰어났다. 하지만 가장 강렬한 인상은 스크린을 가득 채우던 여성의 육체로부터 왔다. 최소한으로 은폐된 여성들의 몸이 압도적인 스펙터클로 전시되었기 때문이다. 이교도의 춤을 출 때, 남성을 유혹하거나 살해할 때 그들의 육체는 불온하면서도 전위적이었다.

절대권력자가 미풍양속이 훼손되는 사태를 매우 근심하던 시절에, '미성년자 관람가' 영화에서, 이토록 파격적인 스펙터클이 어떻게 허용될 수 있었을까? 그것은 '단체로' '관람시킨' 영화들이 지배이데올로기를 옹호하고 유포하는 영화들이기 때문에 가능했다. 반공과 기독교는 해방 이후 그 시절까지, 어쩌면 지금까지도, 한국사회를 장악한 강력한 이데올로기였고, 반공영화와 성서영화는 그 두 개의 축 위에 우뚝 서 있었다.

'믿는 구석'이 있을 때 — 지배이데올로기를 강화하는 역할을 하거나 지배세력의 진영 안에 있을 때 — 영화의 표현은 제약과 금기로부터 자유로워진다. 검열을 의식할 필요도 없고, 가위질을 당하지 않기 위해 표현의 수위를 조절하지 않아도 된다. 반공이데올로기와 기독교윤리를 선전하던 영화에서 섹슈얼리티 재현이 그토록 거침없었던 이유다. 민망한 역설이다.

지배이데올로기 진영과 함께할 때 거칠 것 없이 과감해지는 것은 문학도 마찬가지였다. 하지만 지금부터 이야기할 하드보일드 추리소설은 그럴 수 있는 문학이 아니었다. '믿는 구석'이 하나도 없었고, 그래서 몸을 사릴 수밖에 없었다. 하드보일드 추리소설의 기본설정 — 남성성을 자랑하는 탐정과 성적 매력으로 무장한 팜므 파탈femme fatale의 등장 — 만 가지고 판단한다면, 이 소설장르는 매우 선정적일 수도 있을 것이다. 하지만 하드보일드 추리소설의 섹슈얼리티 재현은 매우 건조하다. 성적인 묘사도 제한적이고, 인물들도 차라리 청교도적이다. 짐작과는 다른 하드보일드 추리소설의 '밋밋한' 섹슈얼리티 재현은, 이 소설장르가 지배세력과는 정반대 진영에 속했기 때문이었다.

하드보일드 추리소설 작가들의 대부분은 급진적인 사회운동에 참여하거나 좌파적인 시각을 견지한 사람들이었다. 이들은 지배이데올로기에 대한 반발과 지배진영과의 불화와 충돌에 망설이거나 주저하지 않았다. 이들의 치열한 저항에는 무정부적인 급진성마저 엿보일 정도였다. 하드보일드 추리소설은 지배체제와 경합하는, 불온해 보일 수밖에 없는 계급적·경제적 메시지를 구성하고 유포했다.

하드보일드 추리소설 작가들의 문화적 배경이나 이들이 소설을 발표한 매체 역시 문학권력의 호감을 사기에 많이 부족했다. 이들은 체계적인 문학수업을 받은 경험이 없었고 문학엘리트와 우호적 관계를 맺을 기회도 갖지 못했다. 더구나 하드보일드 추리소설은 정통문예지가 아니라, 펄프 잡지(pulp magazine)로 불린 '저속한' 대중지를 주요 발표지면으로 삼아 등장했다.

하드보일드 추리소설은 섹슈얼리티 재현에 있어 결코 과감할 수 없었다. 지배이데올로기와 한편이 되기보다는 경합하고 충돌했기 때문이었다. 하드보일드 추리소설에서 성적인 묘사가 매우 제한적이고 소극적으로 이루어진 이유다. 뒤돌아보지 않고 힘차게 나아가던 하드보일드 추리소설의 질주는 섹슈얼리티 재현이 일어난 지점에서 멈췄다.

하드보일드 추리소설은 지배이데올로기와 경합하고 충돌했을 뿐 아니라 협상과 타협도 시도했다. 여기에 있어서는 다른 모든 범죄소설과 다르지 않았다.[54] 하드보일드 추리소설은 남성동성애자를 협상의 카드로 내밀었다. 하드보일드 추리소설 속에서 남성동성애자는 조롱과 모욕을 당하다가 결국에는 잔혹하게 응징되는 존재로 처리된다. 자신들 역시 패권적 남성섹슈얼리티를 수용하고 지지하고 있음을 보여주려 한 것이다. 하드보일드 추리소설은 정치적 불온성과 계급적 전복성을 지배적 남성섹슈얼리티의 옹호와 강화로 상쇄시키려는 협상전략을 채택했다.

올바른 남성동성애 논의를 위해

강하고 거친 남성성을 전시한다고 알려진 하드보일드 추리소설에는 성정체성에 의문을 품게 만드는 남성인물이 자주 목격된다. 이 소설장르를 대표하는 탐정인 말로Philip Marlowe를 보더라도, 그는 이성에 대한 관심을 드러내지 않고 매력적인 여성의 유혹을 거부하는 인물로 그려진다. 하드보일드 추리소설에 등장하는 "강하고 잘생기고 정직한 남성들은 항상 독신이고, 이들은 예외 없이 다른 독신남성과 가장 좋은 관계"[55]를 맺는다.

하드보일드 추리소설에는 남성동성애자가 주요인물로 등장하는 경우가 적지 않다. 하드보일드 추리소설의 공인된 창시자인 해밋Dashiell Hammett의 소설과 챈들러Raymond Chandler의 말로 연작만을 살펴보더라도 그렇다. 해밋의 『몰타의 매(The Maltese Falcon)』에는 카이로Joel Cairo, 구트만Casper Gutman, 윌머Wilmer Cook가 동성애자로 등장한다. 『유리열쇠(The Glass Key)』에는 보몬트Ned Beaumont와 매드빅Paul Madvig, 닉Nick Varna이 남성동성애자들이다. 챈들러의 『깊은 잠(The Big Sleep)』에는 가이거Arthur Geiger와 룬드그렌Carol Lundgren과 캐롤Carol이 동성애를 구현한다. 『안녕 내 사랑(Farewell, My Lovely)』에는 메리어트Lindsay Marriott와 앰소Frances Amthor가 동성애자로 설정된다.

남성동성애의 높은 가시성에도 불구하고, 하드보일드 추리소설의 남성동성애에 관한 비평적 관심은 매우 낮다. 하드보일드 추리소설 연구는 남성동성애를 우회해 여성동성애에 배타적으로 집중하기 때문이다. 이런 현상은 하드보일드 추리소설을 각색한 누아르 영화(Film Noir)에서 동성애 연구가 남성동성애를 배제하고 여성동성애를 중심으로 진행된 데서 비롯된다.[56]

하드보일드 추리소설 연구에서도 동성애 논의는 누아르 영화연구와 마찬가지로 여성동성애를 중심으로 전개된다.[57] 남성동성애자가 자주 그 모습을 드러내고 있지만, 남성동성애는 하드보일드 추리소설 연구에서 "명백하게 고려의 대상이 되지 못한"[58] 것이다. 그렇기 때문에 챈들러의 『안녕 내 사랑』에 등장하는 말로와 레드Red Norgaard를 둘러싼 논쟁은, 하드보일드 추리소설 연구에서 남성동성애가 활발하게 논의된 극히 예

해밋이 드러낸 삶의 궤적은 열혈투사에서 가정을 버린 호색한에까지 걸쳐 있다. 다층적이고 복합적인 삶의 양태에도 불구하고, 그는, 무엇보다도, 하드보일드 추리소설의 창시자로 남는다.

외적인 경우가 된다.

『안녕 내 사랑』에서 말로는 레드의 외모에 예민하게 반응하는 것으로 재현된다. 그는 레드의 외모를 다음과 같이 묘사한다.

당신이 한 번도 보지 못한, 오직 책에서 읽어보았을 눈을 지녔다. 보라색 눈. 거의 자주색인… 피부는 약간 붉은색이기는 하지만 검게 그을리지는 않았다. 그는 헤밍웨이보다는 더 크고 수년 더 젊었다. 그는 무스 멀로이 Moose Malloy처럼 크지는 않았지만 매우 민첩해 보였다. 그의 머리카락은 빛나는 금빛에 붉은 색조가 있었다.

말로는 실존적 불안을 레드에게 고백하고 위로를 받는다. 말로는 레드에게 자신이 "몸이 뻣뻣해질 정도로 겁이 난다"고 고백하고 자신이 맡았던 사건에 대해 "의도했던 것보다 훨씬 더 많이" 이야기한다. 말로는 레드로부터 위안을 얻는 것으로 그려진다. 레드는 "내게 가깝게 몸을 기울였고 그의 숨결이 내 귀를 간질였다." 레드는 "내 손을 잡았다. 그의 손은 단호했고 단단했고 따뜻했으며 약간 끈적거렸다." 그 순간 말로는 혼란스럽고 불안했던 마음이 진정됨을 느낀다.

『안녕 내 사랑』에서 말로와 레드의 관계는, 다양한 해석을 낳은 남성 동성애 연구의 희귀한 사례다. 하지만 말로와 레드를 둘러싼 논의는 표피적이고 파편적인 그리고 소모적이기까지 한 논쟁에 머물렀다. 논의는 두 남성인물의 관계가 동성애적 관계인지 아닌지를 판정하는 데 집중될 뿐, 남성섹슈얼리티와 관련된 심도 있는 사유로까지는 나아가지 못했기 때문이다.

문화비평가 레그맨Gershon Legman은 "챈들러가 창조한 말로는… 덩치 큰 남성에 대해 몰입하는… 분명한 동성애자"라고 단언한다. 1980년대와 1990년대 중반까지 우리나라에서도 열정적인 추종자를 다수 거느렸던, 미국의 대표적인 마르크스주의 문학이론가 제임슨Fredric Jameson은 레그맨의 시각에 반대한다. 제임슨은 말로가 레드에 대해 느끼는 유대감은 동성애적인 감정이 아니라 "감상주의적 남성연대"라고 주장한다. 문학비평가 스미스Jonathan Smith도 제임슨과 같은 입장을 표명한다. 그는 말로와 레드의 관계가 전혀 성적인 것이 아니라고 본다. 말로는 레드를 자신과 같은 원칙주의자로 보고 "동지"로 여기기 때문에, 이들의 관계는 성애가 아니라 "동료애"에 바탕을 두고 있다는 것이다. 이 소설을 쓴 챈들러 역시 "내게는 레그맨 씨가 두 명의 남성 사이의 친밀한 우정에 대해 오직 동성애로만 인식하는 미국 신경증환자의 여러 부류에 속하는 것으로 보인다"[59]고 주장하며 말로와 레드의 관계를 동성애로 규정하는 것을 비난한다.

『안녕 내 사랑』을 둘러싼 논쟁이 보여준 것처럼, 하드보일드 추리소설에서 남성동성애에 관한 논의는 남성인물 사이에 동성애적 욕망이 드러나느냐에 맞춰졌다. 미리 말해두자. 우리는 성애적인 측면이 아니라 계급을 중심으로 남성동성애에 접근할 것이다. 하드보일드 추리소설에서 남성동성애는 성적 욕망이 아니라, 특정계급과 관련된 의상과 치장, 생활양식을 통해 재현되기 때문이다. 남성동성애자를 단지 성애적인 존재로만 거론하는 것은 결코 올바른 접근이 될 수 없다.

하드보일드 추리소설 탐정의 전범을 완성한 챈들러는 거칠고 독립적인 터프가이 탐정과는 극단적으로 다른, 섬세하고 돌봄이 필요한 남자였다. 아내의 사랑 속에서 그의 문학은 탄생했고, 그녀의 죽음으로 그의 문학적 삶도 끝났다. 억세고 강인한 텍스트 밖에서 펼쳐진 순애보였다.

하드보일드 추리소설에는 남성동성애자에 대한 처벌이 빈번하게 나타난다. 빠지지 않고 등장하는 동성애자 처벌은 이 소설장르에 동성애혐오증이 내장되어 있다고 판단하기 쉽게 만든다. 그러나 남성동성애자에 대한 폭력적 응징은 동성애혐오나 정상적인 남성성 입증에 대한 강박에서 나오는 것이 아니다. 동성애자 처벌은 계급적 고려에서 이루어진, 하드보일드 추리소설이 시도한 타협이기 때문이다.

투사와 호색한, 그리고 하드보일드 추리소설의 창시자 — 대실 해밋

해밋(1894~1961)이 그린 삶의 풍경은 인간이 얼마나 다층적이고 모순적인 존재인지를 생생하게 보여준다. 그는 자신의 정치적 신념을 지키기 위해 투옥과 처벌을 두려워하지 않던 투사였다. 공산주의자들을 뿌리 뽑겠다는 사상검증운동인 매카시즘McCarthyism의 광풍에 맞서, "공산주의가 내게는 더러운 이름이 아니다"라고 발언한 1953년의 상원청문회는 그의 지사적 삶의 정점이었다. 해밋은 또한 다수의 여성과 동시다발적으로 깊고 무책임한 관계를 맺은 난봉꾼으로 기억된다. 20년 가까운 결혼 기간 내내 그는 끊임없는 여성편력을 보여주었다.

가난한 가정에 태어나 제도교육의 수혜를 받지 못한 해밋은 삶의 밑바닥과 그 참담함을 몸으로, 속속들이 겪으며 자랐다. 그에게는, 두 차례 세계대전에 참가했던 군대경력을 제외하고는, 핑커톤 전국탐정사무소(Pinkerton National Detective Agency)의 요원으로 보낸 7년이 가장 내세울 수 있는 경력으로 남았다. 탐정사무소에서의 경험은 그가 하드보일드 추리소설을 쓰는 데 커다란 도움을 주었다. 첫 번째 장편소설인 『피의 수확(Red Harvest)』과 두 번째 장편소설 『대인가문의 저주(The Dain Curse)』(1929)는 그 시절의 자전적 기록으로도 읽힌다.

해밋은 하드보일드 추리소설의 창시자로 승인된다. 하드보일드 추리소설은 그를 통과하면서 장르적 존재감을 지니게 됐기 때문이다. 1927년『피의 수확』이 펄프 잡지인『블랙마스크Black Mask』에 연재되면서, 하드보일드 추리소설은 비로소 장르적 인장을 찍을 수 있었다.『몰타의 매』(1930)와『유리열쇠』(1931),『마른 남자(The Thin Man)』(1934)를 쓰고 난 후 해밋은 문학창작에서 정치활동의 세계로 이동한다. 책상 앞에서 소설을 쓰기에는 그를 둘러싼 1930년대 미국의 혁명적 열기가 너무 뜨거웠던 까닭이다.

1937년 미국공산당에 가입한 해밋은 1941년에는 미국작가동맹(League of American Writers)의 회장으로, 1946년에는 민권대표회의(Civil Rights Congress)의 의장으로 선출된다. 좌파활동가로서의 삶은 그에게 시련과 고난을 마침내는 파멸을 안겨주었다. 그는 투옥되어 수형생활을 했고, 국세청은 10만 불에 이르는 체납세금을 추징하기 위해 미래수익까지 포함한 그의 모든 재산을 압류했다. 해밋은 친구 소유의 낡은 오두막에서 말년을 보내다 폐암에 걸려 세상을 떠났다.

『몰타의 매』(1930)

원덜리 양Miss Wonderly이 스페이드Sam Spade의 탐정사무소를 방문해 서스비Floyd Thursby와 함께 도망간 여동생을 찾아달라는 의뢰를 하는 것으로 소설은 시작된다. 서스비를 미행하던 스페이드의 파트너인 아처Miles Archer가 피살되고 서스비도 살해당한다. 스페이드는 원덜리 양의 본명이 브리지드Brigid O'Shauhnessy라는 사실과 그녀가 거짓말을 했다는 것을 밝혀낸다.

카이로와 구트만이 찾아와 검은 새의 조각상을 찾아내라고 스페이드를 겁박한다. 수사를 통해 스페이드는 검은 새의 조각상이 200만 불의 값어치를 지닌 16세기 몰타의 보석이라는 것과 브리지드가 서스비와 아처 살해사건의 배후라는 사실을 밝혀낸다. 혐의를 모두 인정한 그녀는 스페이드에 대한 사랑을 고백하며 용서를 구하지만, 그가 브리지드를 경찰에 넘기면서 소설은 종결된다.

남성동성애의 계급성

"남성섹슈얼리티에 관한 사고를 통제하고… 중간계급 이데올로기를 지배했던 이성애-동성애 이분법"[60]은 20세기 초엽의 미국 노동계급에게는 적용될 수 없다. 이 시기 미국사회에서 남성섹슈얼리티를 향한 시각은 계급에 따라 그 차별성을 극명하게 드러냈기 때문이다. 노동계급에게는 남성의 성정체성을 판단하는 기준이, 성적 지향이 아니라 의상과 행동양식에서 보이는 계급성이었다. 이들은 동성애자를 상류계급 남성과 매우 유사한 부류로 파악했다. 동성애자와 상류계급 남성은 문화적 세련됨, 행동과 어법에 있어서의 과도한 예의, 장식성이 두드러진 의상, 여성적인 소비와 사치라는 공통적인 특성을 지닌다[61]고 인식했기 때문이다.

하드보일드 추리소설에서 남성동성애자 재현은 당대 노동계급의 시각을 그대로 반영한다. 하드보일드 추리소설에서 남성동성애자는 화려한 외양과 소비적인 생활양식으로 대변되는 상류계급 남성의 이미지로 그려지기 때문이다. 20세기 초 미국 상류계급 남성의 패션을 대표하는 아이템으로는, "현란한 의상, 녹색 양복, 아랫단을 달라붙게 접은 바지, 나풀거리는 반코트, 붉은 타이, 스웨드 가죽구두 혹은 굽이 높은 구두, 모자에 두른 띠에 꽂인 깃털 등"[62]이 있었다. 상류계급 남성들은 향수와 보석, 가구와 장식품 등에 과도하게 집착하고, 화려하고 사치스러운 생활 양식과 품격 있는 소비를 추구한다고 알려졌다.

『몰타의 매』에서 스페이드의 여비서로 등장하는 에피Effie Perine는, 사건을 의뢰하기 위해 탐정사무실을 방문한 카이로를 처음 보고도 카이로가 "동성애자"라고 단언한다. 그녀가 이렇게 단정적인 결론을 '빠르게' 내릴 수 있었던 이유는 카이로의 복식이 상류계급 남성의 패션과 매우 흡사하다는 데 있다. 카이로의 패션은 다음과 같다.

> 그의 짙은 초록색 크라바트에는 사면이 갸름한 사각형의 다이아몬드로 장식된 네모나게 깎은 루비가 빛나고 있었다. 좁은 어깨에 딱 붙게 재단된 검은색 코트는 약간 살찐 엉덩이 조금 위에서 너풀거렸다. 바지는 그의 둥근 다리에 지금 유행보다는 더 타이트하게 붙어 있었다. 그가 신은 에나멜 가죽구두의 윗부분은 얇은 황갈색 각반에 가려져 있었다. 그는 검정색 중산모자를 섀미가죽장갑 낀 손으로 들고 있었다.

카이로는 향수와 보석 등을 즐겨 사용하는 남성으로 재현된다. 그는 "시프레chypre 향수"를 선호하여, 옷뿐만 아니라 "명함과 실크 손수건에도 시프레 향수를 뿌려" 사용한다. 심지어 그가 얼굴을 가격당해 피를 흘리며 "여자가 비명을 지르는 것처럼 비명을 지르는" 순간에도 "카이로의 손수건은 방 안에 시프레 향기를 퍼뜨린다." 그는 또한 다양한 종류의 보석과 장신구를 착용하는 남성으로 그려진다. "카이로의 왼손 두 번째와 네 번째 손가락에는 다이아몬드가 반짝거렸고" "오른손 세 번째 손가락에는 다이아몬드가 끼워져 있었고""타이에는 루비가 꽂혀 있었다." 그는 "흰색의 작은 배(pear) 모양의 금속 펜던트가 백금과 적금으로 된 줄에 달린 백금 시계"를 항상 지니고 다닌다.

『몰타의 매』에는 카이로를 배후에서 조종하는 거물범죄자 구트만이 등장한다. 구트만이 동성애자라는 사실도 그의 의상과 장신구를 통해 제시된다.

그는 검정색 모닝코트와 검정색 조끼를 입고 핑크빛 진주로 고정한 폭이 넓은 검정색 공단 넥타이를 매고, 회색 소모사로 지은 줄무늬 바지를 입고 에나멜 가죽구두를 신었다.

그는 심지어 총기류도 장식적인 것을 사용한다. 구트만은 "은과 금, 파란 조개로 장식한" 권총으로 스페이드를 위협한다.

『안녕 내 사랑』에 등장하는 메리어트의 성정체성 역시 의상에서의 세련된 취향과 보석과 향수에 대한 집착을 통해 드러난다. 사건의뢰를 받기 위해 집으로 찾아온 말로에게 메리어트는 아래와 같은 모습으로 처음 등장한다.

문이 소리 없이 열렸고 흰색 플란넬 양복을 입고 목에는 보랏빛 공단 스카프를 맨 키가 큰 금발의 남자가 보였다. 흰 양복 상의의 깃에는 수레국화가 꽂혀 있었고… 블론드 머리는 정확하게 삼단으로 정리되어 있었다.

그는 "마른 눈가루처럼 곱고 하얗고 얇은 삼베수건"을 사용하고, 말로와 대화를 나누는 중에도 새끼손가락에 각기 다른 보석을 교대로 끼어본다. 말로는 "메리어트 옆을 지나칠 때 강한 향수냄새"를 맡는다.

남성동성애자의 호화롭고 사치스러운 삶의 방식은 의상뿐 아니라 그들의 거주공간에서도 잘 드러난다. 이들은 집을 진귀한 골동품과 동양에서 들여온 고가구로 이국적으로 치장하거나 예술품으로 품격 있게 장식한다. 챈들러의 『깊은 잠』에 등장하는 가이거의 집 안에는 "중국 자수와 중국과 일본의 판화"가 걸려 있고, 바닥에는 "핑크빛의 두터운 중국 양탄자"가 깔려 있다. 그는 "조각이 새겨진 커다란 램프"와 "비취색 전등갓과 긴 장식 술이 달린 램프", 그리고 "귀퉁이마다 괴수의 머리모양이 조각된 검정색 책상"과 "팔걸이와 등받이에 조각이 새겨지고 노란색 공단 쿠션이 깔린 검정색 의자"를 사용한다.

『안녕 내 사랑』에서 메리어트가 사는 집의 실내풍경 또한 남성동성애자의 세련된 취향을 잘 보여준다.

커다란 스튜디오식 거실에는… 뚜껑이 닫힌 콘서트용 그랜드 피아노 한 대가 있었다. 피아노 한쪽 구석의 복숭아 색깔 벨벳 조각 위에는 키가 큰 은제 꽃병이 서 있었고 그 안에는 노란색의 장미 한 송이가 꽂혀 있었다. … 수없이 많은 쿠션이 바닥에 놓여 있었고 몇 개에는 금빛 장식 술이 달려 있었다. … 거실의 그늘진 구석에는 다마스크직damask을 씌운 침대소파가 있었다. … 아스타 디알Asta Dial이 조각한 〈새벽의 영혼〉도 받침대 위에 놓여 있었다.

메리어트의 집은 "사람들이 발을 무릎 위에 올려놓고 앉아 압생트 absinthe를 각설탕과 함께 조금씩 마시며 뽐내는 목소리로 이야기를 하는", "일하는 것 말고는 모든 것이 일어날 수 있는" 곳으로 규정된다.

하드보일드 추리소설에서 남성동성애자 재현은 의상과 거주공간뿐 아니라 예법과 언어, 예술적 감식안 등과 같은 상류계급의 문화적 기호와 밀접하게 연관된다. 이들은 음악과 문학, 미술에 조예가 깊은 문화자본의 소유자들로 재현된다. 『안녕 내 사랑』의 메리어트는 고미술품과 골동품 애호가인 동시에 보석류에 대해서도 해박한 지식을 자랑한다. 『깊은 잠』에서 가이거는 유럽문학에 정통하고 고서와 희귀본에 대해 전문가적인 소양을 지닌 인물로 등장한다. 『몰타의 매』의 구트만 역시 유럽의 식탁예법에 정통하고 뛰어난 불어 구사력을 자랑한다. 그는 영어로 말할 때는 영국식 억양을 쓰는 인물로 설정되어 남성동성애자와 상류계급과의 연관성을 뚜렷하게 보여준다.

다시 쓰자. 하드보일드 추리소설에서 남성동성애자는 성적 쾌락의 향유자가 아니다. 이들은 상류계급의 문화자본을 과시하는 댄디나 예술적 호사가들이다. 『몰타의 매』에서 카이로의 동성애는 성적 욕망이 아니라 지갑 안에 넣어둔 "오페라 1등석(orchestra seat) 티켓"을 통해 제시되는 것이다. 하드보일드 추리소설은 남성동성애자를 영국식 억양으로 말하고, 유럽식 식사예법을 지키고, 사교계의 언어인 프랑스어를 잘하는 남성으로 재현함으로써 동성애의 계급성을 명확하게 한다.

범죄적 재현과 그 효과

하드보일드 추리소설이 등장한 1920년대 초반[63]은 미국사회의 양극화가 빠르게 진행되던 시기였다. 상류계급은 경제규모 확대로 인한 과실을 독차지한 반면, 노동계급은 저성장과 실업사태로 극심한 고통을 겪었다. 경제격차를 해결하기 위해 다양한 경제부흥정책과 사회보장정책이 시행되었지만, 상류계급에 의한 산업의 독점과 공공자산의 부당한 사유화로 성공을 거두지 못했다.[64] 미국대중이 상류계급을 부패하고 타락한 경제권력으로 인식하게 된 것은 그 자연스러운 귀결이었다.

상류계급에 대한 대중의 부정적인 시각은 하드보일드 추리소설에 그대로 반영된다고 할 수 있다. 하드보일드 추리소설에서 상류계급은 공권력과 결탁해 불법적인 방식으로 부를 축적하는 추하고 혐오스러운 자들로 그려지기 때문이다. 『안녕 내 사랑』에서 상류계급은 "도시를 지배하고 시장을 당선시키고 경찰을 부패시키고 마약을 밀거래하고 악당들을 숨겨주는" 자들로 정의된다. 다른 계급구성원들이 빈곤 속에서 비참한 삶을 살아갈 때도 이들은 풍요롭고 호화스러운 삶을 구가한다. 이들은 "버킹엄 궁전보다는 작은" 집을 소유하고 "거대한 푸르른 폴로 경기장과 그 옆에 똑같이 거대한 연습장"에서 그들만의 교제를 즐긴다. 이들은 햇볕마저도 자신들만을 위한 "특별한 상표의 햇볕"으로 사유화하는 것이다. 『깊은 잠』에서 말로가 "그들은 나를 역겹게 한다"고 말하는 장면은 상류계급에 대한 대중의 적대감을 잘 드러낸다.[65]

하드보일드 추리소설은 남성동성애자를 재현할 때 화려한 외양과 문

투박하고 거친 노동계급 남성성을 드러내는 하드보일드 추리소설의 탐정과는 극명하게 대조적으로, 남성동성애자는 문화자본을 소유한 상류계급의 이미지로 재현되었다. 영화 〈몰타의 매〉(1941)에 등장하는 남성동성애자 카이로(오른쪽)와 구트만.

화자본의 과시를 강조하여 상류계급과의 유사성을 부각시켰다. 상류계급이 극도로 부정적으로 인식되던 시대적 상황을 고려할 때, 상류계급의 이미지로 등장하는 남성동성애자가 혐오스러운 범죄자로 그려지는 것은 전혀 놀라운 일이 아니다. 하드보일드 추리소설에서 남성동성애자는 그 표피적 세련됨에도 불구하고 내면적으로는 범죄적 욕망과 이기심으로 가득한 천박한 자들로 재현된다. 그럼으로써 남성동성애자는 상류계급의 탐욕과 도덕적 타락을 간접적으로 폭로하게 된다.

하드보일드 추리소설에서 동성애와 범죄성은 같이 간다. 하드보일드 추리소설에 등장하는 동성애자는 대개 범죄를 주도하거나 범죄와 깊게 연루된, 혹은 범죄를 해결하는 데 방해가 되는 존재이기 때문이다. 이들은 범죄 중에서도 가장 추하고 저열한 범죄를 저지르는 자들로 그려진다. 남성동성애자들은 음란물이나 마약을 거래하고 미성년자를 성적으로 착취한다. 『깊은 잠』에서 "음란서적 장사치"로 등장하는 가이거는 그 대표적인 경우다. 그는 "묘사할 수 없을 정도로 음란한 사진과 글"로 채워진 "정교하게 음탕한" 서적을 직접 제작하고, 그것들을 대여하는 서점을 운영한다. 그는 미성년자 여성을 약물에 취하게 한 후 나체사진을 찍어 그녀를 협박하고 통제하는 수단으로 삼는다.

하드보일드 추리소설에서 동성애자는 가장 저열한 범죄자일 뿐 아니라, 동료에 대한 의리나 연인에 대한 헌신과 같은 덕목을 전적으로 결여한 남성들로 재현된다. 이들은 이익을 위해서라면 동료나 연인을 배신하고 경찰에 팔아넘기는 일도 서슴지 않는다. 자신의 비서 월머를 "아들보다 더 사랑한다"고 공언하던 구트만은 월머에게 모든 범죄의 책임을 뒤집어씌우자는 제안에 찬성한다. 카이로 역시 자신의 연인인 월머를 "희생양"으로 만들자는 음모에 대해 "받아들일 수밖에 없다"고 동의한다. 이런 모습을 지켜보던 스페이드는 카이로와 월머를 가리키며 "진정한 사랑"이라고 "활짝 웃으며" 조롱한다.

하드보일드 추리소설에서 남성동성애자는 우발적으로 폭력에 개입하거나 생존을 위해 절도나 강도행위에 참가하지 않는다. 이들은 음란물을 생산하고 그것으로 협박하며, 작은 이득을 위해서도 서로를 배신한다. 가장 비열한 범죄자로 재현된 남성동성애자는 상류계급의 불법성과 부도덕성을 효과적으로 환기시켜준다.

너무나도 다른 남성, 탐정

하드보일드 추리소설에서 탐정은 남성동성애자와는 극명한 대조를 이룬다. 동성애자가 패션과 용모와 실내장식에 과도한 관심을 보이는 남성으로 재현된다면, 탐정은 사치스러운 장식이나 호화로운 치장과는 무관한 인물로 등장한다. 상류계급의 문화자본을 과시하는 남성동성애자와는 다르게, 하드보일드 추리소설의 탐정은 문화적 소양을 결여한 "무산계급 출신의 거친 사내(proletarian tough guy)"[66]로 그려진다.

『몰타의 매』에서 탐정으로 등장하는 스페이드는 "옷을 어울리게 잘 입는 것과는 거리가 먼", "팔, 다리, 몸통이 두껍고… 크고 둥근 어깨"를 지닌, "곰과 같은" 인물로 설정된다. 그는 남성동성애자의 "부드럽고 잘

관리되어 있는" 손과는 전혀 다른 "손가락이 굵고 투박한" 손을 지니고 있다. 동성애자가 고급스러운 소비를 통해 세련된 취향을 과시한다면, 스페이드는 품격 있는 소비와는 거리가 멀다.

기호품과 관련된 지점에서 탐정과 남성동성애자의 차이는 두드러진다. 동성애자인 구트만은 "코로나스Coronas del Ritz" 같은 최고급 시가만을 즐긴다. 반면에 스페이드는 "싸구려 담배가루를 누런 종이"에 말아 "돼지가죽과 니켈도금"으로 된 볼품없는 라이터로 불을 붙여 피운다. 『안녕 내 사랑』에서도 동성애자인 메리어트가 "프랑스 제품인 에나멜 담배케이스"를 사용하고 "금색 띠를 두른 남미의 몬테비데오산 담배"를 피우는 것과는 대조적으로, 말로는 담배케이스를 사용하지 않으며 대중적인 미국산 담배인 "카멜을 즐기는" 것으로 나온다.

거주공간을 통해서도 남성동성애자와 탐정은 차별성을 극명하게 드러낸다. 고급스럽고 호화스러운 공간에 거주하는 남성동성애자와는 달리, 탐정은 협소하고 보잘것없는 곳에 머문다. 『몰타의 매』에 등장하는 스페이드는 "침대를 올려 벽에 붙이면 침실이 거실이 되는" 좁은 아파트에서 산다. 그의 처소는 "쇠사슬에 매달린 사발 모양의 흰 전구만이 천장 가운데서" 빛을 밝히고 "양철로 된 자명종" 소리가 요란하게 울리는 초라한 곳으로 그려진다.

남성동성애자와 탐정은 예법과 격식에 있어서도 상반된 모습을 보인다. 술을 마실 때 메리어트는 "최고급(five-star) 코냑"을 브랜디 잔에 따라 조금씩 음미하며 마신다. 그러나 스페이드는 음주예법 같은 것에 전혀 개의하지 않는다. 그는 럼주를 와인글라스에 가득 따라 단숨에 마셔

버린다. 대화를 나눌 때도 남성동성애자는 "새가 지저귀듯 경쾌하게" 그리고 "무용가처럼" 우아하게 말한다. 반면에 탐정은 과묵하고 감정표현에 인색하며, 저속하고 폭력적인 말투를 사용한다. 『안녕 내 사랑』에서 메리어트가 조각품의 제목이 〈새벽의 영혼〉이라고 알려줄 때, 말로는 그 조각품의 제목은 〈엉덩이에 생긴 두 개의 사마귀(Two Warts on a Fanny)〉가 낫겠다고 거칠고 퉁명스럽게 말한다.

하드보일드 추리소설에서 탐정은 세련되지 못하고 투박한 노동계급 남성의 면모를 지닌 것으로 그려진다. 그와 동시에 탐정은 성실성과 책임감, 희생정신 같은 덕목을 구현하는 인물로 재현된다. 거의 예외 없이 탐정은 투철한 직업윤리로 무장하고 자율적으로 판단하고 행동하는, 자신의 노동에 대해 강한 자부심을 느끼는 인물들로 설정되는 것이다.[67] 거칠고 단순하지만 "자족적이며 자신감 넘치고", "직업적 자부심"에 가득한 인물인 말로는 그 대표적인 사례다.

『안녕 내 사랑』에서 말로의 수사에 결정적인 도움을 주는 전직 경찰관 레드는, 하드보일드 추리소설이 탐정에게 드러내는 호의적인 재현의 또 다른 경우다. 레드는 노동으로 거칠어진 "단호하고 단단한 손"을 지니고 "눈을 제외하고는 무대에 올릴 만한 미남자와는 거리가 먼 농부의 얼굴"을 한, 치장과 소비와는 무관한 삶을 살아가는 노동계급 남성이다. 그는 명예를 중시하고 규정을 준수하며 도덕적 엄정성과 약자에 대한 배려심을 지닌 인물이다. 레드는 남성동성애자와는 극단에 위치한 남성으로 그려지는 것이다. 그렇기 때문에 말로가 레드에 대해 표시하는 호의와 관심을 동성애적 매혹의 유무 차원에서 살펴보는 것은 올바른 접근이 될 수 없다. 이 두 인물 사이에 흐르는 감정은 정직하고 성실하게 살아가는 노동계급 남성 사이의 '계급적' 연대감이나 친밀감으로 보아야 한다.

남성동성애자와는 너무나도 대조적인 탐정의 재현은 상류계급의 부도덕성과 부패를 간접적으로 폭로한다. 노동계급 남성인 탐정의 도덕적 엄정성과 헌신성과 비교할 때, 상류계급 이미지의 남성동성애자가 드러내는 내면적인 비천함은 더욱 부각되기 때문이다.

멜로드라마의 삶을 살다간 하드보일드 추리소설의 완성자 — 레이몬드 챈들러

해밋이 하드보일드 추리소설의 세계를 창조했다면, 챈들러(1888~1959)는 하드보일드 추리소설의 전범을 완성했다. 해밋이 스페이드를 통해 고전추리소설과 극명하게 구별되는 하드보일드 추리소설의 탐정을 선보였다면, 챈들러는 말로를 내세워 하드보일드 추리소설 탐정의 캐릭터를 확립했다. 대중이 떠올리는 하드보일드 추리소설 탐정의 독특한 언어, 의상, 행동방식, 흡연과 음주양태는 대부분 챈들러에게 저작권이 있다고 할 수 있다. 여기에 덧붙여 챈들러는 하드보일드 추리소설 특유의 문체와 분위기를 확립했고 팜므 파탈의 전형도 제시했다.

챈들러는 어머니와 강한 유대관계 속에서 자라났고, 성인이 되어서도 어머니로부터 독립하기를 주저했다. 그의 아버지가 가족을 버리고 떠난 후 어머니는 챈들러의 양육에 모든 것을 바쳤다. 그녀는 챈들러의 교육을 위해 영국으로 이주를 단행했고, 그는 영국의 명문 사립학교를 다닐 수 있었다. 열여덟 살 연상인 파스칼Pearl Eugenie Cissy Pascal과 사랑에 빠지지만, 어머니의 반대로 그는 결혼을 계속 미룬다. 어머니가 돌아가신 후 챈들러가 서른다섯 살, 파스칼이 쉰세 살이 된 1924년에 두 사람은 마침내 결혼한다.

석유회사의 중역으로 근무하다가 해고된 챈들러는 1933년에 「협박범은 총을 쏘지 않는다(Blackmailers Don't Shoot)」라는 단편을 『블랙 마스크』에 발표하면서 작가로서의 삶을 시작한다. 다음 소설이 나오기까지 6년을 기다려야 했지만 챈들러는 아내의 헌신과 격려 속에서 이 시간을 견뎌낸다. 1939년이 되어서야 세상에 나온, 말로가 최초로 등장하는 『깊은 잠』은 거대한 성공을 거두었고, 이후 챈들러의 커리어는 상승세를 지속한다. 1940년 『안녕 내 사랑』, 1942년 『하이 윈도The High Window』, 1943년 『호수의 여인(The Lady in the Lake)』을 발표했고, 1949년 『리틀 시스터The Little Sister』를 출간했다.

챈들러의 아내 파스칼은 1954년 84세의 나이로 세상을 떠난다. 아내의 죽음과 함께, 같은 해에 출판된 『긴 이별(The Long Goodbye)』을 마지막으로, 그의 문학적 삶도 종결된다. 그는 아내의 도움으로 벗어났던 알코올중독에 다시 빠졌고, 1959년 세상을 떠났다.

『안녕 내 사랑』(1940)

교도소에 있는 동안 자신을 떠난 옛 애인 벨마Velma Valento를 찾는 출소자 멀로이를 묘사하면서 소설은 시작된다. 말로는 도난당한 비취목걸이를 찾으러 가는 메리어트의 경호를 맡지만, 그는 곤봉으로 뒤통수를 가격당해 의식을 잃고 메리어트는 끔찍하게 살해당한다. 도난당한 비취목걸이의 원소유자로 알려진 거부의 아내 헬렌Helen Grayle을 방문하지만, 그녀로부터 사건과 관련된 정보를 얻지 못한다.

멀로이가 찾고 있는 벨마가 헬렌임에 틀림없다고 확신한 말로는, 헬렌에게 자신의 아파트에서 만나자는 약속을 잡고 이 사실을 멀로이에게도 알려준다. 멀로이는 침실 옆에 딸린 옷방에 숨어서 헬렌과 말로의 대화를 엿듣는다. 대화를 통해 헬렌이 벨마라는 사실과, 8년 전에 멀로이를 감옥에 보내고 메리어트를 살해한 인물도 그녀라는 것이 밝혀진다. 헬렌은 자신 앞에 나온 멀로이를 총으로 살해한다. 그녀는 도피생활 중 자신을 추적한 형사를 살해하고 자살한다.

처벌과 계급갈등의 봉합

20세기 초반 미국사회에서 상류계급은 경제적 탐욕과 부패, 도덕적 타락으로 대중의 분노를 샀다. 하드보일드 추리소설에서의 응징과 처벌은 상류계급을 대상으로 삼는 것이 자연스러운 귀결이 될 것이다. 하지만 하드보일드 추리소설에서 도덕적 단죄와 처벌은 상류계급이 아니라 성적 소수자를 대상으로 이루어진다.

하드보일드 추리소설에서는 남성동성애자 처벌이 자주 목격된다.『몰타의 매』에서 구트만은 총에 맞아 사망하고, 카이로와 윌머는 경찰에 체포되어 구금된다.『깊은 잠』의 가이거는 카르멘Carmen Sternwood을 약물로 마취시키고 나체사진을 찍은 후, "카르멘을 흠모했던" 테일러Owen Taylor에 의해 총으로 살해당한다.『안녕 내 사랑』의 메리어트 역시 "머리가 짓이겨지는" "무자비한 구타를 당한" 끝에, "뇌수가 흘러나와 얼굴을 덮고" "아름다운 금발은 피와 원시시대부터 내려온 점액같이 희끄무레하고 걸쭉한 분비물로 엉켜 있는" 끔찍한 모습으로 사망한다.

동성애자에 대한 가혹한 처벌은 하드보일드 추리소설이 동성애혐오증을 강하게 내장한 소설장르로 평가되는 결정적 사유가 된다. 동성애 처벌을 제외하더라도 하드보일드 추리소설에서는 동성애혐오적인 태도가 자주 발견되기 때문이다. 스페이드는 남성동성애자를 "호모(fairy)"나

"남색자(gunsel)"라는 경멸적인 호칭으로 부르면서 그들을 비하한다. 말로 역시 남성동성애자를 "호모" "여자 같은 놈(queen)"으로 호칭하면서 동성애자에 대한 혐오와 부정의 태도를 드러낸다. 제임슨의 주장처럼 하드보일드 추리소설은 "동성애혐오증을… 충실하게 표출한다"고 볼 수 있는 것이다.

남성동성애자에 대한 처벌은, 그럼에도 불구하고, 동성애혐오증에서 비롯된 것으로 취급되어서는 곤란하다. 동성애혐오증은 자신도 동성애자로 인식될 수 있다는 비이성적인 공포와 "자신이 동성애자가 아님을 입증해야 하는"[68] 강박에 근거한다. 하지만 하드보일드 추리소설은 성정체성의 모호함과 그로 인한 공포나 혼란에 집중하는 소설장르가 아니다. 하드보일드 추리소설은 대중의 상류계급에 대한 고조된 적개심에 주목하고 그것을 문학적으로 반영한 소설양식인 것이다. 처벌의 화살이 상류계급이 아닌 동성애자를 향해 날아간 것은, 동성애혐오가 아닌 계급적 고려로 보아야 한다.

하드보일드 추리소설에서 비난과 응징이 상류계급을 우회해 남성동성애자에게 집중된 것은, 이 소설장르가 지배계급과 시도한 타협이었다. 하드보일드 추리소설은 잘못된 계급지배 구조에 대한 적대감을 연료로 움직인다. 하지만 직접적인 공세가 상류계급을 향하지 않고 남성동성애자를 표적으로 삼은 것은, 지배계급의 우려와 경계를 약화시키기 위한 협상전략으로 보아야 한다. 탐정이 상류계급의 이미지로 재현된 남성동성애자에게 폭력적인 처벌을 가한다는 설정은, 상류계급의 탐욕과 타락에 대한 적대감을 동성애자에게 대리 투사시키는 행위이기 때문이다. 하드보일드 추리소설은 상류계급에 대한 대중의 분노를 성적 소수자에 대한 처벌을 통해 해소시킴으로써 계급갈등을 봉합하려 한 것이다.

하드보일드 추리소설에서 남성동성애자는 도착적 성애의 향유자로 간주될 수 없다. 남성동성애는 전복적인 계급담론을 희석시키고 계급갈등을 봉합시키는 계급지배 구조의 안전판으로 작동하기 때문이다.

3 부

장애남성

7장

훼손된 남성섹슈얼리티는
어떻게 치유되는가

『제인 에어』

남성섹슈얼리티 특권그룹에 가입하려면

가장 급진적이고 논쟁적인 성정치학 이론가이며 활동가인 루빈이 쓴, 이제는 고전의 반열에 오른 논문에 관한 소개로 장애남성 섹슈얼리티에 관한 이야기를 시작하자. 그녀의 논문 「성을 사유하기: 섹슈얼리티 정치학의 급진적 이론을 위한 노트(Thinking Sex: Notes for a Radical Theory of the Politics of Sexuality)」는 나온 지 35년이 지났지만 ─ 1984년에 출판되었다 ─ 지금 읽어도 낡았다거나 진부하다는 느낌이 전혀 들지 않는다. 현상을 꿰뚫어보는 그녀의 통찰력은 아직도 울림이 크기 때문이다. 40쪽이 조금 더 되는 분량이지만, 섹슈얼리티를 조망하는 스케일 역시 압도적이다.

「성을 사유하기」에서 루빈은 섹슈얼리티 "특권그룹"을 디자인한다. 특권그룹에 가입하는 조건으로 그녀는 "좋은, 정상적인, 자연스러운, 축복받은 섹슈얼리티"를 제시한다. 특권그룹 안에는, 당연하게도, 일부일처제에 충실하고 출산을 목적으로 섹슈얼리티를 사용하는 기혼 이성애자가 가장 먼저 자리 잡는다. 기혼과 이성애 외에도 특권그룹의 멤버십을 받을 수 있는 섹슈얼리티의 요건에 관해 루빈은 다음과 같이 구체적이고 생생하게 적시한다.

1. 상업적이 아니고 포르노그래피가 아니어야 한다.
2. 사적이고 관계를 형성하는 것이어야 한다.
3. 두 사람 사이에 행해져야 하며, 같은 세대에 해당하는 나이여야 한다.
4. 도구를 사용하지 않고 신체만 사용해야 한다(bodies only).
5. 가학증(sadism)이나 피학대음란증(masochism)이 아닌 평범한(vanilla) 성행위여야 한다.

이러한 조건을 충족시키는 섹슈얼리티를 소유한 사람들에게만 특권그룹에 포함될 자격이 부여된다는 것이다.

루빈의 리스트에 포함되지는 않았지만, 특권그룹에 가입할 수 있는 또 다른 멤버십 하나를 추가해보자. 또 하나의 자격조건은 '비장애'가 차지할 것이다. 섹슈얼리티는 '모든' 사람에게 '공평하게' 승인되지 않는다. 섹슈얼리티는 육체적으로, 정신적으로 "비장애적인 수행이 가능한"[1] 사람들에게만 허용되는 특권이기 때문이다. 장애와 성애는 결코 같이 가지 못한다.

남성섹슈얼리티로 좁혀서 이야기하자. 범위를 축소하더라도 장애와 섹슈얼리티의 관계는 달라지지 않는다. 비장애남성의 섹슈얼리티는 특권그룹으로의 진입이 허가된다. 그의 섹슈얼리티가 "권위의 자리에 들어

갈 수 있고 그 자리가 부여하는 권력을 행사할 수 있는… 규범성[2]을 구현하기 때문이다. 반면에 장애남성의 섹슈얼리티는 특권그룹의 가입을 거부당한다. 그의 섹슈얼리티는 규범적 섹슈얼리티와는 극단에 위치한 비규범적 섹슈얼리티를 대표하기 때문이다.

다시 쓰자. 비장애남성은 이성애자/기혼남성과 함께 규범적/중심적/지배적/특권적 남성섹슈얼리티를 구축한다. 그러나 장애남성은 동성애자/미성년자/독신남성과 더불어 비규범적/주변적/종속적 남성섹슈얼리티로 배제된다.

샬롯 브론테의 불온한 상상력

초상화 속 샬롯 브론테는 엷은 미소를 띤 단정하고 차분한 모습이다. 남편에게 순종하고 자녀들을 사랑으로 양육하는, 빅토리아시대 이상적인 여성상인 "가정의 천사"의 풍모마저 느껴진다. 그러나 샬롯 브론테가 쓴 소설을 읽다보면 그녀가 펼쳐 보이는, 외모에서 풍기는 인상과는 전혀 다른, 그로테스크할 정도로 뒤틀린 상상력에 전율하게 된다.

(나는 샬롯 브론테의 글을 읽다가 박완서의 소설을 떠올릴 때가 많다. 박완서 역시 온화하고 자애로운 인상과는 달리, 인간과 사회를 향한 매우 '비뚤어진' 시각을 보여주기 때문이다. 그녀가 노년에 들어 쓴 소설에서도 인간의 선의나 가족제도에 대한 냉소적인 시선은 사라지거나 약해지지 않는다. 하지만 그 불온함에 있어서 박완서는 샬롯 브론테에 미치지 못한다. 박완서가 젠더나 계급에 대해 비판적인 시각을 보여준다면, 샬롯 브론테는 그것들에 대

거듭되는 상실과 좌절, 유폐와 은둔 속에서
샬롯 브론테의 삶은 참담하고 쓸쓸했다. 그
러나 그녀의 문학은 결코 움츠려들거나 퇴
각하지 않았다. 지금도 샬롯 브론테의 소설
은 거대한 에너지의 소용돌이로 다가온다.

한 전복적인 태도를 드러낸다.)

샬롯 브론테가 1853년에 발표한 『빌레트Villette』는 지금 읽어도 충격적인 결말을 보여준다. 소설의 여주인공 루시Lucy Snowe는 에마뉘엘M. Paul Emanuel과 사랑에 빠진다. 해외로 나갔던 에마뉘엘은 루시에게 돌아오는 길에 바다에서 폭풍을 만나 실종된다. 익사로 추정되는 실종상태로 3년이 지나가고, 소설의 종결부에서 루시는 고백한다. "에마뉘엘이 부재한 지 3년이다. 독자여, 그 시간이 내 삶에서 가장 행복했던 3년이었다." 여성의 진정한 독립과 행복은, 남성이 바다에 나가 사라져버린 이후에야 비로소 가능하다는 것이다. 시대적 배경을 소거하더라도, 극단적으로 과격한 진술로 들린다.

『제인 에어』도 전복성에서 『빌레트』에 그리 많이 뒤지지 않는다. 여성 화자가 등장해 "나(I)"라는 대명사를 동원해서 자신의 삶에 대해 이야기한다는 사실 하나만으로도 『제인 에어』는 혁명적인 소설이기 때문이다. 이 이야기를 조금 더 하자. 유대-기독교 전통에서 "나"는 죄인(sinner)으로 규정된다. 중세와 근대 초기의 문학에서 "나"가 등장하는 텍스트가, 참회록이나 고백록을 제외하고는 찾아보기 힘든 이유다.

낭만주의의 등장은 문학사의 혁명으로 기록된다. "나"를 전면에 내세우고 내 경험과 감정을 마음껏 노래했기 때문이다. 「나는 구름처럼 외로이 방황했다(I Wandered Lonely as a Cloud)」와 "하늘의 무지개를 볼 때 / 내 가슴은 뛰어오른다(My heart leaps up when I behold / A rainbow in the sky)"로 시작되는 「무지개(The Rainbow)」 같은 낭만주의 시인 워즈워스William Wordsworth의 시를 떠올려보라. 이제 "나"라는 개인은 더 이상 죄인이 아닌, 삶과 역사의 가장 소중한 주체로 부상한다.

혼동하지 말자. 낭만주의가 거대한 문학적 혁명이기는 했지만, 낭만주의의 혁명성은 단지 남성에게만 해당하는 것이었다. 유대-기독교 전통에서 여성은 남성과는 비교할 수 없는 죄악을 저지른 존재이기 때문이다. 최초의 여성 이브는 최초의 남성 아담을 유혹하여 선악과를 따먹게 하는 '돌이킬 수 없는' 죄를 지은 것이다. 인류는 여성으로 인해 죄와 죽음의 형벌에 처해졌고, 여성은 결코 자신의 이야기를 스스로 할 수 없는, '입이 열 개라도 할 말이 없는' 죄인 중의 죄인으로 남았다.

『제인 에어』는 이런 관습을 거침없이 뒤집어버린다. 샬롯 브론테는 소설의 서문에서 분명하게 밝힌다. "관습은 도덕이 아니고, 독선이 종교는 아니다."『제인 에어』에서 화자로 등장하는 제인은 이상적인 여성과는 극단에 위치한 인물로 재현된다. 그녀는 수용적이거나 순종적이지 않으며, 계급적 위계와 젠더적 권위에 대해 전면적인 저항을 시도한다. 무엇보다도 『제인 에어』는 제인이 대명사 'I'로 여성의 삶을 서술하는 파격을 드러낸다.

『제인 에어』에 등장하는 로맨스 역시 해체적인 상상력의 결과물이다. 제인은 연애소설에 등장하던 여성 캐릭터의 전형을 분쇄해버린다. 그녀의 성격은 호감이나 보호본능을 일으키지 못한다. 어린아이였을 때 하녀들이 제인을 "작은 두꺼비(little toad)"처럼 생겼다고 수군댈 만큼, 그녀의 외모 또한 예쁘거나 귀여운 용모와는 거리가 멀다.

『제인 에어』의 여성 캐릭터만 연애소설의 관습을 파괴하는 것은 아니다. 제인의 상대남성으로 등장하는 로체스터 역시 관례적인 연애소설의 문법을 뒤집는다. 그는 잘생기지 않은 외모와 호감을 주지 못하는 성격의 소유자로 재현된다. 더구나 로체스터는 제인과 스무 살 이상 나이 차이가 나고, 계급과 신분의 차이도 매우 크다. 결국 이들의 로맨스는 로체스터가 장애남성이 되고난 후에야 이루어지는 것으로 처리된다.

뒤틀리고 전복적인 상상력으로 가득한 『제인 에어』는, 장애남성과 섹슈얼리티의 문제를 살펴볼 최적의 텍스트가 된다. 샬롯 브론테는 로체스터의 섹슈얼리티를 장애 이전과 이후로 분리해서 재현하고, 훼손된 섹슈얼리티의 치유과정도 함께 보여주기 때문이다. 비장애남성이던 시절 로체스터는 지배적 남성섹슈얼리티를 과시하는 삶을 살아간다. 하지만 장애 이후 그는 남성섹슈얼리티의 특권그룹에서 탈락하게 된다. 로체스터는 손상된 남성섹슈얼리티를 치유하는 과정을 성공적으로 이수하고, 다시 규범적 남성섹슈얼리티 집단에 합류한다. 로체스터의 삶이 구성하는 장애와 탈락, 치유와 합류의 서사는 장애와 남성섹슈얼리티의 관계를 생생하게 드러낸다. 장애남성 섹슈얼리티에 관해 말할 때 로체스터를 호출하는 이유다.

『제인 에어』에 관한 이야기를 시작하기 전에, 장애를 향한 시각과 관점이 어떻게 달라져왔는지 빠르게 살펴보자. 장애를 바라보는 태도는 장애남성의 섹슈얼리티를 판정하고 배치하는 문제와 아주 밀접하게 연결되기 때문이다. 장애학(Disability Studies)과 문학연구에서는 장애남성 섹슈얼리티가 어떤 식으로, 또 어느 정도의 비중으로 다루어지는지도 같이 살펴보자. 낯설고 지루할 수도 있겠지만, 장애남성의 섹슈얼리티라는 지점을 탐색할 때 도움이 될 것이다.

장애연구의 역사와 남성섹슈얼리티

개별적 장애모델에서 사회적 장애모델로

장애를 바라보는 가장 오래된 시각은 "공정한 세상(just-world)" 이론으로
대표되는 도덕적/종교적 관점이다. 여기에서 장애는 도덕적 결함이나 종
교적 죄악에 대한 '공정한 처벌'로 규정된다. 도덕적/종교적 관점은 고대
에 등장해 18세기까지 지배적인 장애담론으로 자리 잡았다. 도덕적/종
교적 관점의 잔상은 현대인의 무의식에도 여전히 남아 있다. 누군가 사
고나 재난으로 장애인이 되었을 때, 무슨 죄를 지었기에 그런 벌을 받아
야 하는지 의문을 제기하는 행위에는 도덕적/종교적 관점의 흔적이 엿
보이기 때문이다.

　도덕적/종교적 관점의 뒤를 이은 것은 "의학적 장애모델(medical model
of disability)"로 대표되는 "개별적 장애모델(individual model of disability)"이
다. 19세기부터 1970년대 초에 이르는 긴 시간 동안 장애를 바라보는 시
각은 개별적 장애모델의 영향권 안에 머물렀다. 개별적 장애모델은 오직
재활치료의 관점에서 장애에 접근함으로써 장애를 개인적인 문제로 축
소시켰다. 장애는 사회적·경제적 요소가 배제된 채 단지 치유해야 하는
개인의 신체적·정신적 결함으로 규정된 것이다.[3]

　1970년대 중반 이후 등장한 "사회적 장애모델(social model of disability)"
은 개별적 장애모델과 대립하고 충돌했다. 사회적 장애모델은 의학적 차
원이나 개인적 차원이 아닌 역사적·사회적 층위에서 장애에 접근했다.

장애를 '신체가 아닌 환경 속'에 위치시킴으로써, 장애를 개인이 지닌 결함으로 규정한 개별적 장애모델의 장애담론을 교정하려 한 것이다. 사회적 장애모델은 장애인의 경제적·사회적·법률적 지위를 향상시키기 위해 분투하며 사회적 환경과 제도의 변화를 이끌어냈다. 사회적 장애모델은 가장 지배적인 장애담론으로 자리 잡았고, 장애학은 사회적 장애모델의 분투에 기대어 등장할 수 있었다.

섹슈얼리티는 장애학의 주요 의제인가?

주요 의제가 아니다. 장애학은 교육, 투표, 고용, 주거, 접근, 이동 등에서 발생하는 장애인 차별과 배제 같은 사회적 의제에 집중하는 경향을 보인다. 반면에 사적이고 내밀한 영역인 섹슈얼리티에 관한 본격적인 논의는 찾아보기 힘들다.

장애운동가이자 장애연구자인 핑거Anne Finger의 말을 들어보도록 하자. 그녀는 1992년 7월 「금단의 열매(Forbidden Fruit)」라는 짧은 기고문에서 "섹슈얼리티는 장애인에게 종종 가장 깊은 억압의 근원이다. 또한 가장 깊은 고통의 근원이기도 하다"고 주장했다. 그럼에도 불구하고 장애학에서 섹슈얼리티에 대한 연구를 찾아보기 힘든 이유에 관해 그녀는 다음과 같이 설명했다. "섹슈얼리티와 재생산에서 배제된 것에 대해 이야기하는 것보다 취업, 교육, 거주에서의 차별과 그것들을 변화시키기 위한 전략을 고안하는 것에 대해 이야기하는 것이 더 쉽기 때문일 것이다." 장애학의 현재 풍경도 1992년에 그녀가 지적했던 모습과 다르지 않다.

장애남성의 섹슈얼리티로 범위를 좁혀도 상황은 마찬가지다. 장애남성 섹슈얼리티 역시 장애연구의 주목에서 벗어나 있다. 장애남성의 섹슈얼리티가 장애학의 주요 의제와는 거리가 멀다는 사실은, 이 분야의 연구가 얼마나 빈약한지를 통해서도 확인된다. 거쉭Thomas J. Gerschick과 밀러Adam Stephen Miller의 조사에 따르면, 1995년 기준으로 장애남성의 섹슈얼리티에 관한 연구성과는 단지 논문 '한 편'에 불과했다.

기간을 늘려도 결과는 크게 달라지지 않는다. 20세기가 저물 무렵에 출판된 데이비스Lennard Davis 편집의 『장애학 독본(The Disability Studies Reader)』, 21세기에 들어와 출판된 롱모어Paul K. Longmore와 우만스키Lauri Umansky 편집의 『새로운 장애의 역사(The New Disability History)』, 스나이더Sharon L. Snyder와 브뤠게만Brenda Jo Brueggemann 그리고 톰슨Rosemarie Garland Thomson이 공동으로 편집한 『장애학(Disability Studies)』으로 검토 대상을 확대해보자. 이 연구서들은 모두 1960년대 이후 21세기 초에 이르는 기간에 발표된 장애연구의 중요한 성과를 모아놓은 대표적인 선집들이다. 그러나 이들 중 어디에도 장애남성 섹슈얼리티에 관한 논문은 단 한 편도 발견되지 않는다.[4]

문학연구로 시선을 돌려봐도 장애남성 섹슈얼리티에 대한 관심의 부재는 달라지지 않는다. 영문학의 경우를 살펴보자. 영문학의 장애연구 역시, 장애학과 마찬가지로, 장애남성 섹슈얼리티에 관한 불모지로 남아 있다. 영문학의 장애연구는 독립적으로 이루어지기보다는 장애학이 이룩한 연구성과를 뒤따라가는 방식으로 진행되었기 때문이다.

톰슨의 『비범한 육체들(Extraordinary Bodies)』은 영문학이 이룩한 장애

연구의 중요한 성취다. 하지만 톰슨은 장애여성의 육체와 그 재현에 집중할 뿐 장애남성의 섹슈얼리티에 대해서는 언급하지 않는다. 영문학에서의 장애남성에 관한 연구를 대표하는 미첼David Mitchel과 스나이더의 『서사 보형물(Narrative Prosthesis)』을 살펴보자. 장애남성의 하위문화와 정체성 문제 등에 대한 활발한 논의와는 대조적으로, 장애남성의 섹슈얼리티에 관한 조명은 이루어지지 않는다.

장애남성 섹슈얼리티는 장애학과 영문학연구 모두 우회한 지점으로 남아 있다. 그렇기 때문에 『제인 에어』를 장애남성의 섹슈얼리티와 연결 짓는 작업은 문학 텍스트 하나를 새롭게 읽는 차원을 넘어선다. 그것은 장애남성 섹슈얼리티라는 방치된 지점을 찾아가 매몰된 진실을 발굴하는 일이 된다. 그 일을 시작하자.

적대적인 세상에 문학으로 맞서다 — 샬롯 브론테

샬롯 브론테(1816~1855)의 삶은 연속된 상실로 요약된다. 다섯 살에 어머니를 여의었고, 기숙학교에서는 두 명의 언니가 폐결핵으로 사망한다. 가까운 자매일 뿐 아니라 문학적 동지였던 에밀리Emily와 앤Anne도 본격적인 작가의 삶을 시작하고 얼마 되지 않아 세상을 떠난다. 남동생 브랜웰Branwell도 자기파괴적인 충동으로 삶을 이끌다가 비극적인 죽음을 맞이한다. 38세에 아버지의 부목사였던 니콜스Arthur Bell Nicholls와 결혼해 행복한 시간을 보내던 샬롯 브론테 역시 임신 중에 죽음을 맞는다. 가족 중에서, 아버지를 제외하고는 그녀가 가장 오래 산 사람이었다.

브론테 자매들이 태어나고 자란 목사관은 요크셔 서부의 하워스Haworth에 있다. 주변의 풍경은 스산하고 심란하다. 샬롯과 자매들은 이 황량한 곳에서 책을 읽으면서 문학적 상상력을 키웠고 시와 소설을 썼다. 오직 글을 읽고 쓰는 행위가, 미래의 어떤 보상이나 인정도 보장되거나 약속되지 않은 문학에 대한 열정이 그들을 생존케 했다. 브론테 자매들은 1846년에 저자 이름으로 남성의 가명을 사용한 공동시집 『커러, 엘리스, 액톤 벨의 시(Poems by Currer, Ellis, and Acton Bell)』를 자비 출판했다.

공동시집이 출판된 해에 샬롯 브론테는 소설 『교수(The Professor)』를 출판하려 했으나 거절당한다. 다음 해인 1847년 그녀는 커러 벨이라는 가명으로 『제인 에어』를 세상에 내놓는다. 여성이 1인칭 화자로 등장해 주체적이고 독립적인 삶의 여정을 보여주는 이 소설에는 반도덕적이고 반기독교적이라는 거센 비판이 쏟아졌다. 샬롯 브론테는 주눅 들거나 물러서지 않았다. 그녀는 『제인 에어』 2판의 서문에서 거침없고 당당한, 차라리 오만에 가까운 태도로 비판에 맞서며 자신의 생각을 옹호했다. 1849년에 샬롯 브론테는 방직노동자들의 삶과 투쟁을 다룬 "사회-문제소설(Social-Problem Novel)" 『셜리Shirley』를 출판했다. 1853년 그녀는 다시 여성문제로 돌아와 여성의 독립적인 삶의 가능성을 탐색한 『빌레트』를 발표했다.

샬롯 브론테의 삶과 문학은 적대적인 세상에 맞서 벌였던 뜨거웠던 싸움의 기록이다. 무엇보다도 그녀는 문학을 통해 침묵을 강요당한 여성의 목소리를 생생하게 복원시켜 들려주려 했다. 때로는 남성 저자의 이름을 쓰고, 어떤 경우에는 멜로적 외피를 걸쳤지만, 그녀는 당대의 젠더이데올로기에 균열을 일으키는 소설들을 써냈다.

빅토리아시대, 그 증폭된 장애 가시성

『제인 에어』가 출판된 해는 1847년이다. 이때가 빅토리아시대가 그 절정을 향해 치닫던 시점이라는 사실을 기억하자. 소설 속으로 들어가기 전에 먼저 빅토리아시대라는 찬란하고도 어두웠던, 소란하지만 고요했던, 치솟아 오르면서도 가라앉던, 영광스럽지만 치욕적이던 시기에 대해 이야기하자.

빅토리아시대는 다양하게 정의될 수 있다. 과거와는 전혀 다른 사건과 현상들이 현란하게 목격되던 시기였기 때문이다. 중간계급의 부상, 젠더이데올로기의 지배, 식민지의 확대, 자본주의의 발달, 외국인 범죄의 공포, 과학기술의 진보. 여기에 빅토리아시대를 규정하는 수식어를 하나 더 덧붙인다면 장애 가시성의 급속한 증가가 될 것이다.

빅토리아시대는 영국에서 산업혁명이 완료된 시기였다. 영국이 제국주의의 선봉에 섰던 기간이기도 했다. 산업재해의 피해자 수는 빠르게 늘어났고, 제국주의 전쟁으로 인한 전상자의 숫자도 가파르게 증가했다. 빅토리아시대 영국에서 장애인 가시성이 급격하게 커질 수밖에 없던 이유다. 홈즈Martha Stoddard Holmes가 『고통의 소설: 빅토리아시대 문화에서의 신체장애(Fictions of Affliction: Physical Disability in Victorian Culture)』에서 말한 것처럼, "고통 받고 손상된 육체들"이 "새롭게 가시화된 집단"으로 나타난 시대였다.

장애인 가시성의 증가는 정상성에 관한 논의를 촉발시켰다. 통계학과 우생학을 중심으로 정상적인 신체에 대한 연구가 활발하게 일어났고, '표준(the norm)' 개념의 창출로 이어졌다. 1840년경을 전후해서 '표준'이라는 단어가 영어 어휘에 새롭게 진입했다[5]는 사실은, 이런 시대적 상황의 언어학적 반영으로 볼 수 있다.

신체적 표준이라는 개념이 새롭게 구성되면서 장애인의 몸은 병리적인 속성으로 분류되었다. 장애는 반드시 치유되어야 하는 신체적 결함이자 질병으로 간주되기 시작한 것이다. 오늘날에도 그 영향력이 남아 있는 장애에 대한 병리학적인 시각은, 그 근원을 빅토리아시대에 두고 있다.

빅토리아시대 출판시장에서 장애는 인기상품이었다. 장애를 둘러싼 유전, 건강, 교육, 직업, 복지 논쟁들이 서적과 소논문의 형태로 출판되었다. 이런 현상은 문학출판에서도 마찬가지였다. 다양한 문학 텍스트에 장애인 캐릭터들이 등장했다. 그럼에도 불구하고 빅토리아시대 문학연구에서 장애의 문제는 매우 소홀하게 취급된다. 장애가 동성애나 여성 문제처럼 "광범위한 사상, 언어, 인식을 구조화하는… 보편적인 담론"[6]으로 연구되어야 한다는 당위적 명제에 비추어볼 때, 빅토리아시대 문학연구에서 장애가 점유하는 비율은 매우 낮다. 장애를 연구대상으로 삼은 경우에도, 장애는 독립적인 주제이기보다는 부차적인 의제로 취급되는 경향을 보인다.[7]

빅토리아시대에 장애 가시성이 증가한 것은 산업현장과 전장에서의 신체손상이 주된 요인이었다. 공장과 전쟁터는 모두 남성으로 성별화된 공간이었기 때문에 피해자의 대부분은, 당연하게도, 남성이었다. 장애인 가시성의 증가는 장애'남성' 가시성의 증가로 바꿔 부를 수 있는 것이다. 그럼에도 불구하고 빅토리아시대 문학연구에서 장애남성의 모습은 잘 보이지 않는다. 하물며 장애남성의 섹슈얼리티는 어떻겠는가? 장애남성의 섹슈얼리티는 '장애', '장애남성', '섹슈얼리티'라는 세 겹의 어려움 속에 둘러싸여 있다. 이제 겹겹이 둘러싼 장막을 걷어내도록 하자.

장애, 그 공정한 처벌

소설 속으로 들어가는 데 생각보다 시간이 오래 걸렸다. 지금부터는 『제인 에어』에 나타난 장애남성의 섹슈얼리티를 살펴보도록 하자. 『제인 에어』에서 장애를 바라보는 시각은, 도덕적/종교적 관점을 대표하던 "공정한 세상" 이론을 반영한다. "공정한 세상" 이론에서 장애는 개인이 지은 죄와 도덕적 결함에 대한 처벌이나 심판으로 규정된다.[8] 로체스터는 공정한 세상 이론을 적용하기에 최적화된 인물이다.

『제인 에어』를 처음 읽은 것은 소년소녀 세계문학전집을 통해서였다. 그때 만난 제인의 모습은 나중에 완역본이나 원본으로 다시 읽은 후에도 별로 달라지지 않는다. 친척의 학대와 자선학교의 열악한 환경과 가혹한 교육방식을 경험하지만, 불굴의 의지로 독립에 성공하는 고아소녀. 가정교사로 들어간 집에서 남자 고용인과 사랑에 빠지지만, 남자가 기혼자라는 사실을 알게 된 후 그를 떠나는 올곧은 젊은 여성. 전혀 기대하지 않던 유산을 상속받아 경제적으로 독립하게 된 후 재난과 곤경 속에 사는 로체스터를 구제해주는 천사와 같은 아내. 제인은 소년소녀용 편집본에서, 완역본이나 원본에서 크게 다르지 않은 모습으로 다가온다.

로체스터의 경우는 많이 다르다. 로체스터를 소년소녀 세계문학전집이나 영화로 처음 만났다면, 아마도 그를 다음과 같은 이미지로 기억할 것이다. 무뚝뚝하고 비사교적인 인물, 과거의 상처로 고통 속에 살아가는 남성, 제인을 뜨겁게 사랑하는 정열적인 인물. 하지만 완역본이나 원본으로 그를 다시 만난다면 혼란스러운 이물감을 느끼게 될 것이다. 기억 속에 남아 있던 로체스터의 모습은 어린 독자나 영화를 보는 관객이 불쾌감을 느끼지 않도록 하기 위해 미화시킨, 허상에 가까운 이미지였기 때문이다. 다시 만난 그는, 딸이라고 해도 어색하지 않을 만큼 나이 차이가 나는 피고용 여성에게 자기중심적이고 변덕스러운 방식으로 구애하는, 호색한으로 여겨질 만한 추악한 과거를 지닌 남성으로 다가온다. 로체스터는 장애라는 처벌을 받아 마땅한 인물로 재현되는 것이다.

제인을 만나기 전 로체스터의 삶은 "욕정을 탐하고 악행을 직업으로 삼은" 시간으로 요약된다. 그는 "쾌락 ― 지성을 둔하게 하고 감정을 망가뜨리는 그런 잔혹할 정도로 관능적인 쾌락 ― 속에서 행복을 찾는" 삶을 살아온 인물로 그려진다. 그의 과거 행적은 아래와 같다.

> 10년이라는 긴 세월을 나는 떠돌았소. 한번은 이 국가의 수도에서 다음번에는 다른 국가의 수도에서 살면서… 받은 돈이 많았고 유서 깊은 가문의 이름이 적힌 여권을 지녔기 때문에 나는 내가 속할 집단을 선택할 수 있었소. … 나는 내 이상적인 여인을 영국 숙녀들과 프랑스 백작부인들, 이탈리아 귀부인들, 독일 백작부인들 사이에서 찾았소.

로체스터의 비윤리적인 면모는, "무분별하고 방탕하게" 살아온 자신의 과거에 대해 뉘우치거나 부끄러워하지 않는다는 사실을 통해 드러

아름다운 외모의 소유자와는 거리가 먼 여성으로 재현된다는 점에서, 제인은 전형적인 로맨스 서사의 여주인공과 분명하게 구별된다. 영화로의 변환과정에서 제인의 외적 차별성은 옅어지거나 지워진다. 1943년에 제작된 영화 〈제인 에어〉에서는 "세기의 여배우"로 불리던 조안 폰테인Joan Fontaine이 제인을 연기했다.

난다. 과거 유부녀들과의 불륜에 관해 언급할 때도 그는 자책이나 죄의식을 크게 보이지 않는다. 제인은 로체스터의 무반성적인 태도에 경악한다. "한번은 이 정부랑 다음은 다른 정부랑 지내는 일이 당신께는 조금도 잘못된 것으로 보이지 않았나요? 당신은 그런 것이 당연한 일처럼 말씀하고 계시는군요."

로체스터의 가장 큰 죄악은 이미 버사Bertha Mason와 혼인한 상태임에도 불구하고, 그 사실을 속이고 제인과의 결혼을 시도한 데 있다. 그는 제인에게 자신의 결혼 사실을 고백하지 않는다. 오히려 그는 "나는 노총각(old bachelor)"이라는 거짓정보를 전달한다. 로체스터가 숨겨온 진실은 제인과의 결혼예식이 진행되던 교회에서 밝혀진다. 메이슨 가에서 고용한 변호사는 은폐된 사실을 폭로한다.

그 결혼예식은 계속되어서는 안 됩니다. 혼인장애가 존재함을 선언합니다. … 혼인장애는 요컨대 이전 결혼의 존재로 구성되어 있습니다. 로체스터 씨에게는 현재 살아 있는 아내가 있습니다.

결혼식에서 혼인장애 사유가 폭로되는 충격적인 사건이 발생한 후에도 로체스터는 반성하거나 참회하지 않는다. 제인과의 결혼이 어떤 법률적 효력도 지니지 못한다는 사실이 밝혀졌지만, 로체스터는 제인을 자신의 정부로 만들려는 시도를 중단하지 않는다. 그는 그녀가 정부가 아니라 자신의 정식부인이 될 것이라는 허위에 근거한 전망으로 제인을 속이면서 자신과 프랑스로 도피하자고 설득한다. "당신은 그래도 나의 아내가 될 것이오. 나는 혼인하지 않았기 때문이오. 당신은 실질적으로 그리고 명목상으로 모두 로체스터 부인이 될 것이오." 로체스터는 제인에게 터무니없는 거짓말을 한다는 사실에 자책감이나 수치심을 느끼지 않는다. 오히려 그는 "어떤 종류의 뜨거운 감정에 가득 차서" 그녀와의 육체적 접촉을 집요하게 시도한다. 로체스터는 "이제는 금지된 애정의 표시"를 통해 제인을 구속하고 통제하려는 시도를 계속하는데, 이런 행동은 그의 저열함과 파렴치함, 비윤리적인 면모를 분명하게 보여줄 뿐이다.

꿈속에서 제인은 로체스터의 죄악 가득한 유혹에서 벗어나라는 어머니의 목소리를 듣는다. "내 딸아 유혹에서 달아나거라." 어머니의 계시를 따라 제인은 죄의 유혹에서 완전히 벗어나기 위해 길을 떠난다. 제인이 떠난 후 버사는 집에 불을 지른다.

지붕 위에 서서 그녀는 흉벽 위로 팔을 휘두르면서 1마일 밖에서도 들을 수 있을 정도로 크게 소리를 질렀습니다. … 서 있는 그녀의 머리카락들이 불길을 배경으로 흘러내렸습니다. … 저와 몇 사람은 로체스터 씨가 채광창을 통해 지붕으로 오르는 것을 목격했습니다. 우리는 그분이 "버사"라고 부르는 소리를 들었습니다. … 우리는 그분이 그녀에게 다가가는 것을 보았습니다. … 그녀는 소리를 지르고 나서 뛰어내렸고, 다음 순간 그녀는 포장도로 위에 으깨진 채로 누워 있었습니다.

버사는 투신으로 목숨을 잃고, 로체스터 역시 커다란 부상을 입는다. 그는 한쪽 팔과 한쪽 눈을 잃고, 다른 한쪽 눈의 시력도 잃게 된다.

그분은 무너진 잔해 아래서 밖으로 끄집어내졌습니다. 살기는 했지만 슬플 정도로 다치셔서… 눈 하나가 기둥에 맞아 뽑혀 나왔고 한 손은 의사인 카터 씨가 곧장 절단해야 할 정도로 으스러졌습니다. 다른 눈은 염증이 심했고 그 눈의 시력 또한 잃어버리셨습니다.

소설 속에서 로체스터에게 닥친 재앙은 "공정한 세상" 이론에 근거해 해석된다. 로체스터의 장애는 그의 도덕적 결함과 죄 때문에 받는 "천벌(divine retribution)"[9]로 간주되는 것이다. 손필드Thornfield의 여관주인의 말처럼, 장애로 인한 로체스터의 비극적인 처지를 주변에서는 공정한 심판의 결과로 받아들인다.

나는 그것을 보리라고는 생각해본 적이 거의 없었어요! 어떤 사람들은 그것이 첫 번째 결혼을 비밀에 부치고 첫째부인이 살아 있는 동안 또 한 명의 부인을 맞기를 원했기 때문에 그분이 받은 공정한 심판이라고 말합니다.

로체스터 본인도 "공정한 세상"의 법칙으로 자신의 장애를 해석한다. 그 역시 장애를 자신이 저지른 죄와 악행에 대해 "거룩한 재판관(Divine Justice)"이 내린 "재앙"으로 인식하는 것이다. "거룩한 재판관께서 그의 갈 길을 취하셨소. 재앙이 내게 크게 닥쳐왔소. 나는 죽음의 그림자 계곡을 통과해야만 했소."

『제인 에어』(1847)

『제인 에어』는 제인이라는 여성이 교육, 직업, 결혼이라는 지점을 통과하며 드러내는 변화와 성장을 그린 소설이다. 제인은 부모를 여의고 외숙모인 리드 부인Mrs. Reed과 그녀의 자녀들과 함께 게이츠헤드 홀Gateshead Hall에서 지낸다. 예쁜 것과는 거리가 먼 외모와 붙임성 없는 성격, 반항적인 태도를 지닌 제인은 리드 부인의 미움을 받고 사촌오빠인 존으로부터 학대를 당한다. 존의 폭력에 거세게 저항하다 레드 룸Red Room에 갇힌 후 제인은 로우드 학교(Lowood Institution)로 보내진다. 게이츠헤드 홀을 떠나기 전 제인은 리드 부인에게 자신이 받은 부당한 대우와 상처에 대해 격렬하게 항의한다.

독지가들의 자선으로 운영되는 로우드 학교의 학생들은 교장 브로클허스트Brocklehurst의 가혹한 교육방침과 운영방식에 의해 상시적인 굶주림과 열악한 주거환경에 시달린다. 하지만 제인은 그곳에서 진정한 교육자이며 어머니 같은 존재인 템플 선생님Miss Temple을 만나 지적으로 성장하고 정서적으로 성숙한다. 생애 최초로 헬렌Helen Burns을 친구로 사귀며 깊은 우정도 나눈다. 헬렌이 결핵으로 세상을 떠나고 헬렌 선생님이 결혼해서 학교를 떠난 후 제인은 로우드를 떠난다.

로우드를 벗어나 손필드 홀Thonfield Hall에서 가정교사로 일하던 제인에게 고용주이며 집주인인 로체스터가 관심을 보이며 다가온다. 신분과 나이 차이에도 불구하고 제인은 그와 사랑에 빠지고 결혼을 약속한다. 결혼식이 진행되던 중 로체스터에게 결혼한 아내가 있다는 사실이 폭로되고, 제인도 손필드를 떠난다.

황야를 헤매다 굶주림과 탈진으로 쓰러진 제인은 신 존에 의해 구조된다. 제인은 그가 제공한 교사직을 수행하면서 그의 여동생인 다이애나Diana와 메리Mary와 가까운 사이가 된다. 제인이 자신의 사촌이라는 사실을 알게 된 신 존은, 제인의 삼촌 존John Eyre이 사망하며 그녀에게 2만 파운드의 유산을 남겼다는 사실을 알려준다. 제인은 기쁜 마음으로 유산을 세 명의 사촌들과 똑같이 나누어 가진다.

제인이 선교사의 아내로 최적의 여성이라고 판단한 신 존은 그녀에게 청혼한다. 제인은 청혼을 거절한다. 계속되는 설득에 마음이 흔들리던 제인은 자신의 이름을 부르는 로체스터의 목소리를 듣는다. 그녀는 로체스터를 찾아 손필드로 돌아가고, 로체스터의 아내가 저택에 불을 지르고 자살했으며 로체스터가 한쪽 팔과 시력을 상실했다는 사실을 알게 된다. 제인은 그를 정성으로 돌보고 둘은 결혼한다. 로체스터가 한쪽 눈의 시력을 회복했다는 그리고 둘 사이에 아들이 태어났다는 소식을 전하며 소설은 종결된다.

장애와 남성섹슈얼리티의 손실

남성에게 장애는 거대한 성적 상실로 작용한다. 장애남성이 된다는 것은 "여성화되고 나약해진 남성 신체라는 오명이 씌워진 구성물"[10]이 되는 것을 의미하기 때문이다. 장애 이전과 이후로 극명하게 구분되는 로체스터의 섹슈얼리티는 이런 사실을 잘 보여준다.

사고를 당하기 전의 로체스터는 강한 인상의 외모와 다부진 신체, 성적 자신감, 계급적 자부심을 모두 지닌 남성으로 그려진다. 빅토리아시대 영국에서는 "훌륭한 운동선수"와 "근육질의 신사"[11]가 이상적인 남성섹슈얼리티의 소유자를 대표했다. "중간 정도의 키에 상당히 넓은 가슴"을 지닌 로체스터는 당대의 이상적인 남성섹슈얼리티를 구현한다. 그의 신체에 대한 제인의 평가를 들어보자.

나는 망토를 벗은 그의 몸이 사각형의 형태로 그의 용모와 조화를 이룬다는 사실을 알게 되었다. 키가 크거나 우아하지는 않지만 그의 몸이 좋은 체구라고 나는 생각했다. 그는 용어 그대로 운동선수와 같은 넓은 가슴과 가는 허리를 지녔다.

제인은 로체스터의 용모에 대해서도 "잘생기지는 않았지만" "에너지와 결단력, 의지"를 잘 보여주는 남성적인 얼굴로 평가한다.

단호한 이목구비와 넓은 이마를 지닌 그의 얼굴은 검었다. … 벽난로 불빛이 그의 얼굴을 가득 비추었다. … 넓고 칠흑처럼 검은 눈썹, 사각형의 이마… 결단력 있어 보이는 코… 불같은 성미를 나타내는 콧구멍… 단호한 입, 턱 끝과 아래턱.

그는 또한 성적 매력을 드러내는 매혹적인 음성을 지닌 것으로 그려진다. 그의 목소리는 "자기 자신의 감정과 힘을 던져 넣은, 귀를 통과해 심장까지 가서 거기에 이상한 감정을 깨우는 방법을 아는, 달콤하고도 힘 있는 저음이었다."

로체스터는 자신의 남성섹슈얼리티에 대한 "무의식적인 오만함"과 "커다란 편안함"을 숨김없이 드러낸다. 그는 당당하고 거침없는 태도로 여성들을 대하고, 예법과 관습에 무관심하거나 무시하는 모습을 보인다. "빌어먹을 예의범절! 나는 그것들을 계속해서 잊어버리는군. 나는 순박한 노부인들을 특별히 흉내 내지는 않네." "타고난 정력(native pith)

과 진정한 힘"을 통해 표출되는 로체스터의 강렬한 섹슈얼리티는 다른 귀족계급 남성들을 압도해버린다. 그와 비교할 때 "린 형제The Lynns의 당당한 품위나 잉그럼 경Lord Ingram의 나른한 기품, 심지어는 덴트 대령 Colonel Dent의 군사적 탁월함조차도" 왜소해 보이는 것이다. 제인은 사내 다움과 강한 남성섹슈얼리티를 지닌 로체스터에게 거부할 수 없는 매력을 느끼게 된다. 그는 "나의 감정을 내 자신의 힘에서 뺏어가서 구속하는, 나를 완전히 굴복시키는" 남성으로 다가온다.

장애는 로체스터의 남성섹슈얼리티를 전면적으로 재설정한다. 장애가 닥치기 전 그는 강인한 육체와 억세고 거친 성정을 거침없이 드러내며 성적 매력을 과시했다. 하지만 장애 이후 로체스터는 "마치 아무런 남성 섹슈얼리티도 갖고 있지 않은 것 같은"[12] 비참하고 무기력한 존재가 된다. 여관주인의 진술은 로체스터가 놓인 비참한 상태를 잘 보여준다.

그분은 살아계십니다. 하지만 많은 사람들은 차라리 그분이 죽는 편이 나으리라고 생각합니다. … 그분의 눈은 완전히 멀었습니다. … 진실로 그분은 지금 무력합니다 — 앞을 못 보고, 불구입니다.

강렬한 남성섹슈얼리티의 소유자로서 두려움과 존경의 대상이었던 로체스터는, 장애 이후 "불쌍한 에드워드 씨"로 호명되는 것이다.

남성섹슈얼리티 상실로 인한 변화는 무엇보다도 로체스터의 외모에서 두드러진다. 예전의 그의 얼굴에는 창공을 지배하는 독수리나 강력한 완력을 소유한 삼손과 같은 압도적인 기세가 드러났다. 지금 그 자신감과 단호함은 절망감과 좌절감으로 뒤바뀌어 나타난다. 제인의 목격담이다.

하지만 그의 용모에서 나는 변화를 보았다: 절망적이고 음울해 보였고, 나로 하여금 침울한 비통함 속에 빠져 있어서 다가가면 위험한 학대받고 사로잡힌 야생짐승을 연상케 했다. 황금색 테두리를 지닌 눈을 잔인하게 뽑히고 새장에 갇힌 독수리는 시력을 잃은 삼손처럼 보였다고 할 수 있다.

장애 이후 로체스터는 집 안에만 머물러야만 하는 상태에 놓인다. 이런 현실이 그에게 가져올 좌절과 분노의 크기를 파악하기 위해서는 시대적 배경을 이해할 필요가 있다. 빅토리아시대는 젠더의 개입이 극대화된, 거의 모든 것이 남성과 여성으로 성별화(gendering) 된 시기였다. 공간과 영역 역시 성별화되었다. 집 밖은 남성의 영역으로, 집 안은 여성의 공간으로 규정되었다.

남성은 집 밖으로 나가 가족을 부양할 돈을 벌어오고, 여성은 집 안에 머물면서 가사와 육아를 담당한다는 것은 빅토리아시대의 강고한 젠더규범이었다. 가정이 여성의 공간으로 성별화된 상황에서, 이동의 자유가 제한되어 가정 안에 머물 수밖에 없는 장애남성의 처지를 생각해보라. 여성으로 성별화된 공간에 갇혀 지내는 남성은 젠더구획 외부에 존재하는 잉여에 불과했다.

장애 이전의 로체스터는 "과감하게 거칠 것 없던 걸음걸이"로 세계를 누비며 여러 나라의 여성들에게 섹슈얼리티를 과시하던 남성이었다. 하지만 장애 이후에 그는 집 주변으로도 자유롭게 바깥걸음을 할 수 없는 처지에 놓인다. 로체스터는 최소한의 이동성이라도 확보하기 위해 혼신의 힘을 다한다. 하지만 그의 처절한 노력은 "그을린 시각! … 불구가 된 기력"으로 인해 "소용없는 그리고 고통스러운 시도"로 판명된다. 이제 그는 가정 내에만 머물러 있어야 하는, "붙박이 세간(fixture)"과 같은 신세가 된 것이다.

장애로 인해 가정에만 머물러야 하는 남성에게는 젠더적 협상이 요청된다. 장애남성은 이제 자신이 "의존적이고, 자선 혹은 동정이 필요한"[13] 존재가 되었다는 사실을 인정하고 수용해야 하는 것이다. 로체스터 역시 이런 협상과정을 거치게 된다. 여성의 영역으로 성별화된 공간에 갇혀 지내야 하는 그는, 자신의 남성적 권위가 심각하게 훼손되었음을 절감한다. 빼어난 남성섹슈얼리티의 소유자로 살아가던 이전의 모습은 더이상 존재하지 않는 것이다. 로체스터는 자신이 유아처럼 타인에게 모든 것을 의존해야 하는, 독립성과 자족성과는 무관한 의존적인 존재가 되었다는 사실을 받아들인다. 그는 자신이 "손을 잡고 인도해야만 할 불쌍한 맹인"이며 "시중받아야만 하는… 불구자"가 되었음을 공개적으로 인정하는 진술을 한다.

그가 의존성을 공언하는 것을 듣고 나[제인]의 눈에는 눈물이 고였다. 위풍당당한 독수리가 횃대에 쇠사슬로 묶여 참새에게 자신의 조달업자가 되어달라고 간청해야만 하는 것 같았다.

장애가 가져온 변화는 로체스터의 달라진 언어를 통해서도 감지된다.

그의 언어는 오만과 지배의 어휘에서 자기비하와 자기연민의 수사로 변모한다. 섹슈얼리티에 대한 자부심에 근거한 당당하고 자신감 넘치던 언어는, 자신의 처지를 비하하고 한탄하는 유약하고 부정적인 말들로 바뀐다.

가슴팍에서 절단된 팔을 꺼내 내게 보여주면서 그가 말했다. "이쪽 팔에는 손도 손톱도 없소." "이것은 단지 잘리고 남은 부분이요 — 끔찍한 모습이지! 제인 그렇게 생각하지 않소?"

로체스터는 자신이 "손필드 과수원의 벼락 맞은 늙은 밤나무보다 나을 것이 없는" 존재가 되었다고 비하하며 한탄하는 나약함마저 드러낸다. 장애는 로체스터와 제인의 관계도 재설정한다. 제인을 대할 때 과거의 그가 드러내던 압도적이고 지배적인 면모는 사라져 더 이상 보이지 않게 된다. 남성적 권위와 자존감을 상실한 그는 제인에게 관계에 대한 불안감을 호소하는 허약하고 불안정한 모습만을 내비친다.

이제 당신을 돌봐주고 나 같은 눈먼 슬퍼하는 자에게 당신이 헌신하느라 고통 받지 않도록 할 친구들도 틀림없이 있겠지? … 내가 예전의 나였다면 나는 당신이 신경 쓰도록 만들었을 텐데. 하지만, 앞 못 보는 장애인이니!

"그 활기차던 영혼이 육체적인 병약함에 예속된" 후 로체스터는 무기력과 의존성, 자기비하와 불안정함을 숨김없이 드러낸다. 스스로를 "불쌍한 맹인남성"이나 "나이가 스무 살이나 많은 불구의 남성"으로 비하하는 로체스터의 모습은, 과거의 그를 기억하는 제인에게는 극도의 충격과 혼란으로 다가올 뿐이다.

남성섹슈얼리티는 어떻게 치유되고 재구성되는가

빅토리아시대의 지배적 장애담론이었던 "공정한 세상" 이론에서 장애는, 죄악에 대해 "기독교의 신"[14]이 내리는 '공정한 심판'으로 규정되었다. 그렇기 때문에 장애의 치유는 오직 진실한 참회와 속죄를 통해 신으로부터 용서를 받을 때에만 가능한 것이었다. 장애남성인 로체스터가 구성하는 치유서사는 이러한 공식을 충실하게 따른다.

로체스터는 남성섹슈얼리티를 과시하며 수많은 여성들과 부도덕한 성관계를 맺었다. 방탕하고 비윤리적으로 섹슈얼리티를 사용한 그에게는 장애라는 형벌이 내린다. 그는 자신에게 닥친 재난이 잘못된 과거의 삶에 대한 하느님의 심판이라는 사실을 인정하고 통회한다. 진실한 회개를 통해 신의 자비를 얻은 로체스터는 장애로부터 회복의 과정으로 나아간다.

로체스터의 치유는 과거의 악덕에 대해 참회하고 미래의 구원에 대한 간절한 소망을 이야기하는 데서 시작된다. 그는 겸손하게 절대자의 인도를 구하고 그와의 화해를 간절하게 소망한다. 그의 고백은 기독교도의 전형적인 신앙 간증처럼 들린다.

나는 목을 뻣뻣이 세우고 반항하며 하나님의 베풀어주시는 은혜를 저주했소. 그의 명령에 순종하는 대신에 그의 뜻을 거부했소. ⋯ 신의 응징은 강력했소. 그중 하나가 나를 쳤고 나를 영원히 겸손하도록 만들었소. 당신도 알 듯이 나는 내 힘을 자랑했었소. ⋯ 최근에야, 제인, 단지, 단지 최근에야, 나는 내 운명에서 하나님의 손을 보고 인정하기 시작했소. 나는 후회, 참회, 나의 조물주와의 화해에 대한 소망을 경험하기 시작했소.

죄와 처벌에 대한 깊은 성찰과 회개를 통해 로체스터는 "자신의 도덕적 능력을 재발견"[15]한다. 그럼으로써 그는 치유의 은혜를 경험한다. 3년 가까이 앞을 보지 못한 채 집 안에서만 지내던 그는 한쪽 눈의 시력을 회복함으로써 독자적인 이동성을 확보하게 된다. 로체스터의 치유서사는 되찾은 한쪽 눈으로 자신의 첫 번째 아이를 보게 되는 은총의 경험으로까지 이어진다.

장애남성의 치유와 회복에는 당사자의 참회와 속죄가 우선적으로 요구된다. 그와 동시에 장애로부터의 회복을 위해서는 또 다른 조건이 충족되어야 한다. 장애남성의 치유와 회복서사에는 여성의 헌신과 봉사가 필수적인 요소로 작동한다. 유아적인 존재가 된 장애남성에게는, 지혜와 경건, 헌신으로 어린아이를 돌보고 인도하는 가정의 천사가 절대적으로 필요하기 때문이다.

로체스터의 재활은 제인의 보살핌과 사랑이 개입하면서 본격적으로 시작된다. 삶의 거의 모든 영역에서 대리수행자가 필요한 로체스터에게 제인은 그의 치유자, 인도자, 동반자가 되겠노라고 선언한다.

나는 당신의 이웃, 당신의 간호사, 당신의 가정 관리인이 되겠어요. … 나는
당신의 동반자가 되겠어요. 당신에게 책을 읽어주고 당신과 함께 걷고 당신
과 함께 앉고 당신을 시중드는, 당신에게 눈과 손이 되겠어요.

제인은 충실하게 자신이 약속한 역할을 수행한다. 장애로 인해 전적
으로 의존적인 유아와 같은 존재가 된 그를 제인은 헌신과 정성으로 보
살피는 것이다. "내 시간과 관심을… 그것들 모두를 필요로 하는" 로체
스터를 제인은, 어머니가 자식에게 하듯이 기쁨으로 돌본다.

비록 슬프기는 하지만 그를 섬기는 일에는 가장 충만하고 가장 아름다운
기쁨이 있었다. 그가 고통스러운 수치심이나 맥 빠지게 하는 굴욕감 없이
이러한 봉사를 요구했기 때문이다.

"그녀가 자신을 너무나 다정하게 사랑하기 때문에 봉사가 그녀의 가
장 달콤한 소망을 충족시킨다"는 사실을 깨달은 후, 로체스터는 자기연
민의 태도를 극복할 수 있게 된다. 그는 제인의 헌신적인 보살핌에 대해
더 이상 비하적인 태도나 수치심을 드러내지 않고 기쁘게 받아들인다.
　　로체스터의 참회와 제인의 헌신을 통해 작동된 치유의 서사는 남성섹
슈얼리티의 재구성 서사로 연결된다. 장애로 인해 섹슈얼리티를 훼손당
했던 로체스터는 치유의 과정을 통과하는 동안 자신의 남성섹슈얼리티
를 재설정한다. 새롭게 구성된 그의 남성섹슈얼리티는 달라진 사용방식
을 통해 가장 분명하게 드러난다.

장애 이전의 로체스터는 남성섹슈얼리티를 자랑하며 결혼제도 바깥에서 향락적이고 무책임한 성적 관계를 추구했다. 하지만 이제 그는 결혼제도 안에서 일부일처제에 순응하는 방식으로 섹슈얼리티를 사용한다. 그의 섹슈얼리티는 오직 가족의 새로운 구성원을 충원하는 것만을 목적으로, "눈에 넣어도 아프지 않은 소중한 존재"인 아내를 대상으로만 사용되는 것이다.

로체스터와 제인 사이에서 첫 번째 아이가 태어난다는 설정은, 그가 쾌락을 추구하던 때와는 극단에 위치한 새로운 남성섹슈얼리티의 소유자로 변화했다는 사실을 극적으로 전시한다.

첫째 아이가 팔에 안겨졌을 때 그는 한때 크고 총명하고 검었던 자신의 눈을 사내아이가 물려받았음을 볼 수 있었다. 그러한 일을 겪으며 그는 하나님께서 자비로 심판을 완화시켜주셨음을 진심으로 다시 인정했다.

첫아이의 탄생은 참회와 속죄 이후 로체스터에게 주어진 신의 자비를 상징한다. 동시에 첫 번째 남자아이의 존재는 로체스터의 남성섹슈얼리티가 가족제도를 지탱하는 데 적합한 것으로 새롭게 승인받았음을 의미한다. 가부장의 위치로 재배치된 그에게 마침내 성적 시민권이 부여된 것이다.

여성이여, 젠더적 하중을 견뎌라

『제인 에어』는 한 고아소녀가 독립적이고 주체적인 여성으로 자라가는 경로를 추적한 여성 성장소설로 읽힌다. 또한『제인 에어』는 한 남성이 장애와 치유의 과정을 통과하면서 경험하는 남성섹슈얼리티 재구성에 관한 소설로도 읽을 수 있다. 장애남성이 되기 전의 로체스터는 많은 여성들과 부도덕한 관계를 형성하고, 장애는 그의 비윤리적인 행위에 대한 응징으로 작용한다.

장애는 로체스터의 남성섹슈얼리티를 크게 훼손시킨다. 그러나 제인의 헌신적인 돌봄 노동을 통해 그는 회복의 과정을 밟게 되고 남성섹슈얼리티를 재설정한다. 그의 섹슈얼리티는 결혼과 가족제도 내에서만 사용되도록 교정되는 것이다. 로체스터가 제인과 합법적으로 부부가 되고 남자아이를 얻게 되는 소설의 결말은, 그의 남성섹슈얼리티가 존중받는 가부장의 역할을 수행하기에 적합한 것으로 재구성되었음을 보여준다.

『제인 에어』에서의 남성섹슈얼리티 손실과 회복의 서사는 빅토리아시대 젠더이데올로기의 강고한 지배력을 확인시켜준다. 장애의 치유에 있어서도 여성의 헌신과 희생은 필수적이기 때문이다. 여성은, 비장애남성과 장애남성 모두에게 가정의 천사 역할을 요구하는 젠더적 하중을 견뎌야만 하는 것이다.

8장

거세된 유아

『채털리 부인의 연인』

실비아 크리스텔 세대를 추억하며

실비아 크리스텔Sylvia Kristel이라는 여배우를 기억하는지? 1970년대 중반쯤 그녀의 영화 〈엠마뉴엘Emmanuelle〉에 관한 이야기가 들려오기 시작했다. 그때 우리는 10대를 통과하고 있었다.

〈엠마뉴엘〉은 외설적이라는 이유로 검열을 통과하지 못했다. 영화는 볼 수 없었지만 라디오에서 나오는 영화의 OST는 들을 수 있었다. 몽환적이고 감미로운 멜로디가 반복되다가 사이사이 "엠마뉴엘"이라는 숨가쁜 남성의 목소리가 들려왔다. 스틸사진으로 〈엠마뉴엘〉을 만날 수도 있었다. 명동의 중국대사관 앞길에 있던 외국서적을 파는 곳에서 구입한, 일본에서 수입된 『스크린』이나 『로드 쇼』 같은 영화잡지에는 〈엠마뉴엘〉에 나온 실비아 크리스텔의 모습이 담겨 있었다. 〈엠마뉴엘〉은 1990년대 중반에 가서야 우리나라 극장에서 상영되었다.

꼭 그때까지 기다려야만 했던 것은 아니었다. 우리나라에서 개봉되지 않은/못한 영화를 볼 수 있는 공간들이 존재했기 때문이다. 그중 하나가 심야다방이었다. 다방 문 밖에는 도화지 위에 상영될 영화의 제목과 시간이 적혀 있었다. 대개 중국 무술영화였다. 자정 이후에는 목록에 없던 영화들이 상영되었다. 국내에서 극장상영을 허가받지 못한 영화나, 검열로 삭제된 장면이 그대로 남아 있는 원판 — 그때는 무삭제 영화를 이렇게 불렀다 — 이었다. 〈엠마뉴엘〉은 1,000원을 내고 입장하면 커피나 요구르트가 제공되던 심야다방의 컬트영화로 자리 잡았다. 다방의 뒤편에는 숙소가 없는 막노동자들이 잠들어 있었고, TV가 걸린 앞쪽에는 근처 대학의 남학생들이 모여앉아 영화에 집중했다. 첫차가 나올 시간이 되면 형광등이 다시 켜졌다.

심야다방이 '불법' 비디오테이프를 '틀어주는' 공간이었다면, '공개적으로' 예술영화를 '감상하는' 곳도 있었다. 경복궁 근처에 있던 — 지금은 자리를 옮겼다 — 프랑스문화원에서는 영어자막과 함께 프랑스 영화를 관람할 수 있었다. 서강대 커뮤니케이션센터에서도 정기적으로 영화를 상영했다. 주로 타르코프스키Andrei Tarkovsky, 빔 벤더스Wim Wenders, 고다르Jean-Luc Godard, 트뤼포François Roland Truffaut, 로메르Eric Rohmer가 감독한 유럽 예술영화였고, 구로사와 아키라Kurosawa Akira, 오즈 야스지로Ozu Yasujiro가 만든 일본영화와 아메리칸 뉴웨이브 시네마American New Wave Cinema로 불리던 미국영화도 보여줬다(프랑스문화원 지하의 영화관람실과 서강대 A관 커뮤니케이션센터에서 자주 얼굴을 마주치던 이들 중에는 한국영화의 거장이 된 사람들도 있다).

우리나라 관객이 실비아 크리스텔을 극장의 스크린 속에서 처음 만난 것은, 1980년대 초에 개봉된 『채털리 부인의 연인(Lady Chatterley's Lover)』

을 통해서였다. 영화는 성적 욕망을 해결하지 못해 고통스러워하다 불륜의 늪에 빠지는 실비아 크리스텔을 적나라하게 — 이것은 결코 수사나 비유가 아니다 — 보여준다. 엠마뉴엘 부인에서 채털리 부인으로 바뀌었어도 실비아 크리스텔을 활용하는 방식은 변하지 않았다. 『채털리 부인의 연인』역시 그녀를 남성의 관음증을 충족시키기 위한 장치로 사용했다(지금 돌이켜보니 드는 생각이다. 그때도 그렇게 느꼈던 것은 아니다). 대중 역시 변함없는 방식으로 영화를 소비했고, 그녀는 열광적인 추앙 속에서 성적 아이콘으로 각인됐다. 마돈나가 등장하기 전까지는, 최소한 우리 세대에게는, 그랬던 것 같다.

지금은 다르겠지만, 그 시절 『채털리 부인의 연인』은 소설보다는 영화를 먼저 떠올리게 했다. 로렌스는 실비아 크리스텔이 등장하는 영화의 원작자로 뒤따라왔을 뿐이다. 영화를 홍보할 때 로렌스의 소설이 원작이라는 점이 강조되었고, 이렇게 그에 대한 첫인상 혹은 선입견이 결정되었다. 학부시절 로렌스의 『아들과 연인』이 영문과 소설수업 텍스트로 올라온 적이 있다. 로렌스 소설도 문학수업에서 다루는구나라는 생각이 들었다. 수업을 듣던 다른 남자동기들도 비슷한 반응이었다. 우리는 모두 실비아 크리스텔 세대였다.

영화와는 다른 소설

로렌스의 『채털리 부인의 연인』은 실비아 크리스텔의 영화와는 많이 다르다. 소설에서 지적이고 주체적인 여성으로 등장하는 채털리 부인은, 영화에서는 단지 애욕에 불타는 기혼여성으로 축소된다. 영화의 서사는 그녀의 성적 욕망에 집중하면서 극도로 단순화되고, 인물들 역시 그녀의 성애와 관련해서만 작동하는 기능적 장치로 머문다.

예를 들어 비교해보자. 소설에서 산지기 멜러즈Oliver Mellors는 첨예한 계급의식과 상처받은 내면을 지닌 마른 체구의 섬세한 남성이다. 영화에서 그는 채털리 부인의 성적 욕망을 채워주는, 뛰어난 성적 능력을 보유한 건장한 체격의 남성으로 나온다. 그녀의 남편으로 등장하는 클리퍼드의 경우도 크게 다르지 않다. 소설에서 그는 장애로 인해 달라진 자신의 정체성을 고민하는 복잡하고 다층적인 심리구조를 지닌 인물이지만, 영화에서는 아내에게 성적 희열을 주지 못해 한탄하는 무능하고 부실한 남편으로 고정된다.

영화 〈채털리 부인의 연인〉은 실비아 크리스텔의 육체를 압도적인 스펙터클로 전시했고, 성공적으로 전시된 그녀의 육체는 원작소설에 존재하던 다른 모든 흥미로운 지점들을 덮어버렸다. 소설에는 영화가 눈길을 주지 않은 다채로운 지형이 전개된다. 로렌스는『채털리 부인의 연인』에서 계급, 노동, 섹슈얼리티에 관해 성찰하기 때문이다. 계급과 성에 대한 그의 사유는, 살아 숨 쉬는 캐릭터들을 통해, 건조하거나 지루하지 않고 생생하고 풍요롭게 다가온다.

『채털리 부인의 연인』이 드러내는 가장 흥미로운 지점은, 무엇보다도 장애남성을 소설의 주요인물로 배치한 데 있다. 일반적으로 장애인 캐릭터는 소설 텍스트의 "주변부"로 밀려나고, 주요 등장인물은 "대체로 결

우리나라에서 개봉된 〈채털리 부인의 사랑〉 영화 포스터. 원
제의 "연인(Lover)"이 우리말 제목에서는 "사랑"으로 바뀌었
다. 로렌스라는 작가가, 비록 "세계적 대문호"라는 수식어와
함께 등장하기는 했지만, 저급한 "성인영화"의 원작자로 한
국대중에게 각인되는 순간이었다.

코 장애를 지니지 않는"[16] 인물로 구성되는 경향을 보인다. 그렇기 때문에『채털리 부인의 연인』은 장애남성이 주요인물로 등장하는 매우 예외적인 사례가 된다.

로렌스는 단지 장애남성을 주요인물로 설정하는 데 머물지 않는다. 『채털리 부인의 연인』은 장애가 남성섹슈얼리티에 거대한 영향을 미친다는 사실을 보여주는 데까지 나아간다. 클리퍼드의 재현은 장애남성의 탈성애화(desexualize)와 유아기로의 퇴행을 생생하게 드러내기 때문이다. 장애남성은 탈성애화를 통해 규범적 남성섹슈얼리티에서 배제되고, 타인에 도움에 전적으로 의존하는 마치 유아와 같은 존재로 새롭게 규정되는 것이다.

『채털리 부인의 연인』(1928)

콘스탄스는 지식인계급에 속한 부모 밑에서 진보적 사상과 미학적 세련됨을 교육받으며 성장한다. 그녀는 제1차 세계대전에 장교로 참가했다가 휴가를 나온 귀족계급 출신 클리퍼드를 만나 결혼한다. 한 달 동안의 행복한 신혼생활을 보낸 클리퍼드는 전선으로 다시 돌아간다. 전투에서 심각한 부상을 입은 그는 허리 아래가 영구적으로 마비가 된다. 장애 이후 콘스탄스와 클리퍼드 사이에는 어떤 육체적·정서적 교감이나 소통도 존재하지 않게 된다. 클리퍼드는 장애에 대한 보상으로 작가로서의 명성에 극도로 집착한다. 그는 아내에게 냉담한 모습을 보이고, 자신의 간병인인 볼튼 부인Mrs. Bolton과 함께 있을 때 편안함과 행복감을 느낀다.

숲길을 산책하다가 콘스탄스는 산지기 멜러즈와 만난다. 첨예한 계급의식과 섬세하고 상처받은 내면을 지닌 멜러즈와의 은밀한 교류를 통해 콘스탄스는 공감과 위로를 느낀다.

두 사람의 만남은 성적인 관계로 발전한다. 멜러즈로부터 성적 충만감을 경험한 콘스탄스는, 계급적 장벽에도 불구하고, 클리퍼드를 떠나 멜러즈와 함께하기로 결심한다. 콘스탄스의 아버지와 언니는 그녀의 결정에 동의하고 격려를 보낸다. 콘스탄스와 멜러즈가 잠시 헤어져서 각자의 배우자와의 이혼을 준비하는 것으로 소설은 끝난다.

전쟁이 파괴한 것들

19세기 내내 식민지를 둘러싸고 제국들 사이에서 벌어지던 추악한 전쟁은 20세기에 들어와 제1차 세계대전(1914~1918)으로 정점에 이르렀다. 과학의 발전과 최신무기의 개발로 인해 제1차 세계대전은 이전에 경험해보지 못한 대규모 살상을 가져왔다. 특히 제1차 세계대전의 상징처럼 기억되는 참호전은, 가까운 거리에서 총검으로 상대 병사를 살육했다는 끔찍한 기억을 생존 병사들에게 남겼다. 최초의 세계대전에서 각인된 깊은 상흔은 인류와 문명의 미래에 관한 견고한 믿음을 완전히 무너뜨렸다.

제1차 세계대전에 참가해 온몸으로 전쟁의 참상을 체험하다 종전을 1주일 앞두고 전사한 영국시인 오언Wilfred Owen은 「달콤하고 명예로운 일(Dulce et Decorum Est)」이라는 반전시를 썼다. 그의 시는 마치 1960년대 미국의 포크송 가수들이 베트남전을 반대하며 부르던 반전가요처럼 들린다. 시의 마지막 연을 소개한다.

내 친구여, 그대는 그토록 열정을 높여 말하지 않으리라

제1차 세계대전은 참전군인들에게 지워지지 않는 트라우마를 남겼다. 이들이 경험한 끔찍한 참호전은 유럽 백인들 사이의 살육행위였기 때문이다. 식민지 유색인종을 살해하던 때와는 달리, '사람을 죽였다'는 극대화된 죄의식이 이들을 사로잡았다.

필사적으로 영광을 갈구하는 아이들에게,

그 오래된 거짓말을: 달콤하고 명예로운 일

조국을 위해 죽는 것은.

제1차 세계대전의 소름 끼치는 살육의 기억은 더 이상 전쟁의 승리를 기뻐하고 용맹스러운 병사를 찬양하는 문학을 용납하지 않았다. 맹목적인 애국주의와 호전적인 국가주의를 선전하는 문학은, 적어도 두 번째 세계대전이 일어나기 전까지 약 20년 동안 영문학의 중심에서 사라졌다.

제1차 세계대전이 파괴한 것은 이성과 진보에 대한 믿음과 애국주의 문학만은 아니었다. 최초의 세계대전은 전쟁과 남성성에 관한 오랜 믿음까지 말살했다. 독일 나치정권의 억압을 피해 영국을 거쳐 미국으로 탈주한 역사학자 모스George L. Mosse는, 1999년에 세상을 떠날 때까지 파시즘, 민족주의, 인종주의, 섹슈얼리티, 남성성에 대해 치열하게 탐구했다. 1985년에 출판된 — 우리말로는 2004년에 『내셔널리즘과 섹슈얼리티』로 번역 출판된 —『민족주의와 섹슈얼리티(Nationalism and Sexuality)』에서 모스는 제1차 세계대전이 일어나기 전의 상황에 관해 이야기한다. 제1차 세계대전이 발생하기 전까지만 해도 참전이, 조국을 위해 희생하는 고귀한 경험을 통해 평화 시기에 유약해진 남성성을 강화시켜준다는 믿음이 존재했다고. 그렇기 때문에 전쟁에서 입은 상처로 장애인이 된 남성은 고귀하고 명예로운 남성으로 추앙받을 수 있었다고.

제1차 세계대전은 문명의 진보와 인류의 미래에 대한 근대적 신뢰를 무너뜨렸을 뿐 아니라, 전쟁과 남성성에 관한 시각도 전면적으로 재설정했다. 특히 참전으로 인해 신체적·정신적 손상을 입은 남성에 대한 인식을 완전히 바꾸어버렸다. 이들은 더 이상 "파괴된 전사"[17]가 아니라, "특수한 육체 — 즉, 대개 기이하고 비정상적인 신체"[18]로 살아가는 장애인으로 분류되기 시작했다. 『채털리 부인의 연인』에 등장하는 제1차 세계대전에서 부상당한 클리퍼드가 영웅적인 전사가 아니라 고통 받는 장애남성으로 그려진 것은 시대적 변화를 잘 보여준다.

장애, 상징적인 거세

인류학자인 머피Robert F. Murphy는 『침묵하는 몸(The Body Silent)』에서 매우 도발적이고 흥미로운 주장을 펼친다. 그는 남성이 된다는 것이 단지 페니스를 소유하는 것을 의미하지 않는다고 말한다. 규범적 남성으로 인정받기 위해서는 "성적으로 유용한 페니스"를 소유하는 것이 필수적이고, "그 기준을 밑도는 페니스는 모두 실로 일종의 거세를 당한 것"이라고 단언한다.

　머피의 주장은 장애남성의 섹슈얼리티와 관련해서 커다란 설득력을 지닌다. 장애는 남성을 '성적으로 유용하지 못한' '기준 이하의' 페니스를 소유하게 만드는 상징인 '거세'로 볼 수 있기 때문이다. 장애는 섹슈얼리티에 치명적인 손상을 입히고, 장애남성은 자신의 성적 유용성에 대해 극심한 좌절을 경험한다. 장애남성에 관한 연구에서 결혼에 대한 논의가 제로에 가깝다[19]는 사실도 장애가 상징적인 거세라는 점을 확인시켜준다.

　장애는 남성으로서의 정체성과 자존감에 돌이킬 수 없는 손상을 입힌다. 이런 사실은 클리퍼드를 장애 이전과 이후로 나누어 비교해보면 극명해진다. 장애 이전의 클리퍼드는 계급과 지성, 신체적 능력에 있어서 바람직한 남성상을 대표한다. "아버지는 준남작이고 어머니는 자작의 딸"인 귀족가문에서 성장한 그는, 케임브리지대학에서 공부하고 독일유학을 경험한다. 계급적 배경과 지적 능력에 더해 그는 강건한 육체를 지닌 남성으로 그려진다.

　그는 결코 현대의 여자 같은 젊은 신사 중 하나였던 적이 없었다. 오히려 혈색 좋은 얼굴과 넓은 어깨를 지닌 시골 젊은이 같았다.

　장애가 발생하기 전 클리퍼드의 섹슈얼리티는 이상적인 남성섹슈얼리티를 구현한다. 그는 결혼제도 속에서 배우자를 대상으로 섹슈얼리티를 사용하고, 그녀를 성적으로 만족시키는 데 성공하기 때문이다. 그의 아내 콘스탄스는 건강한 몸과 지성, 자유로운 영혼을 모두 지닌 여성으로 재현된다. 겉모습으로만 판단한다면 그녀는 마치 단순하고 건강한 시골처녀처럼 보인다.

　그의 아내 콘스탄스는 사용하지 못한 에너지로 가득한 느린 움직임을 보이는 갈색머리와 튼튼한 몸을 지닌 혈색이 좋고 시골사람처럼 보이는 소녀였다. 그녀는 크고 경탄하는 듯한 눈과 부드럽고 온화한 목소리를 지녔는데,

고향 마을에서 방금 올라온 것처럼 보였다.

외모에서 보이는 인상과는 달리, 그녀는 "부유한 지식인 계급"에 속하는 부모 밑에서 진보적 사상과 미학적 세련됨을 교육받으며 성장한 여성이다.

예술가들과 세련된 사회주의자들 사이에서 그녀와 그녀의 언니 힐다Hilda는 이른바 미학적으로 인습에 얽매이지 않는 교육을 받으며 자랐다. 부모님은 그들을 데리고 파리나 플로렌스, 로마로 가서 예술을 호흡하게 했다. 다른 한편으로 부모님은 그들을 헤이그나 베를린의 대규모 사회주의자 회합에 데리고 갔다. 연설자들은 교양 있는 언어를 사용했고 모인 누구도 부끄러워하지 않았다.

여전히 여성은 빅토리아시대 성윤리에 구속되던 시기지만, 콘스탄스는 성적 억압에서 해방된, 비현실일 정도로 파격적인 면모를 보여준다. 그녀는 열여덟 살이 되기도 전에 최초로 성적 경험을 하는, 당대의 관습과 도덕률에서 "자유로운" 여성으로 재현된다.

클리퍼드는 자신의 욕망을 자유롭게 추구하던 콘스탄스로 하여금 최초로 "더 깊고 더 개인적인 성관계"를 체험하게 만든다. 그가 뛰어난 육체적인 능력을 소유하고 여성을 섬세하게 배려할 줄 아는 남성이기 때문이다. "다른 많은 남자들이 그런 것처럼… 자신의 '만족'을 채우는 것만을 강렬히 원하지 않았던" 클리퍼드는 그녀에게 충만한 성적 희열을 제공한다.

장애는 남성섹슈얼리티를 치명적으로 훼손한다. 장애 이후 클리퍼드의 비극적인 상황은 이러한 사실을 분명하게 보여준다. 장교의 신분으로 제1차 세계대전에 참가했던 클리퍼드는 전쟁터에서 심각한 부상을 입고 고국으로 후송된다.

거의 산산조각이 난 상태로 배에 실려 영국으로 왔다. … 그는 죽지 않았고 조각난 육체는 다시 자라서 하나가 되는 것 같았다. 2년간 그는 의사의 손에 맡겨졌다. 그러고 나서 치유되었다는 공식적인 판정을 받았고, 그는 엉덩이 아래가 영구적으로 마비된 상태로 다시 삶으로 돌아올 수 있었다.

그는 장애로 더 이상 '좋은', '정상적인', '자연스러운', '축복받은' 섹슈얼리티를 보유할 수 없게 된다. 그에게는 여성에게 아이를 가지게 하거나 성적인 만족감을 느끼게 할 수 있는 능력이 영구적으로 소거된 것이다. 그의 아내는 아이 가지기를 열망하지만, 그는 "영구장애를 입어 결코 아이를 가질 수 없는" 존재로 남는다. 그의 아버지 채털리 경Lord Chatterley은 아들의 상징적 거세로 인해 가문의 후손을 기대할 수 없게 되었다는 "비통함"으로 세상을 떠난다.

장애는 부부의 관계를 전면적으로 재구성한다. 장애가 발생하기 전 클리퍼드는 콘스탄스와 육체적·정서적 측면에서 매우 친밀한 관계를 맺었다. "클리퍼드는 콘스탄스와 결혼했고… 그녀와 한 달 동안의 신혼생활을 보냈다. … 그들은 마치 가라앉는 배에서 함께 서 있는 두 사람처럼 친밀했다."

장애는 그로부터 아내에게 제공할 수 있는 성적 자산을 앗아가 버린다. 이제 그는 성적 파산자로 존재할 뿐이다. "그녀는 클리퍼드와 함께했다. … 그녀는 상당한 양의 남성의 생기를 원했는데, 클리퍼드라는 이 남자는 그녀에게 그것을 주지 않았다: 그는 줄 수 없었다." 클리퍼드가 성적 파산에 이른 후 부부의 관계는 "조금 거리를 두는 현대적 방식"으로, 더 나아가서는 "육체적으로는 서로에게 존재하지 않는" 사이로 바뀌게 된다. 남편과의 성적 관계가 더 이상 가능하지 않게 되면서, 콘스탄스에게는 "발산하지 못한 기운이 가득하게" 된다.

콘스탄스의 아버지는 딸에게 일어난 변화를 감지한다. 그는 사위인 클리퍼드에게 다음과 같이 이야기한다.

둘이 따로 있을 때 클리퍼드에게 그는 같은 말을 했다.

"*반처녀(demi-vierge)*가 되는 것은 콘스탄스에게는 매우 맞지 않을 것 같아 두렵네."

"반처녀(half-virgin)라고요!" 클리퍼드가 들은 것이 맞는지 확인하려는 듯이 장인의 말을 영어로 옮기며 대답했다.

그는 잠시 생각했고, 그러고는 얼굴이 매우 빨갛게 상기되었다. 그는 화가 났고 기분이 상했다.

"어떤 점에서 그녀에게 맞지 않는다고 하시는 것이지요?" 그가 딱딱하게 물었다.

"그녀는 말라가고 있어 — 뼈가 앙상해. 그건 그녀의 스타일이 아니네."

장애 이전의 클리퍼드는 아내를 대상으로 섹슈얼리티를 성공적으로 사용하는 규범적 남성섹슈얼리티의 소유자였다. 하지만 장애 이후 그는 장인으로부터 아내를 "반처녀" 상태로 방치한다는 책망을 듣는 남성으로 변모한다. 장애는 클리퍼드를 성적으로 무능할 뿐 아니라 무책임한 남성으로 재설정한 것이다.

　클리퍼드는 우월한 계급적 배경과 뛰어난 육체자본 그리고 상당한 수준의 문화자본을 소유한 남성이었다. 그러나 장애는 그가 지닌 다양하고 복합적인 특성과 자질을 지워버린다. 장애의 가공할 구속력은 그를 장애남성이라는 "단일한 속성으로 환원"[20]시켜버린다. 이제 클리퍼드는 단지 성적으로 부적합하거나 무능력한 장애남성으로 존재할 뿐이다.

　클리퍼드는 귀족계급에 속하고 광산을 소유한 자본가다. 그럼에도 불구하고 장애남성 클리퍼드는 비장애남성인 광산노동자들에게 위축감과 열패감을 느끼는 것으로 드러난다.

　광부들은 어떤 의미에서는 그가 부리는 자들이었다. … 그는 어떤 면에서는 광부들을 두려워했고 그들이 이제 불구가 된 자신을 바라보는 것을 견딜 수 없었다. 그리고 그들은 이상하게 거친 남성성을 지녔는데, 그것이 그에게는 고슴도치처럼 이상했다.

　장애 앞에서 그의 계급적 지위와 문화적 자산은 소거된다. 클리퍼드는 비장애남성 앞에서 좌절하는, 장애남성이라는 성적 하위주체로만 남는다.

클리퍼드는 섹슈얼리티 상실에 대한 보상으로 명성과 돈이라는 "세속적인 성공(bitch-goddess)"에 극도로 집착하는 모습을 보인다.

클리퍼드의 성공이 있었다. 세속적인 성공! 사실이었다. 그는 거의 유명했고 그가 가장 최근에 쓴 책은 천 파운드를 그에게 가져왔다. 그의 사진은 어디에나 나타났다. 전시장 한 곳에는 그의 흉상이 있었고 두 곳의 전시장에는 그의 초상화가 있었다. 그의 목소리는 현대인의 목소리 중에서 가장 현대적으로 들렸고, 언론의 주목을 향한 그의 기묘하고 불구적인 본능에 의해 그는 사오 년 사이 가장 잘 알려진 젊은 "지성인" 가운데 한 명이 되었다.

"언론의 주목을 향한 그의 기묘하고 불구적인 본능"과 "과시에 대한 열정"에 기반을 둔 그의 노력은 성공을 거두고, 그는 명성에 걸맞게 화려하고 과시적인 삶을 살아간다. 그는 "값비싼 런던의 양복점에서 맞춘 옷"을 입고 "최고급 상가인 본드 가Bond Street에서 세심하게 고른 넥타이"를 착용한다.

명성과 과시로 요약되는 새로운 삶의 방식은 훼손된 남성섹슈얼리티에 대한 보상이 되지 못한다. "여전히 그의 얼굴에는 장애인의 조심스러운 표정과 또한 가벼운 공허가 보였다." 콘스탄스에게 "성적으로 열정이 없고… 죽어 있는" 상태에서 보상행위에 골몰하는 클리퍼드는, 기이하고 차가운, 심지어는 두려운 존재로 다가올 뿐이다.

진짜 다리를 가지지 못한… 그는 얼마나 기이한가! 어떤 새처럼 날카롭고 차갑고 완고한 의지를 지녔지만 따뜻함은 없는, 따뜻함이란 전혀 없는 얼마나 이상한 피조물인가. 극도로 기민한 의지, 차가운 의지만 있을 뿐 영혼은 없는 후일 나타날 피조물 중 하나인. 그녀는 그가 두려워서 약간 몸서리를 쳤다.

클리퍼드는 규범적 남성섹슈얼리티에서 배제되었다는 수치심과 무력감을 보상받기 위해 최선을 다한다. 하지만 그의 절박한 시도는 오히려 장애남성에 대한 혐오감을 가중시키는 것이다.

유아적인, 너무나 유아적인

장애인으로 살아가면서 장애운동가/장애학 연구자로 가장 눈부신 궤적을 보인 사람을 미국과 영국에서 각각 한 명씩 뽑는다면, 아마도 메어스Nancy Mairs와 셰익스피어Tom Shakespeare를 지목할 수 있을 것이다. 이들은, 직접 체험한, 장애인이 처한 부당한 현실을 고발하고, 연구와 운동을 통해 장애인의 지위를 향상시키기 위해 분투했다. 두 사람 모두가 토로한 가장 고통스러운 현실은, 사회가 장애인을 유아로 간주한다는 것이다.

　미국의 시인이자 장애운동가였던 메어스 ― 과거형으로 말할 수밖에 없다. 그녀는 2016년 12월에 세상을 떠났기 때문이다. 그녀가 쓴 시들은 매우 아프지만 아름답다 ― 는 「성, 죽음, 불구의 육체(Sex and Death and the Crippled Body)」에서 사회는 장애를 지닌 사람들을 "총체적으로 유아 취급하는(infantilize) 경향"을 보인다고 비판했다. 1990년대 이후의 장애 연구를 선도하고 있는 영국의 사회학자 셰익스피어는 『말로 다 할 수 없는 욕구들: 장애의 성정치학(Untold Desires: The Sexual Politics of Disability)』에서 메어스와 같은 주장을 한다. 그는 그 원인도 함께 이야기한다. 장애인은 의존적인 존재이기 때문에 "유아 취급을 당한다"는 것이다.

장애남성으로 범위를 좁히더라도 메어스와 셰익스피어의 주장은 유효하다. 장애남성 역시 같은 취급을 받기 때문이다. 장애남성의 유아화에는 의존성뿐 아니라 무성성 또한 결정적 요인으로 작용한다. 장애남성은 섹슈얼리티를 거세당한, 마치 어린아이 같은 무성적인 존재로 간주된다. 동시에 장애남성은 독립적이고 주체적으로 행동할 수 있는 능력을 상실하고 타인의 도움에 전적으로 기대야만 하는 의존적인 대상으로 규정된다. 장애남성에게 덧씌워진 무성성과 의존성은 이들을 유아적인 존재로 취급되도록 만든다.

장애남성의 무성성에 관해서는 이미 살펴보았다. 지금부터는 이들의 의존성에 대해 이야기하자. 『채털리 부인의 연인』에서 클리퍼드는 장애 이후 전적으로 타인의 돌봄에 의존하는 유아기적 퇴행을 보인다. 클리퍼드의 재현은 지배적 장애담론을 그대로 옮겨놓은 것이라 할 수 있다. 장애남성은 "의존적이고 어린아이 같다"는 생각이 당대의 장애관으로 "단단히 자리 잡았기"[21] 때문이다.

장애남성은 어린아이 같은 존재로 취급되어야 한다는 시각은, 누구보다도 볼튼 부인을 통해 잘 드러난다. 탄광사고로 육체적·정신적 손상을 입은 광부들을 간호한 경험이 많은 그녀는 장애남성의 유아적인 면모에 대해 다음과 같이 이야기한다.

하루는 그녀가 콘스탄스에게 말했다. "바닥까지 가보면 남자는 모두 아기 예요. 아, 저는 테버셜Tevershall 탄광으로 내려갔던 가장 거친 남자들 중 몇 몇도 다루어봤어요. 하지만 그들이 어떤 병을 앓게 되어 당신이 그들을 돌 보아주어야 한다면 그들은 아기들이에요, 단지 큰 애기들. 오, 남자들은 별 차이가 없어요!"

볼튼 부인은 풍부한 경험을 통해 체득한, 장애남성은 "큰 애기들(big babies)" 같은 존재라는 점을 확신한다.

볼튼 부인이 주장한 장애남성의 유아화 경향은, 클리퍼드를 통해 확 인된다. 장애가 발생한 후 그는 마치 볼튼 부인의 주장을 충실하게 실천 하려는 것처럼 유아와 같은 존재로 퇴행한다. 장애 이전에는 자신이 돌 보고 보호하던 아내에게 그는, 마치 엄마 품을 떠나기가 두려워 계속 매 달리는 어린아이 같은 모습을 보인다.

클리퍼드가 그녀를 반드시 곁에 두려고 해서 그녀는 심지어 자유롭지도 못 했다. 그는 그녀가 자신을 떠나리라는 신경과민성 공포를 지닌 듯했다. 그 의 신기할 정도로 흐물흐물해진 정서적이고 인간적인 개인으로서의 부분 은 마치 아이처럼, 거의 백치처럼 공포에 휩싸여 그녀에게 의존했다. 그녀는 그의 부인인 채털리 부인으로서 랙비Wragby 저택에, 바로 그곳에 있어야만 했다. 그렇지 않으면 그는 마치 황야지대의 백치처럼 길을 잃게 될 것이다.

장애남성이 된 후 클리퍼드는 독립적인 성인남성에서 타인의 도움에 전적으로 기대어야 생존이 가능한 유아와 같은 상태로 전락한다. 특히 이동성의 상실은 그에게 새롭게 주어진 의존성을 선명하게 부각시킨다.

그들은 집에 도착했고 계단이 없는 집 뒤편으로 돌아갔다. … 그리고 난 후 콘스탄스가 짐처럼 무거운 죽어버린 그의 다리를 몸 쪽으로 들어 옮겼다. … 세상은 꽃으로 만발한데, 자신은 휠체어에서 목욕용 의자로 옮겨가기 위해 도움을 받아야만 한다는 것은 클리퍼드에게는 잔인했다.

클리퍼드의 지위는 성인남성의 높이에서 어린아이의 위치로 낮아진다. 그리고 그의 낮아진 지위는 그가 사용하는 휠체어로 암시된다. 휠체어의 사용은 "말 그대로 개인의 신장을 — 그리고 암시적으로 지위"[22]를 하락시키기 때문이다.

장애남성에게 의존성이나 종속성보다 더욱 커다란 고통과 수치로 다가오는 것은, 사적인 영역의 붕괴다. 장애남성은 아기처럼 가장 내밀한 행위에 있어서도 도움의 손길이 필요하기 때문이다. 보조자들은 장애남성의 모든 행위를 "주시하고 기록하고 논의"[23]하며, 그의 가장 사적이고 은밀한 행위마저 타인에게 "알려지는"[24] 것이다.

클리퍼드는 목욕이나 배변활동에도 타인이 폭력적으로 개입한다는 사실에 극도의 모멸감을 느낀다. 보조자들의 존재는 자신이 섹슈얼리티가 형성되기 이전의 유아와 같은 처지가 되었다는 사실을 알려주기 때문이다. 자신의 성기는 이제 성적 쾌락과 희열을 선사하는 내밀한 기관과는 무관한, 위생적으로 관리되어야 하는 배변기구로 전락했다는 사실을 수치스럽게 일깨워주는 보조자들에 대해 그는 적개심과 분노감을 드러낸다.

클리퍼드는 충분히 오랫동안 간호사들의 손에 맡겨졌다. 그는 그들이 자신에게 진정한 사생활을 조금도 허용하지 않았기 때문에 그들을 미워했다. 그리고 남자 하인이라니! 그는 자기 주변에 남자가 배회하는 것을 견딜 수 없었다.

클리퍼드는 여성 간호사보다는 남성 보조자에 대해 더 큰 적대감을 느낀다. 그들의 건재한 남성섹슈얼리티는 자신이 장애로 인해 어린아이와 같은 존재가 되었다는 점을, 성적 위계에서 극적으로 하락했다는 사실을 고통스럽게 깨우쳐주기 때문이다.

사적 영역의 붕괴와 유아처럼 은밀한 부위를 남에게 맡겨야만 한다는 사실에 클리퍼드는 노여움과 수치심을 강하게 표출한다. 하지만 그는 점차 장애남성의 유아화에 투항하는 모습을 보인다.[25] 유아와 같은 취급을 받는 데 익숙해지면서 그는 장애남성에게 부여되는 모멸적인 상황을 받아들이게 되는 것이다. 장애남성을 아기로 규정하고 정성스럽게 돌보는 볼튼 부인의 손길에서 그는 오히려 편안하고 행복해 하는 것으로 그려진다.

그녀는 이제 그를 위해 거의 모든 일을 했고, 그는 콘스탄스보다도 그녀가 더 편하게 느껴졌고 허드렛일을 자신에게 해주는 것도 덜 부끄러웠다. 그녀는 그를 다루는 일을 좋아했다. 그녀는 그의 육체를, 가장 천한 일들까지도 자신이 책임지는 것을 굉장히 좋아했다.

클리퍼드는 더 이상 극도로 낮아진 자신의 성적 위계에 적대감을 드러내거나 불편해하지 않는다. 오히려 타인의 보살핌 속에서 "마치 그가 진짜로 아이인 것처럼" 유아기의 행복을 만끽한다. 장애남성의 유아적 퇴행은 마침내 완결된 것이다.

암흑의 심연

『채털리 부인의 연인』이 드러내는 장애와 남성섹슈얼리티에 대한 시각만으로 판단한다면, 로렌스는 매우 보수적인 작가로 평가될 것이다. 그가 『채털리 부인의 연인』에서 재현한 장애남성의 섹슈얼리티는, 지배적 장애담론의 반복으로 읽히기 때문이다. 하지만 로렌스는 권력의 탄압을 피해 영국을 떠나 유럽과 남미를 떠도는 망명생활을 해야만 했던, 당대의 가장 급진적이고 전위적인 작가였다. 그런 그에게도 장애남성의 섹슈얼리티는 새롭게 주목하거나 관심을 줄 대상으로 다가오지 않은 것이다. 장애남성 섹슈얼리티는 로렌스마저 우회해버린 매몰지점으로 존재한다.

장애남성의 섹슈얼리티에 관한 이야기를 마치도록 하자. 남성섹슈얼리티 위계의 하단에는 남성동성애자, 독신남성, 소년이 모여 있다. 그들 아래, 가장 깊은 층위에는 장애남성이 머문다. 그의 섹슈얼리티는 지금도 빛이 통과하지 않는 암흑의 심연으로 남아 있다.

누구도 페니스에는 관심을 보이지 않았다

갓난아기 사진에 관한 오래된 기억을 떠올려보자. 백일사진의 주인공이 사내아기라면, 아기는 사진 속에서 '자랑스럽게' 성기를 노출한다. 추운 계절에 촬영되었거나, 삼대가 함께 모여 찍은 가족사진이라고 해도 성기 공개의 원칙은 변하지 않는다. 한때 이런 사진이 커다랗게 인화되어 사진관의 대로변 전시공간에 걸리던 적이 있었다.

태아의 염색체가 XY로 구성된 순간 이미 그 생식기에는 젠더적 권력이 부여된다. 성염색체가 XX가 아니라는 사실만으로 태아는 젠더적 강자가 될 것이기 때문이다. 태어난 지 백일 된 사내아기가 사진 속에서 환히 드러내던 성기는, 그가 지닌, 그리고 앞으로도 지닐 젠더적 권력을 과시한다.

오해하지 말아야 할 것은, 신생아 시절의 젠더권력이 2차성장기 이후 섹슈얼리티에 대한 승인을 보장하지는 않는다는 사실이다. 성염색체의 구성방식을 통해 부여된 젠더적 축복이, 남성섹슈얼리티 위계의 상위 배치로 자동적으로 이어지지는 않기 때문이다. 사내아이가 이성애자/기혼/비장애 남성으로 자라나지 않는다면, 그의 한때 자랑스럽던 생식기는 온전한, 축복받은 성적 기관으로 평가되지 않는다.

이 책을 시작하면서 나는 남성섹슈얼리티는 평등하지 않다고 썼다. 즉물적으로 다시 쓰자. 페니스라고 해서 다 같은 페니스가 아니다. 젠더에만 위계가 존재하는 것이 아니기 때문이다. 남성섹슈얼리티에도 엄격한 위계가 존재한다. 누군가의 섹슈얼리티가 정상적이거나 바람직하다고 판정받는 데 실패한다면, 그는 기괴하고 때로는 비극적인 교정/순치/재적응 과정을 통과해야 한다.

남성섹슈얼리티는 이성애자, 기혼, 비장애, 성인 남성을 정점으로 위계화된다. 상위그룹에 포함되지 못하는 남성섹슈얼리티는 하위등급에 배치된다. 혼동하지 말자. 남성섹슈얼리티에 대한 판정이나 평가에는 성애에 대한 관심은 부재한다. 남성섹슈얼리티는, 매우 역설적이지만, 섹슈얼리티가 텅 비어 있는 공간으로 존재한다.

새로 알게 된 남성섹슈얼리티에 관한 진실을 이야기하자. 소년의 섹슈얼리티에 대한 우려에 있어서 성애적 감수성의 발달은 고려사항이 아니었다. 오직 제국의 미래에 대한 불안과 계급적 기획만 가득했다. 모든 사유의 지향은 제국의 지도자로 자라야 할 지배계급의 어린 성원이 죽음에 이르는 질병에 감염되지 않도록 하는 데 있었다.

자위행위담론의 다른 한 축을 이루던 독신남성의 섹슈얼리티에 관한 접근 역시 마찬가지였다. 제국과 민족의 '무궁한 발전'을 위해 산업전사로 헌신해야 할 '한창나이'의 남성이 비경제적 성행위에 몰두하는 것은 용납될 수 없었다. 그의 자위행위는 자본주의 경제체제에 대한 신성모독적인 측면까지 지니기 때문이다. 국가발전을 향해 모두가 힘을 합쳐

한마음으로 달려야 할 때 폐쇄된 공간에 숨어 "홀로 행하는" 행위는, 사회의 단합과 연대를 깨뜨리는 범죄이기도 했다. 독신남성을 향한 경계와 우려의 시선 어디에도 섹슈얼리티 그 자체에 대한 고민은 존재하지 않았다.

마초적인 남성성을 과시하던 헤밍웨이의 소설과 하드보일드 추리소설이 그려낸 남성섹슈얼리티에도 섹슈얼리티는 부재하고, 오직 계급의 모습만 보인다. 미국의 노동계급은 남성섹슈얼리티를 계급적 기호로 판단했다. 노동계급의 거칠고 강인한 남성성이 이성애자를 판별하는 기준이 되었고, 동성애자는 상류계급 남성과 동일시되었다. 마초적인 작가들은 노동계급의 남성섹슈얼리티 판정기준을 그대로 수용했다. 계급적인 동질성을 옹호하기 위해 혹은 스스로에게서 간헐적으로 솟아나는 동성애적 성향을 은폐하기 위해서였다. 헤밍웨이의 텍스트에서 그리고 하드보일드 추리소설에서 남성섹슈얼리티는 패션스타일이나 예술적 기호를 근거로 재현된다. 철저하게 그리고 강박적으로 계급의 시선을 통해 남성섹슈얼리티를 조망한 것이다.

근대 영국의 작가와 철학자들도 계급적 입장에서 남성섹슈얼리티에 접근했다. 이들은 남성섹슈얼리티를 바라보는 관점에 민족주의적 시각도 덧붙였다. '중간계급' 남성만이 진정한 '영국'남성이라는 이데올로기를 구성해서 유포한 것이다. 영국의 진정한 남성성을 혼란에 빠뜨리는 동성애는, 섹슈얼리티의 다양성과는 무관한 귀족계급의 악덕이며 외래적인 악습으로 규정되었다.

진보적인 작가들이라고 해서 남성섹슈얼리티에 열린 마음으로 다가

선 것은 아니었다. 계급과 젠더문제에 급진적인 입장을 견지하던 작가들 역시 다르지 않았다. 빅토리아시대의 강고한 젠더이데올로기에 대해 전복적인 시각을 드러낸 여성작가 샬롯 브론테는, 장애남성의 섹슈얼리티를 형벌로 간주하는 당대의 지배적 시각을 수용하고 재생산했다. 로렌스 역시 마찬가지였다. 그는 노동계급에 대해 강한 애정과 전폭적인 지지를 보내고 여성섹슈얼리티에 대해서도 존중하는 태도를 보여줬다. 하지만 로렌스도 남성섹슈얼리티에 관한 기존의 패권적 입장과 타협했다. 그는 장애남성의 섹슈얼리티를 무성적인 것으로 재현하고, 장애남성을 유아적인 존재로 취급하는 소설을 썼다.

기억하자. 섹슈얼리티는 단지 구실이나 핑계일 뿐이다. 남성섹슈얼리티에 대한 접근이 섹슈얼한 측면과는 무관하게 이루어진 것처럼, 성적 하위주체와 그들의 섹슈얼리티에 대한 처벌과 교정 역시 성애적 요소와는 상관없이 진행되었다. 남성섹슈얼리티는, 매번, 어김없이, 정치적 계산과 정파적 이해를 관철하는 데 전용됐다.

남성섹슈얼리티에 대한 정파적 접근은 18세기 영국의 진보진영에 의해 시작되었다. 그들은 귀족계급의 헤게모니를 약화시키기 위한 장치로 남성섹슈얼리티를 사용했다. 진보주의자들은 남성동성애를 귀족계급의 정치적 부패와 탐욕과 연결시켰다. 문학은 남성동성애자를 마음껏 조롱하고 비난했다. 섹슈얼리티는 다만 계급해방을 위한 도구였다.

19세기에 들어서면 진영이 뒤바뀐다. 이제 보수주의자들이 남성섹슈얼리티를 전용하기 시작했다. 보수주의자들은 동성애를 유럽대륙의 급진적인 정치사상과 연관시켰다. 동성애는 영국민족을 타락시키기 위한 외교적·정치적 음모로 규정되었고, 동성애자들은 민족의 이름으로 가혹하게 처벌됐다. 문학은 철저하게 침묵했고, 그럼으로써 기꺼이 공모자가 되었다.

소년과 독신남성의 섹슈얼리티의 주된 발현방식인 자위행위는 경제적·사회적 배덕행위로 비난받았다. 그들의 섹슈얼리티는 순화와 재구성 과정을 거칠 것을 강요당했다. 문학은 비난의 움직임과 함께했고, 소년과 독신남성에 대해 동일한 요구를 반복했다. 문학에서 소년과 독신남성의 섹슈얼리티는 경계와 순치의 대상으로 그려졌고, 이들의 자위행위는 기괴한 미학적 효과를 창출하는 장치로 사용됐다. 문학은 소년의 섹슈얼리티가 올바르게 사용될 방향을 제시했고, 독신남성이 경제주체로 호명되고 남성주체로 재탄생하는 과정을 아름답고 따뜻하게 재현했다.

중세시대 이후 장애남성의 섹슈얼리티는 속죄와 구원에 대한 종교적 은유로 사용되었다. 장애는 성적 죄악으로 인해 내린 신의 처벌로 규정되었고, 장애에서 벗어나는 것은 오직 신앙의 회복을 통해 가능하다고 여겨졌다. 문학 역시 중세 때 만들어진 오래된 길을 따라갔다. 문학에서 장애남성 섹슈얼리티의 복원은 그가 실천한 참회의 신실함과 같이하는 것으로 그려졌다.

장애남성의 섹슈얼리티가 세속적으로 다루어지는 경우도 있었다. 이때 그의 장애는 신분이나 계급의 변화, 시대적 전환을 암시하는 상징으로 사용된다. 장애로 인해 손상된 남성섹슈얼리티는 남성적 위상의 하락, 주체성의 상실, 젠더적 재배치 등을 암시하는 장치로 작동한다. 문학은 장애남성에게 부여된 과업 — 지위변화를 받아들이고 젠더적 전환에

재적응하는 — 을 기록하고, 그의 수행과정을 재현했다.

나는 이 책에서 남성섹슈얼리티는 단 한 번도 단독적으로 사유되거나 '순수하게' 취급되지 않았다는 사실을 보여주려 했다. 남성섹슈얼리티 담론의 장 어디에도 성애, 성행위, 성생활과 관련된 논의는 보이지 않기 때문이다. 모두가 섹슈얼한 측면을 건너뛰거나 소거한 채 남성섹슈얼리티에 관해 발언했다. 누구도 페니스에는 관심을 보이지 않았다.

다시 기억하자. 성적 하위주체에 대한 공격과 폭력은, 특히 그것들이 집단의 이름으로 행해질 때, 그 모든 것은 정파적 이해에 기반한다. 남성섹슈얼리티에 대한 평가와 위계, 공세와 비판, 혐오와 모욕은 섹슈얼리티와는 무관한 정치적·경제적 계산과 판단으로 이루어져 왔기 때문이다. 오래된 역사다.

백일사진에 대한 이야기로 돌아가자. 이제는 남자아기의 성기가 노출된 사진을 보지 않아도 된다. 마지막으로 본 것도 10년이 더 된 것 같다. 급행열차가 서지 않는 소도시의 사진관 벽에는 '고추'를 드러내고 해맑게 웃는 아기의 대형사진이 걸려 있었다. 햇볕에 색이 몹시 바랜 것으로 봐서 촬영한 지 꽤 오래된 사진이었다.

사내아기의 성기사진이 사라졌다고 남성섹슈얼리티를 향한 태도나 견해가 완전히 달라진 것은 아니다. 여전히 신앙의 이름으로, 개인적 신념이라는 명분으로 성적 하위주체를 모욕하고 배제하는 일은 발생한다. 그런 움직임에는 집단적 공모와 계산이 깔려 있다는 사실에도 변함은 없다.

성기를 드러낸 남자아기 사진이 사라졌다고 해서 젠더적 선호가 사라진 것은 아니지만, 바지를 입고 사진을 찍는 남자아기에게 부여될 젠더적 권력은 예전과 같지는 않을 것이다. 비슷한 예측을 남성섹슈얼리티에 대해서도 할 수 있다. 소년의 자위행위가 처벌의 대상이 되거나, 동성애가 범죄화되고, 장애남성이 유아화되고, 독신남성의 삶이 부정되는 일은 다시는 일어날 수 없을 것이다. 남성섹슈얼리티를 이유로 개인을 차별하거나 배제하는 일은 '공적으로는' 사라질 것이다. 아직 갈 길이 멀지만, 이미 시작된 걸음은 누구도 되돌릴 수 없기 때문이다.

남성섹슈얼리티에 대한 긴 이야기를 마칠 시간이다. 모두가 조금씩 불편해지고 조심하는 삶이 문명이고 진보라는 사실을 기억할 때다. 누군가는 확신에 차서 무례하고 난폭한 말을 큰 소리로 외치고, 다른 누군가는 위축되고 침묵해야 한다면, 그것은 원색적인 야만이고 퇴행이다. 소년이 침묵하고, 동성애자가 두려워하고, 장애남성은 모습을 드러내지 않는 곳으로 되돌아가는 일은 끔찍한 미래다. 이미 충분히 힘들고 슬픈 이들이 많다. 더할 필요는 없다.

부록

참고문헌/주석

참고문헌

계정민. 「계급, 남성성, 범죄 : 하드보일드 추리소설의 사회학」. 『영어영문학』 58권 1호 (2012): 3-19.

_____. 「계급, 민족, 섹슈얼리티 : 18세기 영국 동성애담론」. 『영어영문학』 53권 2호 (2007): 203-18.

_____. 「근대 영국에서의 위계화된 남성 섹슈얼리티와 "홀로 저지르는 죄악"」. 『영어영문학』 54권 4호 (2008): 443-59.

_____. 「"동성애자 사이에서 길 잃은": 헤밍웨이 초기문학에서의 남성동성애 재현」. 『근대영미소설』 18집 1호 (2011): 5-24.

_____. 「빅토리아시대 문학에서의 장애의 재현과 남성성 : 『제인 에어』의 로체스터를 중심으로」. 『근대영미소설』 25집 3호 (2018): 5-21.

_____. 「"입 밖에 낼 수 없는 죄악": 19세기 영국 동성애담론」. 『영어영문학』 51권 1호 (2005): 169-86.

_____. 「장애와 남성섹슈얼리티 : 『채털리 부인의 연인』의 클리포드를 중심으로」. 『영어영문학21』 31권 4호 (2018): 5-21.

_____. 「하드보일드 추리소설의 남성동성애 성정치학」. 『근대영미소설』 23집 1호 (2016): 5-21.

Acton, William. *Function and Disorders of the Reproductive Organs in Childhood Youth.* London: Churchill, 1865.

Anderson, Robert. "Speech at Purity Rally." *Alliance of Honour Record* (January 1911): 1-6.

Babener, Liahna. "Raymond Chandler's City of Lies." *Los Angeles in Fiction: A Collection of Original Essays.* Ed. David Fine. Albuquerque: U of New Mexico, 1984. 109-31.

Baker, Sheridan. "Henry Fielding's *The Female Husband*: Fact and Fiction." *PMLA* 74 (1959): 213-24.

Barker-Benfield, G. J. *The Horrors of the Half-Known Life: Male Attitudes towards Women and Sexuality.* New York: Harper, 1976.

Barker, Priscilla. *The Secret Book Containing Private Information and Instructions for Women and Young Girls*. Brighton: P. Barker, 1888.

Baynton, Douglas. "A Silent Exile on This Earth: The Metaphoric Construction of Deafness in the Nineteenth Century." *The Disability Studies Reader*. Ed. Lennard J. Davis. New York: Routledge, 1997. 128-50.

Beegel, Susan F. "'A Lack of Passion': Its Background, Sources, and Composition History." *The Hemingway Review* 9 (1990): 50-56.

_____. "The 'Lack of Passion' Papers." *The Hemingway Review* 9 (1990): 68-93.

Beer, Gillian. *George Eliot*. Bloomington: Indiana UP, 1986.

Belton, John. *American Cinema/American Culture*. New York: McGraw-Hill, 1994.

Bentham, Jeremy. *Catalogue of the Manuscripts of Jeremy Bentham in the Library of University College, London*. London: Athlone, 1962.

Blackwell, Elizabeth. *The Human Element in Sex: Being a Medical Enquiry into the Relation of Sexual Physiology to Christian Morality*. London: Churchill, 1885.

Blackmore, David. "'In New York It's Mean I Was a...': Masculinity Anxiety and Period Discourses of Sexuality in *The Sun Also Rises*." *The Hemingway Review* 18(1998): 49-67.

Bloch, Ivan. *A History of English Sexual Morals*. Trans. William H. Fostern. London: Francis Aldor, 1936.

Boon, L. J. "Those Damned Sodomites: Public Images of Sodomy in the Eighteenth-Century Netherlands." *The Pursuit of Sodomy: Male Homosexuality in Renaissance and Enlightenment Europe*. Ed. Kent Gerard and Gert Hekma. New York: Harrington Park, 1989. 232-51.

Bourke, Joanna. *Dismembering the Male: Men's Bodies, Britain and the Great War*. Chicago: U of Chicago P, 1996.

Bray, Alan. *Homosexuality in Renaissance England*. New York: Columbia UP, 1996.

Brinkley, Alan. *The End of Reform: New Deal Liberalism in Recession and War*. Vintage: New York, 1996.

Bristow, Edward. *Vice and Vigilance: Purity Movements in Britain since 1700*. Dublin:

Rowman and Littlefield, 1977.

Brontë, Charlotte. *Jane Eyre*. Ed. Stevie Davies. London: Penguin, 2006.

_____. *Villette*. Ed. Helen Cooper. London: Penguin, 2004.

Brownworth, Victoria A., and Susan Raffo, eds. *Restricted Access: Lesbian on Disability*. Seattle: Seal, 1999.

Bullough, Vern L. *Sexual Variance in Society and History*. New York: Wiley, 1976.

Burg, B. R. "Ho Hum, Another Work of the Devil: Buggery and Sodomy in Early Stuart England." *Journal of Homosexuality* 6 (1980-1981): 69-78.

Carlile, Richard. *Every Woman's Book or, What is Love Containing Most Important Instructions for the Prudent Regulation of the Principle of Love and the Number of a Family*. London: Richard Carlile, 1828.

Carlyle, Thomas. "Characteristics." *Sartor Resartus*. Ed. Derry McSweeney and Peter Sabor. New York: Oxford UP, 2008. 22-27.

Chandler, Raymond. *The Big Sleep*. New York: Vintage, 1988.

_____. *Farewell, My Lovely*. New York: Vintage, 1988.

_____. *The Long Goodbye*. New York: Ballantine, 1978.

Chauncey, George. "Christian Brotherhood or Sexual Perversion? Homosexual Identities and the Construction of Sexual Boundaries in the World War I Era." *Same Sex: Debating the Ethics, Science, and Culture of Homosexuality*. Ed. John Corvino. Lanham: Rowman, 1997. 235-57.

_____. *Gay New York: Gender, Urban Culture, and the Making of the Gay Male World, 1890-1940*. New York: Basic, 1994.

Cleland, John. *Fanny Hill or Memoirs of a Woman of Pleasure*. New York: Viking, 1986.

Collini, Stefan. "The Idea of 'Character' in Victorian Political Thought." *Transaction of the Royal Historical Society* 35 (1985): 29-50.

Connell, R. W. *Gender and Power: Society, the Person, and Sexual Politics*. Stanford: Stanford UP, 1987.

Couser, G. Thomas. *Recovering Bodies: Illness, Disability and Life Writing*. Madison: U of Wisconsin P, 1997.

_____. *Signifying Bodies: Disability in Contemporary Life Writing*. Ann Arbor: U of Michigan P, 2009.

Crocker, Jennifer, and Neil Lutsky. "Stigma and the Dynamics of Social Cognition." *The Dilemma of Difference: A Multidisciplinary View of Stigma*. Ed. Stephen C. Ainlay, Gaylene Becker, and Lerita M. Coleman. New York: Plenum, 1986. 95-121.

Crompton, Louis. "Don Leon, Byron, and Homosexual Law Reform." *Journal of Homosexuality* 8 (1983): 53-71.

_____. "Gay Genocide: From Leviticus to Hitler." *The Gay Academic*. Ed. Louie Crew. Palm Springs: ETC, 1978. 67-91.

Davidoff, Leonore, and Catherine Hall. *Family Fortunes: Men and Women of the English Middle-Class, 1780-1850*. New York: Routledge, 2002.

Davis, Lennard, ed. *The Disability Studies Reader*. New York: Routledge, 1997.

_____. *Enforcing Normalcy: Disability, Deafness, and the Body*. London: Verso, 1995.

Don Leon: A Poem. London: Fortune, n.d.

Duffy, John. "Masturbation and Clitoridectomy: A Nineteenth-Century View." *Journal of the American Medical Association* 186 (1963): 166-68.

Eliot, George. *Silas Marner*. New York: Signet, 1960.

Ellis, Havelock. *Studies in the Psychology of Sex Vol. 1: Sexual Inversion*. Philadelphia: Davis, 1901.

Ellmann, Richard. *Oscar Wilde*. New York: Vintage, 1987.

Everitt, Herbert, ed. *"Manners Makyth Man": Dedicated to the Gentlemen of England by the White Cross League, Church of England Society*. London: n.p., 1906.

Fielding, Henry. *Love in Several Masks. The Complete Works of Henry Fielding*. Ed. William Ernest Henley. Vol.8. New York: Sterling, 1902. 16 Vols.

Finger, Anne. *Past Due: A Story of Disability, Pregnancy and Birth*. London: Seal, 1993.

Foucault, Michel. *The History of Sexuality*. Trans. Robert Hurley. New York: Vintage, 1980.

Fraiberg, S. "Tales of the Discovery of the Secret Treasure." *The Psychoanalytic Study of the Child* 9 (1954): 218-41.

Frawley, Maria. *Invalidism and Identity in Nineteenth-Century Britain*. Chicago: U of Chicago P, 2004.

Freud, Anna. "Problems of Infantile Neurosis: A Discussion." *The Psychoanalytic Study of the Child* 9 (1954): 16-71.

Freud, Sigmund. *Introductory Lectures on Psychoanalysis*. New York: Liveright, 1989.

—————. "The Psychogenesis of a Case of Homosexuality in a Woman." *That Obscure Subject of Desire: Freud's Female Homosexual Revisited*. Ed. Ronnie C. Lesser and Erica Schoenberg. New York: Routledge, 1999. 13-32.

Gay, Peter. *Pleasure Wars*. New York: Norton, 1998.

Gerschick, Thomas J., and Adam Stephen Miller. "Coming to Terms." *Men's Health and Illness: Gender, Power, and the Body*. Ed. D. Sabo and D. Gordon. London: Sage, 1995. 183-204.

—————. "Gender Identities at the Crossroads of Masculinity and Physical Disability." *Toward A New Psychology of Gender: A Reader*. Ed. M. M. Gergen and S. N. Davis. New York: Routledge, 1997. 455-75.

Gilbert, Arthur N. "Doctor, Patient and Onanist Diseases in the Nineteenth Century." *Journal of the History of Medicine* 30 (1975): 217-34.

Gladstein, Mimi Reisel. *The Indestructible Woman in Faulkner, Hemingway, and Steinbeck*. Ann Arbor: UMI, 1986

Godwin, William. *Caleb Williams*. Ed. David McCracken. New York. 1977.

Goffman, Ervin. *Stigma: Notes on the Management of Spoiled Identity*. Englewood Cliffs: Prentice-Hall, 1963.

Gonsiorek, John C. "Mental Health Issues of Gay and Lesbian Adolescents." *Psychological Perspectives on Lesbian and Gay Male Experiences*. Ed. Linda D. Garnet and Douglas C. Kimmel. New York: Columbia UP, 1993. 469-85.

Gorer, Geoffrey. *The American People: A Study in National Character*. New York: Norton, 1964.

Greven, David. *Representations of Femininity in American Genre Cinema: The Woman's Film, Film Noir, and Modern Horror*. New York: Palgrave, 2011.

Griffin, Peter. *Less Than a Treason: Hemingway in Paris.* New York: Oxford UP, 1990.

Grossman, Julie. *Rethinking the Femme Fatale in Film Noir: Ready for Her Close-Up.* New York: Palgrave, 2009.

Gutter Bob, and John R. Killacky, eds. *Queer Crips: Disabled Gay Men and Their Stories.* New York: Harrington Park, 2004.

Hall, Lesley A. "Forbidden by God, Despised by Men: Masturbation, Medical Warnings, Moral Panic, and Manhood in Great Britain, 1850-1950." *Forbidden History: The State, Society, and the Regulation of Sexuality in Modern Europe.* Ed. John C. Fout. Chicago: U of Chicago P, 1992. 293-316.

_____. "Hauling Down the Double Standard: Feminism, Social Purity and Sexual Science in Late Nineteenth–Century Britain." *Gender and History* 16 (2004): 36-56.

Haller, J. S. "Spermatic Economy: A 19th-Century View of Male Impotence." *Southern Medical Journal* 82 (1989): 1010-16.

Halsband, Robert. *Lord Hervey: Eighteenth-Century Courtier.* New York: Oxford UP, 1974.

Hammett, Dashiell. *The Glass Key.* New York: Vintage, 1989.

_____. *The Maltese Falcon.* New York: Vintage, 1972.

Hare, E. H. "Masturbatory Insanity: The History of an Idea." *Journal of the Mental Sciences* 108 (1962): 1-25.

Haycraft, Howard. *Murder for Pleasure: The Life and Times of the Detective Story.* New York: Carroll, 1984.

Helminiak, Daniel A. *What the Bible Really Says about Homosexuality.* Tajique: Alamo Square P, 2000.

Hemingway, Ernest. *Death in the Afternoon.* New York: Scribner's, 1960.

_____. "The End of Something." *Ernest Hemingway: The Short Stories.* New York: Scribner, 1995. 107-11.

_____. "A Lack of Passion." *The Hemingway Review* 9 (1990): 57-67.

_____. "The Light of the World." *Ernest Hemingway: The Short Stories.* New York: Scribner, 1995. 384-91.

_____. *A Moveable Feast*. New York: Scribner's, 1964.

_____. "A Simple Enquiry." *Ernest Hemingway: The Short Stories*. New York: Scribner, 1995. 327–30.

_____. *The Sun Also Rises*. New York: Scribner's, 1926.

Hiney, Tom. *Raymond Chandler: A Biography*. London: Chatto, 1997.

Hinkle, James. "Racial and Sexual Coding in Hemingway's *The Sun Also Rises*." *The Hemingway Review* 10 (1991): 39–41.

Holmes, Martha Stoddard. *Fictions of Affliction: Physical Disability in Victorian Culture*. Ann Arbor: U of Michigan P, 2012.

Hopkins, Ellice. *The Powers of Womanhood; or, Mothers and Sons, a Book for Parents and Those in Loco Parentis*. London: n.p., 1899.

Hunt, Margaret. "Afterword." *Queering the Renaissance*. Ed. Jonathan Goldberg. Durham: Duke UP, 1994. 359–78.

Hyam, Ronald. *Empire and Sexuality: The British Experience*. Manchester: Manchester UP, 1990.

Jameson, Fredric. "Synoptic Chandler." *Shades of Noir: A Reader*. Ed. Joan Copjec. New York: Verso, 1993. 33–56.

Joyce, James. *Dubliners*. New York: Oxford UP, 2001.

Kaplan, Cora. "Afterword: Liberalism, Feminism, and Defect." *Defects: Engendering the Modern Body*. Ed. Helen Deutsch and Felicity Nussbaum. Ann Arbor: U of Michigan P, 2000. 303–16.

Katz, Jonathan Ned. *Gay American History: Lesbians and Gay Men in the U. S. A.* New York: Plume, 1992.

_____. *Gay/Lesbian Almanac*. New York: Harper, 1983.

Kleege, Georgina. *Unseen Sight*. New Haven: Yale UP, 1999.

Lamb, Brian and Susan Layzell. *Disabled in Britain: A World Apart*. London: SCOPE, 1994.

Laqueur, Thomas. *Making Sex: Body and Gender from the Greeks to Freud*. Cambridge: Harvard UP, 1990.

Lawrence, D. H. *Lady Chatterley's Lover*. Ed. Michael Squires. London: Penguin, 2006.

_____. "Pornography and Obscenity." *Sex Literature and Censorship*. Ed. H. T. Moore. New York: Twayne, 1953. 69-88.

_____. "The Rocking-Horse Winner." *The Woman Who Rode Away and Other Stories*. Ed. Dieter Mehl and Christa Jansohn. Cambridge: Cambridge UP, 1995. 230-43.

Leavis, Q. D. *The Englishness of the Novel*. Ed. G. Singh. Cambridge: Cambridge UP, 1983.

Legman, Gershon. *Love and Death: A Study of Censorship*. New York: Hacker Art, 1985.

Linton, Simi. *Claiming Disability*. New York: New York UP, 1998.

Longmore, Paul K., and Lauri Umansky, eds. *The New Disability History: American Perspectives*. New York: New York UP, 2001.

Luczak, Raymond. *Eyes of Desire: A Deaf Gay and Lesbian Reader*. Boston: Alyson, 1993.

Kimmel, Michael S., ed. *Love Letters between a Certain Nobleman and the Famous Mr. Wilson*. New York: Harrington Park P, 1990.

McRuer, Robert. "Compulsory Able-Bodiness and Queer/Disabled Existence." *Disability Studies: Enabling the Humanities*. Ed. Sharon L. Snyder, Brenda Jo Brueggemann, and Rosemarie Garland Thomson. New York: MLA, 2002. 88-99.

Mairs, Nancy. "Sex and Death and the Crippled Body." *Disability Studies: Enabling the Humanities*. Ed. Sharon L. Snyder, Brenda Jo Brueggemann, and Rosemarie Garland-Thomson. New York: MLA, 2002. 156-70.

Manderson, Lenore and Susan Perake. "Men in Motion: Disability and the Performance of Masculinity." *Bodies in Commotion: Disability and Performance*. Ed. C. Sandahl and P. Auslander. Ann Arbor: U of Michigan P, 2005. 230-42.

Martin, Linda Wagner. "Racial and Sexual Coding in Hemingway's *The Sun Also Rises*." *The Hemingway Review* 10 (1991): 39-41.

_____. "What's Funny in *The Sun Also Rises*." *The Hemingway Review* 4 (1985): 31-41.

Martin, Wendy. "Brett Ashley as a New Woman in *The Sun Also Rises*." *New Essays on The Sun Also Rises*. Ed. Linda Wagner-Martin. New York: Cambridge UP, 1987. 65-

82.

Masson, Jeffrey M. *A Dark Science: Women, Sexuality, and Psychiatry in the Nineteenth Century.* New York: Farrar, 1986.

Martin, Robert K. *The Homosexual Tradition in American Poetry.* Austin: U of Texas P, 1979.

Mellow, James R. *Hemingway: A Life without Consequences.* Reading: Addison, 1993.

Meredith, George. *The Ordeal of Richard Feverel.* New York: Modern Library, 1927.

Minton, Henry L. *Departing from Deviance: A History of Homosexual Rights and Emancipatory Science in America.* Chicago: U of Chicago P, 2002.

Mitchel, David and Sharon L. Snyder. *Narrative Prosthesis: Disability and the Dependencies of Discourse.* Ann Arbor: U of Michigan P, 2001.

Mizejewski, Lind. *Hardboiled and High Heeled: The Woman Detective in Popular Culture.* London: Routledge, 2004.

Morris, Jenny. *Pride against Prejudice: A Personal Politics of Disability.* London: Women's, 1999.

Mosse, Geroge L. *Nationalism and Sexuality: Respectability and Abnormal Sexuality in Modern Europe.* New York: Fertig, 1997.

Munt, Sally Rowe. *Murder by the Book?: Crime Fiction and Feminism.* London: Routledge, 1994.

Murphy, Robert F. *The Body Silent.* New York: Norton, 2001.

Neuman, Robert P. "Masturbation, Madness, and the Modern Concepts of Childhood and Adolescence." *Journal of Social History* 8 (1975): 1–22.

Norton, Rictor. *Mother Clap's Molly House: The Gay Subculture in England, 1700–1830.* London: GMP, 1992.

Oliphant, Margaret. *The Victorian Age of English Literature.* Vol. 2. New York: Tait, 1892. 2 vols.

Onania: or, the Heinous Sin of Self-Pollution. London: n.p., 1710.

Paine, Thomas. *The Rights of Man.* Ed. Henry Collins. Middlesex: Harmondsworth, 1983.

Parker, Gillian. *With This Body: Caring and Disability in Marriage.* Buckingham: Open UP,

1993.

Paxton, Nancy. *George Eliot and Herbert Spencer*. Princeton: Princeton UP, 1991.

Pope, Alexander. "An Epistle to Dr. Arbuthnot." *The Poems of Alexander Pope*. Ed. John Butt. New Haven: Yale UP, 1963. 597-612.

Porter, Roy and Lesley Hall. *The Facts of Life: The Creation of Sexual Knowledge in Britain, 1650-1950*. New Haven: Yale UP, 1995.

Prilleltensky, Ora. *Motherhood and Disability: Children and Choices*. New York: Palgrave, 2004.

Radzinowicz, Peter J. *A History of English Criminal Law*. Vol. 4. London: Stevens, 1968. 5 vols. 1948-1990.

Rainey, Sarah Smith. *Love, Sex, and Disability: The Pleasures of Care*. Boulder: Lynne Rienner, 2011.

Ray, Gordon. *Thackeray: The Uses of Adversity, 1811-1846*. London: Oxford UP, 1955.

Rey, Michel. "Police and Sodomy in Eighteenth-Century Paris: From Sin to Disorder." *The Pursuit of Sodomy: Male Homosexuality in Renaissance and Enlightenment Europe*. Ed. Kent Gerard and Gert Hekma. New York: Harrington Park, 1989. 128-45.

Rollins, Hyder. *A New Variorum Edition of Shakespeare: The Sonnets*. Vol. 2. Philadelphia: Lippincott, 1944. 2 vols.

Rousseau, G. S. "The Pursuit of Homosexuality in the Eighteenth Century: 'Utterly Confused Category' and / or Rich Repository?" *'Tis Nature's Fault: Unauthorized Sexuality during the Enlightenment*. Ed. R. P. Maccubbin. New York: Cambridge UP, 1987, 132-68.

Rousseau, Jean-Jacques. *The Confessions*. London: Penguin, 1953.

Rotundo, E. Anthony. *American Manhood*. New York: Harper, 1993.

Rubin, Gayle. "Thinking Sex: Notes for a Radical Theory of the Politics of Sexuality." *The Lesbian and Gay Studies Reader*. Ed. Henry Abelove, Michèle Aina Barale, and David Halperin. New York: Routledge, 1993. 3-44.

Satan's Harvest Home. Hell Upon Earth, or, The Town in an Uproar. New York: Garland, 1985. Rpt. of *Satan's Harvest Home*. London: n.p., 1794.

Semmel, Bernard. *George Eliot and the Politics of National Inheritance.* New York: Oxford UP, 1994.

Sedgwick, Eve Kosofsky. *Between Men: English Literature and Male Homosocial Desire.* New York: Columbia UP, 1985.

———. *Epistemology of the Closet.* Berkeley: U of California P, 1990.

Server, Lee. *Danger Is My Business: An Illustrated History of the Fabulous Pulp Magazines.* San Francisco: Chronicle, 1993.

Shakespeare, Tom. *Untold Desires: The Sexual Politics of Disability.* London: Cassell, 1996.

Shapiro, Joseph. *No Pity: People with Disabilities Forging a New Civil Rights Movement.* New York: Times Books, 1993.

Sheets, Robin. "Womanhood." *Victorian Britain: An Encyclopedia.* Ed. Sally Mitchell. New York: Garland, 1991. 863–64.

Shildrick, Margrit. *Dangerous Discourse of Disability, Subjectivity, and Sexuality.* Hampshire: Palgrave, 2009.

Shuttleworth, Russell P. "The Search for Sexual Intimacy for Men with Cerebral Palsy." *Sexuality and Disability* 18 (2000): 263–82.

Siebers, Tobin. *Disability Theory.* Ann Arbor: U of Michigan P, 2008.

Smith, Jonathan. "Raymond Chandler and the Business of Literature." *Critical Response to Raymond Chandler.* Ed. Van Dover. Westport: Greenwood, 1995. 176–98.

Smollett, Tobias. *Peregrine Pickle.* Toronto: Oxford UP, 1964.

———. *Roderick Random.* New York: Signet, 1964.

Snyder, Sharon L., Brenda Jo Brueggemann, and Rosemarie Garland-Thomson, eds. *Disability Studies: Enabling the Humanities.* New York: MLA, 2002.

Social Purity Alliance. *The Morality of the Masses: Who is Responsible?* London: n.p., 1884.

Speir, Jerry. *Raymond Chandler.* New York: Ungar, 1981.

Spiller, Gustav. *The Meaning of Marriage: A Manual for Parents, Teachers, Young People (over 18) and Husbands and Wives; also for Spinsters and Bachelors, Widows and Widowers.* London: n.p., 1914.

Spitz, René. "Authority and Masturbation, Some Remarks on a Bibliographical Investigation."

Yearbook of Psychoanalysis 9 (1953): 113-45.

Staves, Susan. *Players' Scepters: Fictions of Authority in the Restoration*. Lincoln: U of Nebraska P, 1979.

Straayer, Chris. *Deviant Eyes, Deviant Bodies: Sexual Re-Orientations in Film and Video*. New York: Columbia UP, 1996.

_____. "Femme Fatale or Lesbian Femme: *Bound* in Sexual Difference." *Gender Meets Genre in Postwar Cinemas*. Ed. Christine Gledhill. Urbana: U of Illinois P, 2012. 219-32.

Strachey, St. Leo. "The Life of the State." *Spectator* 103 (1909): 846-47.

Swift, Jonathan. *Irish Tracts*. Ed. Herbert Davis. Oxford: Blackwell, 1964.

Swift, Jonathan and Alexander Pope. *Memoirs of Scriblerus*. London: n.p., n.d.

Symonds, John Addington. *The Memoirs of John Addington Symonds*. Ed. P. Grosskurth. New York: Random, 1984.

Szasz, Thomas. *The Manufacture of Madness*. New York: Harper, 1970.

Thomson, Rosemarie Garland. *Extraordinary Bodies: Figuring Physical Disability in American Culture and Literature*. New York: Columbia UP, 1997.

Trumbach, Randolph. "The Birth of the Queen: Sodomy and the Emergence of Gender Equality in Modern Culture, 1660-1750." *Hidden From History: Reclaiming the Gay and Lesbian Past*. Ed. Martin Bauml Duberman, Martha Vicinus, and George Chauncey Jr. New York: New American Library, 1989. 129-40.

_____. "London's Sodomites: Homosexual Behavior and Western Culture in the Eighteenth Century." *Journal of Social History* 11 (1977-78): 1-33.

_____. "Sodomitical Assaults, Gender Role, and Sexual Development in Eighteenth-Century London." *The Pursuit of Sodomy: Male Homosexuality in Renaissance and Enlightenment Europe*. Ed. Kent Gerard and Gert Hekma. New York: Harrington Park, 1989. 407-29.

_____. "Sodomy Transformed: Aristocratic Libertinage, Public Reputation and the Gender Revolution of the 18th Century." *Journal of Homosexuality* 19 (1990): 91-115.

Varley, Henry. *Private Lecture to Youths and Young Men, January 18, 1883.* London: n.p., 1884.

Wade, Cheryl Marie. "It Ain't Exactly Sexy." *The Ragged Edge: The Disability Experience from the Pages of the First Fifteen Years of The Disability Rag.* Ed. Barrett Shaw. Louisville: Advocado, 1994. 88–90.

Walton, Priscilla L. and Manina Jones. *Detective Agency: Women Rewriting the Hard-Boiled Tradition.* Berkeley: U of California P, 1999.

Weeks, Jeffrey. *Coming Out: Homosexual Politics in Britain from the Nineteenth Century to the Present.* London: Quartet Books, 1977.

주석

1부 소년과 독신남성

1 근대 영국 자위행위에 관한 주요 연구물로는 스피츠René Spitz의 「권위와 자위
   행위(Authority and Masturbation)」, 헤어E. H. Hare의 「자위행위 광기: 개념의 역사
   (Masturbatory Insanity: The History of an Idea)」, 더피John Duffy의 「자위행위와 음핵
   제거: 19세기의 시각(Masturbation and Clitoridectomy: A Nineteenth-Century View)」,
   자즈Thomas Szasz의 『광기의 제조(The Manufacture of Madness)』, 길버트Arthur N.
   Gilbert의 「19세기의 의사, 환자 그리고 자위행위 질병(Doctor, Patient and Onanist
   Diseases in the Nineteenth Century)」, 뉴만Robert P. Neuman의 「자위행위, 광기, 아동
   기와 사춘기에 대한 근대적 개념(Masturbation, Madness, and the Modern Concepts of
   Childhood and Adolescence)」, 바커-벤필드G. J. Barker-Benfield의 『절반만 알려진 삶
   의 공포(The Horrors of the Half-Known Life)』 등이 있다.

2 근대 이전의 자위행위담론에 관해서는 Roy Porter and Lesley Hall, *The Facts of Life:
   The Creation of Sexual Knowledge in Britain, 1650-1950*, pp. 91~105를 참조할 것.

3 Robert P. Neuman, "Masturbation, Madness, and the Modern Concepts of Childhood
   and Adolescence", p. 2.

4 Peter Gay, *Pleasure Wars*, p. 18.

5 Havelock Ellis, *Studies in the Psychology of Sex Vol. 1: Sexual Inversion*, p. 96.

6 J. S. Haller, "Spermatic Economy: A 19th-Century View of Male Impotence", p.
   1010.

7 Stefan Collini, "The Idea of 'Character' in Victorian Political Thought", p. 32.

8 Social Purity Alliance, *The Morality of the Masses: Who is Responsible?*, p. 6.

9 Priscilla Barker, *The Secret Book Containing Private Information and Instructions for
   Women and Young Girls*, p. 12.

10 Elizabeth Blackwell, *The Human Element in Sex: Being a Medical Enquiry into the*

　　Relation of Sexual Physiology to Christian Morality, p. 34.

11　위의 책, p. 18.

12　Herbert Everitt, ed., "*Manners Makyth Man*", p. 12.

13　Gordon Ray, *Thackeray: The Uses of Adversity, 1811-1846*, p. 422.

14　Lesley A. Hall, "Forbidden by God, Despised by Men: Masturbation, Medical
　　Warnings, Moral Panic, and Manhood in Great Britain, 1850-1950", p. 307.

15　Havelock Ellis, 앞의 책, p. 107.

16　Ronald Hyam, *Empire and Sexuality: The British Experience*, p. 66.

17　Henry Varley, *Private Lecture to Youths and Young Men*, p. 7.

18　René Spitz, "Authority and Masturbation, Some Remarks on a Bibliographical
　　Investigation", p. 127.

19　위의 책, p. 131.

20　영국 사회정화운동의 역사와 전개양상에 관해서는 다음 책에 상세하게 기술되어
　　있다. Edward Bristow, *Vice and Vigilance: Purity Movements in Britain since 1700*.

21　사회정화 여성운동에 관해서는 Lesley A. Hall, "Hauling Down the Double
　　Standard: Feminism, Social Purity and Sexual Science in Late Nineteenth-Century
　　Britain"을 참조하라.

22　Havelock Ellis, 앞의 책, p. 87.

23　Roy Porter and Lesley Hall, *The Facts of Life: The Creation of Sexual Knowledge in
　　Britain, 1650-1950*, p. 127.

24　프로이트도 생식의 영역 외부에 위치한 섹슈얼리티는 본질적으로 '변태적'이라
　　는 시각을 드러낸다. 그는 『정신분석에 관한 개론적 강의(Introductory Lectures on
　　Psychoanalysis)』에서 다음과 같이 명확하게 진술한다. "생식기능의 포기는 모든 변
　　태에 공통된 특성이다. 성적 행위가 생식의 목적을 포기하고 생식으로부터 독립된
　　쾌락의 달성을 목표로 삼는다면 우리는 실제적으로 그러한 성적 행위를 변태라고
　　묘사한다. 따라서 보는 것과 같이, 성생활의 발전에서 중단과 전환점은 성생활이
　　생식의 목적에 복무하는 데 어울리느냐에 있다."

25　Michel Foucault, *The History of Sexuality*, p. 31.

26　위의 책, p. 32.

27 Thomas Laqueur, *Making Sex: Body and Gender from the Greeks to Freud*, p. 229.

28 위의 책, p. 229.

29 상습적인 자위행위자의 상세한 특성에 관해서는 Arthur N. Gilbert, "Doctor, Patient and Onanist Diseases in the Nineteenth Century", pp. 217~34를 참조하라.

30 Ronald Hyam, 앞의 책, p. 58.

2부 남성동성애자

1 Michel Rey, "Police and Sodomy in Eighteenth-Century Paris: From Sin to Disorder", p. 134.

2 기독교의 동성애 대응방식의 변천에 대해서는 Daniel A. Helminiak, *What the Bible Really Says about Homosexuality*에서 잘 다루어지고 있다. 무관심 및 관용으로부터 탄압으로의 전환은 이 책 pp. 23~27을 참조할 것.

3 B. R. Burg, "Ho Hum, Another Work of the Devil: Buggery and Sodomy in Early Stuart England", p. 72.

4 근대의학의 남성동성애에 대한 영향력에 대해서는 Louis Crompton, "Gay Genocide: From Leviticus to Hitler"에서 상세하게 다루고 있다.

5 Margaret Hunt, "Afterword", p. 360.

6 Alan Bray. *Homosexuality in Renaissance England*, p. 21.

7 위의 책, p. 109.

8 트럼바흐를 비롯한 많은 학자들이 18세기 영국사회에서 남성동성애 하위문화가 부상했고 남성동성애자 정체성이 확립되었음을 밝혔다. 대표적인 연구자와 연구 성과물은 다음과 같다. 트럼바흐Randolph Trumbach의 「런던의 남색자들(London's Sodomites)」과 「남색자 하위문화(Sodomitical Subcultures)」, 더브로James R. Dubro의 「제3의 성: 허비 경과 그의 패거리들(The Third Sex: Lord Hervey and His Coterie)」, 루소G. S. Rousseau의 「롱 브리지의 마담 밴더 테스의 집에서: 초기 근대 유럽 대학의 동성사회적 클럽(In the House of Madam Vander Tasse on the Long Bridge: a Homosocial University Club in Early Modern Europe)」, 루비니Dennis Rubini의 「앤 여왕 시대 영국의 성: 남색, 정치학, 엘리트 동아리와 사교계(Sexuality and Augustan

England: Sodomy, Politics, Elite Circles and Society)」, 해거티George E. Haggerty의 「18 세기 말의 문학과 동성애: 월폴, 벡포드, 그리고 루이스(Literature and Homosexuality in the Late Eighteenth Century: Walpole, Beckford, and Lewis)」. 이들 연구자들은 남성 동성애자 개인에 대한 역사적 기록과 대학 클럽과 궁정 모임에서의 남성동성애 관 련 기록을 새롭게 발굴했다. 이들은 기록을 통해 남성동성애자가 귀족계급, 대학, 궁 정에서 이 시기에 개별적이고도 집단적인 실체를 드러낸 하나의 구별되는 부류였음 을 입증했다.

9   Michael S. Kimmel, ed, *Love Letters between a Certain Nobleman and the Famous Mr. Wilson*, p. 106.

10 Eve Kosofsky Sedgwick, *Epistemology of the Closet*, p. 44.

11 Randolph Trumbach, "The Birth of the Queen", p. 131.

12 Susan Staves, *Players' Scepters*, p. 414.

13 G. S. Rousseau, "The Pursuit of Homosexuality in the Eighteenth Century", p. 147.

14 위의 책, p. 147.

15 Vern L. Bullough, *Sexual Variance in Society and History*, p. 474.

16 Robert Halsband, *Lord Hervey: Eighteenth-Century Courtier*, p. 265.

17 Richard Ellmann, *Oscar Wilde*, p. 463.

18 Jeffrey Weeks, *Coming Out: Homosexual Politics in Britain from the Nineteenth Century to the Present*, pp. 14~15.

19 L. J. Boon, "Those Damned Sodomites", p. 263.

20 Randolph Trumbach, "Sodomitical Assaults, Gender Role, and Sexual Development in Eighteenth-Century London", p. 110.

21 동성애 처벌에 관해서는 Louis Crompton, "Gay Genocide: From Leviticus to Hitler"를 참고할 것.

22 Peter J. Radzinowicz, *A History of English Criminal Law*, pp. 309~11.

23 이 시기에 사용된 동성애 관련 언어에 관해서는 Louis Crompton, 앞의 논문을 참 조할 것.

24 Ivan Bloch, *A History of English Sexual Morals*, p. 389.

25 Hyder Rollins, *A New Variorum Edition of Shakespeare: The Sonnets*, p. 237.

26 Robert K. Martin, *The Homosexual Tradition in American Poetry*, p. 4.

27 권하고 싶은 우디 앨런의 영화가 꽤 된다. 〈돈을 갖고 튀어라(Take the Money and Run)〉(1969), 〈애니 홀Annie Hall〉(1977), 〈맨해튼Manhattan〉(1979), 〈젤리그Zelig〉(1983), 〈한나와 그 자매들(Hanna and Her Sisters)〉(1986), 〈범죄와 비행(Crimes and Misdemeanors)〉(1989) 등이 우디 앨런의 절정기를 대표한다.

28 Ernest Hemingway, *A Moveable Feast*, p. 29.

29 George Chauncey, "Christian Brotherhood or Sexual Perversion?", p. 246.

30 Henry L. Minton, *Departing from Deviance*. p. 9.

31 위의 책, p. 9.

32 위의 책, p. 9.

33 이 책에서 프로이트는 나이 든 기혼여성과 동성애에 빠져 부모와 지역사회를 충격에 빠뜨린 부유한 상류계급의 18세 소녀의 사례를 탄식조로 다루면서 소녀의 성적 혼란을 지발성(late-onset) 오이디푸스 콤플렉스와 유전적 소인의 결과로 설명한다. 프로이트는 수술을 통한 치료의 가능성에 대해서도 조심스럽게 언급하고 있다. 프로이트는 "여성동성애에 대한 치료법은 현재로는 애매하다. 만일 치료법이 아마도 양성구유적인 난소를 제거하고, 희망하기로는 단성인 다른 난소를 이식하는 것으로 구성된다면 실제로 적용할 수 있는 전망이 조금 생길 수도 있다"고 주장했다.

34 동성애 범주화를 주도했던 인물로는 로자노프Aaron J. Rosanoff 박사와 켐프Edward J. Kemp 박사 등이 있다. 동성애의 범주화에 관해서는 Jonathan Ned Katz, *Gay/Lesbian Almanac*, pp. 436~39를 참조할 것.

35 위의 책, p. 403.

36 위의 책, p. 455.

37 위의 책, p. 398.

38 위의 책, p. 453.

39 E. Anthony Rotundo, *American Manhood*, p. 37.

40 Jonathan Ned Katz, 앞의 책, 404.

41 위의 책, p. 452.

42 위의 책, p. 418.

43 위의 책, p. 408.

44 위의 책, p. 438.

45 위의 책, p. 400.

46 Henry L. Minton, 앞의 책, p. 9.

47 위의 책, p. 9.

48 Peter Griffin, *Less Than a Treason: Hemingway in Paris*, p. 50.

49 David Blackmore, "'In New York It's Mean I Was a⋯': Masculinity Anxiety and Period Discourses of Sexuality in *The Sun Also Rises*", p. 55.

50 Linda Wagner Martin, "Racial and Sexual Coding in Hemingway's *The Sun Also Rises*", p. 41.

51 초판본에서의 묘사는 James R. Mellow, *Hemingway: A Life without Consequences*, p. 109에서 인용.

52 Wendy Martin, "Brett Ashley as a New Woman in *The Sun Also Rises*", p. 66.

53 Mimi Reisel Gladstein, *The Indestructible Woman in Faulkner, Hemingway, and Steinbeck*, p. 62.

54 범죄소설이 드러낸 협상과 타협의 역사에 관해서는 계정민의 『범죄소설의 계보학: 탐정은 왜 귀족적인 백인남성인가』(소나무, 2018)를 참조할 것.

55 Tom Hiney, *Raymond Chandler*, p. 246.

56 누아르 영화의 동성애 연구는 1990년대 중반 무렵 팜므 파탈을 레즈비언으로 규정하기 시작했다. 뉴욕대학 영화연구학과 교수인 스트레이어Chris Straayer는 1996년에 출판된 『일탈적인 눈, 일탈적인 육체: 영화와 비디오에서의 성적 방향전환(Deviant Eyes, Deviant Bodies: Sexual Re-Orientations in Film and Video)』에서 팜므 파탈의 성적 욕망을 동성애적 욕망으로 다시 읽자고 제안했다. 그는 1998년에 발표된 논문 「팜므 파탈 혹은 레즈비언 팜므(Femme Fatale or Lesbian Femme)」에서 팜므 파탈을 레즈비언으로 판정했다. 2009년에 출판된 그로스먼Julie Grossman의 『누아르 영화에서의 팜므 파탈을 다시 사유하기(Rethinking the Femme Fatale in Film Noir)』, 2011년에 출판된 그레븐David Greven의 『미국 장르영화에서의 여성성 재현(Representations of Femininity in American Genre Cinema)』을 보더라도 팜므 파탈을 레즈비언으로 파악하는 시각에는 변함이 없다.

57 먼트Sally Rowe Munt의 선도적인 연구서인 『교과서적인 살인?: 범죄소설과 여성주의

(Murder by the Book?: Crime Fiction and Feminism)』를 펼쳐보자. 그녀는 팜므 파탈이 레즈비언이라는 것을 아예 논의의 전제로 삼고 레즈비언 범죄소설의 급진적인 잠재성에 대해 사유한다. 하드보일드 추리소설을 여성주의적 관점에서 다시 읽은 월튼Priscilla L. Walton과 존스Manina Jones의 기념비적인 저서 『비밀 탐정사: 하드보일드 전통을 다시 쓰는 여성들(Detective Agency: Women Rewriting the Hard-Boiled Tradition)』 역시 팜므 파탈을 레즈비언으로 규정한다. 대중문화를 대상으로 여성탐정의 하드보일드화에 관해 검토한 미제쥬스키Lind Mizejewski의 『하드보일드와 하이힐: 대중문화에서의 여성탐정(Hardboiled and High Heeled: The Woman Detective in Popular Culture)』 또한 팜므 파탈의 섹슈얼리티를 동성애로 규정한다.

58   Tom Hiney, 앞의 책, p. 246.

59   Jerry Speir, *Raymond Chandler*, p. 111.

60   George Chauncey, *Gay New York: Gender, Urban Culture, and the Making of the Gay Male World, 1890-1940*, p. 48.

61   위의 책, p. 51.

62   위의 책, p. 111.

63   하드보일드 추리소설은 1920년대 초반 펄프 잡지인 『블랙 마스크』를 통해 최초로 등장했다. 펄프 잡지와 하드보일드 추리소설의 관계에 관해서는 Lee Server, *Danger Is My Business: An Illustrated History of the Fabulous Pulp Magazines*를 참조할 것.

64   Alan Brinkley, *The End of Reform: New Deal Liberalism in Recession and War*, pp. 131~33.

65   하드보일드 추리소설에서의 상류계급 재현에 관해서는 계정민, 앞의 책, 7장을 참고할 것.

66   John Belton, *American Cinema/American Culture*, p. 194.

67   하드보일드 추리소설에서의 탐정 재현에 관해서는 계정민, 앞의 책, 7장을 참고할 것.

68   Geoffrey Gorer, *The American People: A Study in National Character*, p. 129.

3부 장애남성

1   Sarah Smith Rainey, *Love, Sex, and Disability: The Pleasures of Care*, p. 20.

2   Rosemarie Garland Thomson, *Extraordinary Bodies: Figuring Physical Disability in American Culture and Literature*, p. 8.

3   개별적 장애모델이 "장애를 지닌 개인을 결함을 지닌 인간으로 소외시켜버림으로써 장애와 관련된 차별과 수치의 역사를 그대로 반복한다"는 장애학자 시버스 Tobin Siebers의 주장은 이 모델에 대한 비판을 요약한다.

4   장애학의 정전이라고 할 수 있는 데이비스Lennard Davis의 『정상성의 강요: 장애, 청각장애, 그리고 몸(Enforcing Normalcy: Disability, Deafness, and the Body)』을 살펴보더라도, 장애남성의 섹슈얼리티 연구는 장애남성의 탈성애화를 극히 간략하게 언급하는 수준에 머물고 있다. 장애학에서의 섹슈얼리티 연구는 남성장애인을 우회해 동성애자 장애인을 향하거나 동성애와 장애의 관계에 관한 논의에 집중한다. 동성애자 장애인의 섹슈얼리티를 다룬 대표적인 연구서들은 다음과 같다. 특정장애를 지닌 동성애자에 집중한 러착Raymond Luczak의 『욕망의 눈: 청각장애 남녀동성애자 독본(Eyes of Desire: A Deaf Gay and Lesbian Reader)』과 동성애자 장애여성에 집중한 브라운워스Victoria A. Brownworth와 라포Susan Raffo가 공동편집한 『제한된 접근: 여성동성애자가 장애에 관해(Restricted Access: Lesbian on Disability)』, 남성동성애자 장애인을 다룬 거터Bob Gutter와 킬러키John R. Killacky 편집의 『동성애 불구자: 동성애자 장애남성들과 그들의 이야기(Queer Crips: Disabled Gay Men and Their Stories)』, 장애와 동성애에 관해 논의한 맥루어Robert McRuer의 「강박적인 정상-육체성과 동성애적/장애적 존재(Compulsory Able-Bodiness and Queer/Disabled Existence)」 등이 있다.

5   Lennard Davis, *Enforcing Normalcy: Disability, Deafness, and the Body*, p. 24.

6   Rosemarie Garland Thomson, 앞의 책, p. 22.

7   장애가 "고유의 의미망"을 지닌 구성체임에도 불구하고 장애에 관한 연구는 독립성을 확보하지 못하고 종속변수에 머무는 경우가 대부분이다. 장애에 관한 문학연구는, 1986년 장애에 관한 주제만을 다룬 최초의 국제학술지 『장애, 핸디캡, 그리고 사회(Disability, Handicap and Society)』가 창간되면서 새로운 전기를 맞았고 1990년대 이후 본격화되었다. 그럼에도 불구하고 장애는 빅토리아시대 문학연구에서 중심적 연구의제로 설정되기보다는 계급, 섹슈얼리티, 인종, 젠더연구의 주변부에 배치되었다. 장애를 인종, 젠더, 섹슈얼리티와의 관계망 속에서 부차적인 주제로 논의

하는 경향은 2000년대에 들어와서도 지속되고 있다. 장애가 지닌 "고유의 의미망"에 관해서는 Douglas Baynton, "A Silent Exile on This Earth", p. 128을 참고할 것.

8 사람들은 "다른 이들에게 닥친 불쾌한 사건"이 "그들이 마땅히 받아야 하거나 자초한 것으로 믿으려는 방향으로 동기화"되는 경향이 있다. 이러한 경향에 관해서는 Jennifer Crocker and Neil Lutsky, "Stigma and the Dynamics of Social Cognition", p. 103을 참고할 것.

9 Georgina Kleege, *Unseen Sight*, p. 70.

10 Lenore Manderson and Susan Perake, "Men in Motion: Disability and the Performance of Masculinity", p. 233.

11 Margaret Oliphant, *The Victorian Age of English Literature*, p. 493.

12 Russell P. Shuttleworth, "The Search for Sexual Intimacy for Men with Cerebral Palsy", p. 272.

13 Joseph Shapiro, *No Pity: People with Disabilities Forging a New Civil Rights Movement*, p. 14.

14 Georgina Kleege, 앞의 책, p. 70.

15 Cora Kaplan, "Afterword: Liberalism, Feminism, and Defect", p. 308.

16 Rosemarie Garland Thomson, 앞의 책, p. 9.

17 Joanna Bourke, *Dismembering the Male: Men's Bodies, Britain and the Great War*, p. 57.

18 G. Thomas Couser, *Signifying Bodies*, p. 2.

19 Gillian Parker, *With This Body: Caring and Disability in Marriage*. p. 4.

20 Rosemarie Garland Thomson, 앞의 책, p. 12.

21 Simi Linton, *Claiming Disability*, p. 25.

22 G. Thomas Couser, *Recovering Bodies: Illness, Disability and Life Writing*, p. 184.

23 Corbett Joan O'Toole, "The View from Below: Developing a Knowledge Base about an Unknown Population", p. 220.

24 Cheryl Marie Wade, "It Ain't Exactly Sexy", p. 88.

25 거식T. J. Gershick과 밀러A. S. Miller는 장애남성은 재설정(reformulation), 의존(reliance), 거부(rejection)라는 세 가지 방식으로 지배적인 남성섹슈얼리티와 협상한다고 주장한다("Gender Identities at the Crossroads of Masculinity and Physical

Disability", p. 456). 클리퍼드는 거부와 의존이라는 방식을 통해 자신의 섹슈얼리티를 재설정하는 것으로 볼 수 있다.